Enciclopedia de El Salvador

Enciclopedia de
El Salvador

Enciclopedia de El Salvador

2

OCEANO

Es una obra de
OCEANO
GRUPO EDITORIAL

EQUIPO EDITORIAL

Dirección
Carlos Gispert

Dirección de Producción y Subdirección
José Gay

Dirección de Edición
José A. Vidal

* * *

Dirección del proyecto
Graciela d'Angelo

Edición
Lluís Cánovas

Revisión
Iván Castro

Diseño y maquetación
Álvaro Elizalde

Edición gráfica
Victoria Grasa
Josep Borrell

Preimpresión
Didac Puigcerver

Producción
Antonio Aguirre
Antonio Corpas
Daniel Gómez
Alex Llimona
Ramón Reñé
Antonio Surís

Sistemas de cómputo
María Teresa Jané
Gonzalo Ruiz

Milanesat, 21-23
EDIFICIO OCEANO
08017 Barcelona (España)
Tel. 34 93 280 20 20* – Fax 34 93 204 10 73
www.oceano.com

IMPRESO EN ESPAÑA - PRINTED IN SPAIN

ISBN: 84-494-1618-3 (Obra completa)
ISBN: 84-494-1620-5 (Volumen II)
Depósito legal: B-9028-XLIII
9000298050901

Dirección de la obra

Rodolfo Cardenal
Vicerrector de Proyección Social.
Universidad Centroamericana
José Simeón Cañas (UCA).

Coordinador

Ricardo Roque Baldovinos
Doctor en Letras. Profesor del Departamento de Letras, Comunicación y Periodismo de la UCA.

Colaboradores

Astrid Bahamond
Historiadora del Arte. Profesora de Letras, Comunicación y Periodismo de la UCA.

Germán Cáceres
Doctor en Música y compositor. Ex director de la Orquesta Sinfónica de El Salvador.

Álvaro H. Campos
Licenciado en Derecho. Profesor del Departamento de Derecho de la UCA.

Carlos Cañas Dinarte
Licenciado en Letras.

Luis Armando González
Maestro en Ciencias Sociales. Director del Centro de Documentación y Apoyo a la Investigación de la UCA.

Mario Martí
Arquitecto. Profesor del Departamento de Arquitectura de la UCA.

Xiomara Peraza
Profesora del Departamento de Letras, Comunicación y Periodismo de la UCA.

Rafael Rodríguez Díaz
Licenciado en Filosofía. Profesor del Departamento de Letras, Comunicación y Periodismo de la UCA.

Luis Romano
Licenciado en Economía. Miembro del Centro de Documentación y Apoyo a la Investigación de la UCA.

Ismael Sánchez
Ingeniero. Profesor del Departamento de Ciencias Eléctricas y Fluídicas de la UCA.

Ovidio Sandoval
Ingeniero. Profesor del Departamento de Ciencias Naturales de la UCA.

Walter Salazar
Profesor del Departamento de Ingeniería Civil de la UCA.

Salvador Solórzano
Licenciado en Biología. Profesor del Departamento de Ciencias Naturales de la UCA.

Marcel Vargas
Licenciado en Filosofía. Miembro del Centro de Documentación y Apoyo a la Investigación de la UCA.

Ernesto Wauthion
Licenciado en Filosofía. Profesor del Departamento de Filosofía de la UCA.

José Zepeda
Ingeniero. Profesor del Departamento de Ingeniería Civil de la UCA.

Agradecemos a la Universidad Centroamericana José Simeón Cañas y a su Vicerrector, Don Rodolfo Cardenal, su inestimable participación en la Enciclopedia de El Salvador. Agradecemos también a Oriol Tuñí sus gestiones y su ayuda generosa.

CRÉDITOS FOTOGRÁFICOS

Age fotostock
Archive Photos
Archivo de Indias
Archivo Gral. de la Nación- México
Cañas-Dinarte, Carlos
CC-D- Archivo
Creativos Promotores
Ferrer & Sostoa
Imagen Latina- Galdámez, Luis
Imagen Latina- Romero, Edgar
Lenars, Charles
Polio, Eduardo
Puerta, Victoria
Roma, Josep
Sygma-Contifoto
Vautier, Mireille

AGRADECIMIENTOS

La reproducción de las imágenes del libro ***Colección de Pintura Contemporánea El Salvador,*** en las páginas 410, 411 sup, 411 inf, 412 sup, 412 inf, 413 sup, 413 inf, 414, 415, 418, 420 sup, 420 izq, y 451 dcha, han sido autorizadas cortésmente por el **Patronato Pro Patrimonio Cultural**.

Las fotografías de las páginas 417, 426 y 499 son cortesía de Miguel Clukier.

Las fotografías de las páginas 30, 51, 60 izq, 62, 64, 79 inf, 101, 102, 104 izq, 110 izq, 111, 120 izq, 121 izq, 127, 164, 167, 168 sup, 168 inf, 169, 170, 172, 173, 178, 179, 185, 187, 188 izq, 188 dcha, 189, 190, 191, 202, 215, 219, 221 izq, 226, 227, 236 dcha, 255, 408, 409, 461 sup izq, y 462 sup dcha, son cortesía de la **Unidad de Fomento Cultural del Banco Agrícola Comercial de El Salvador**.

Las fotografías de las páginas 19, 149, 150 izq, 153 inf, 210, 266, 267, 269, 270, 280, 282, 283, 284, 285 sup, 285 inf, 286, 392, 397 izq, y 433 son cortesía del **Sr. Gustavo Herodier**: autor del libro ***San Salvador, el esplendor de una ciudad 1880-1930. Asesuisa- Fundación María Escalón de Núñez. San Salvador 1997.***

Sumario del volumen **2**

Independencia y creación del Estado

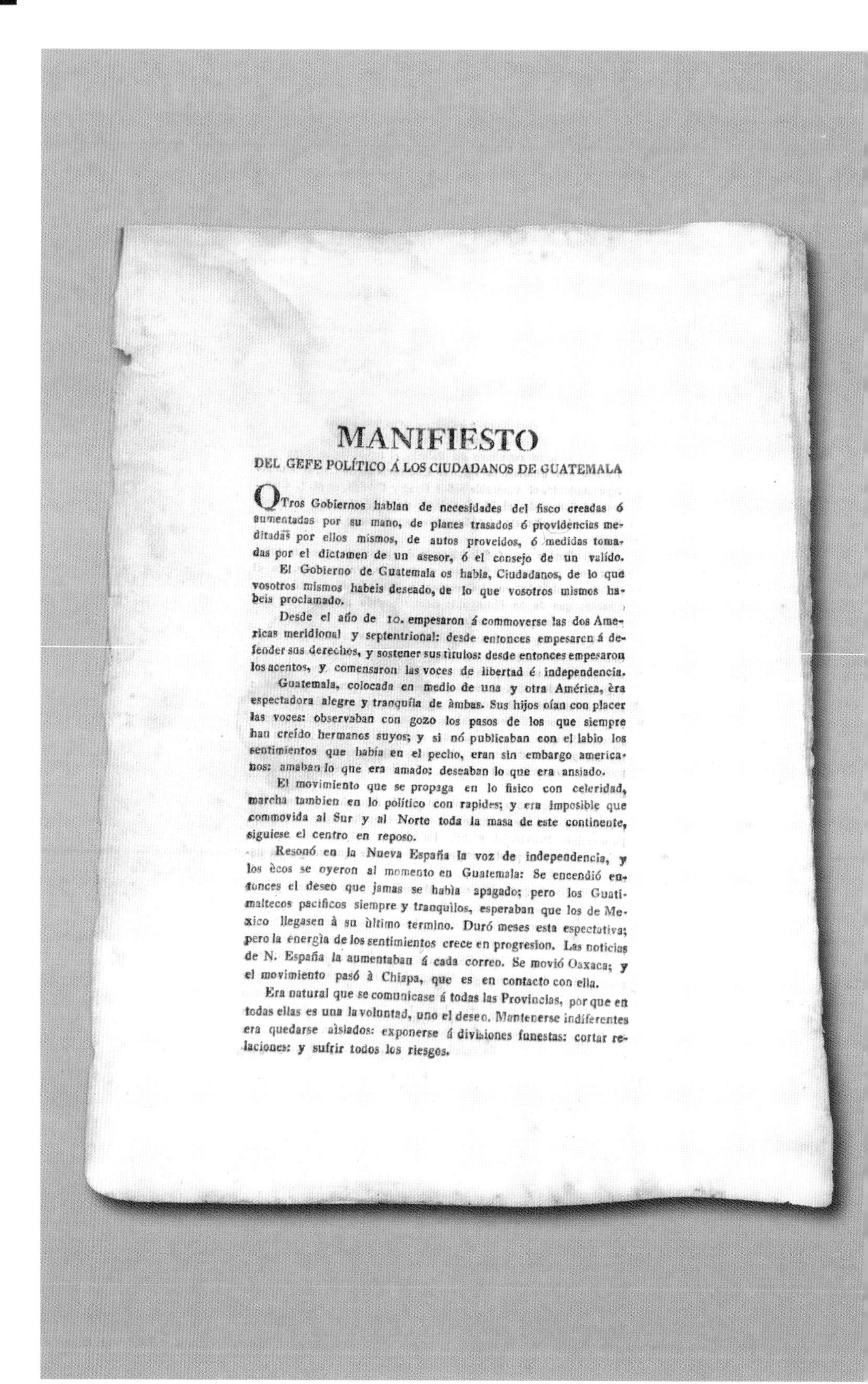

MANIFIESTO

DEL GEFE POLÍTICO Á LOS CIUDADANOS DE GUATEMALA

OTros Gobiernos hablan de necesidades del fisco creadas ó aumentadas por su mano, de planes trasados ó providencias meditadas por ellos mismos, de autos proveidos, ó medidas tomadas por el dictamen de un asesor, ó el consejo de un valído.

El Gobierno de Guatemala os habla, Ciudadanos, de lo que vosotros mismos habeis deseado, de lo que vosotros mismos habeis proclamado.

Desde el año de 10. empesaron á commoverse las dos Americas meridional y septentrional: desde entonces empesaron á defender sus derechos, y sostener sus tìtulos: desde entonces empesaron los acentos, y comensaron las voces de libertad é independencia.

Guatemala, colocada en medio de una y otra América, èra espectadora alegre y tranquíla de àmbas. Sus hijos oían con placer las voces: observaban con gozo los pasos de los que siempre han creído hermanos suyos; y si nó publicaban con el labio los sentimientos que había en el pecho, eran sin embargo americanos: amaban lo que era amado: deseaban lo que era ansiado.

El movimiento que se propaga en lo fisico con celeridad, marcha tambien en lo político con rapides; y era imposible que commovida al Sur y al Norte toda la masa de este continente, siguiese el centro en reposo.

Resonó en la Nueva España la voz de independencia, y los ècos se oyeron al momento en Guatemala: Se encendió entonces el deseo que jamas se habìa apagado; pero los Guatimaltecos pacificos siempre y tranquìlos, esperaban que los de Mexico llegasen à su ùltimo termino. Duró meses esta espectativa; pero la energìa de los sentimientos crece en progresion. Las noticias de N. España la aumentaban á cada correo. Se movió Oaxaca; y el movimiento pasó à Chiapa, que es en contacto con ella.

Era natural que se comunicase á todas las Provincias, por que en todas ellas es una la voluntad, uno el deseo. Mantenerse indiferentes era quedarse aìslados: exponerse á divisiones funestas: cortar relaciones: y sufrir todos los riesgos.

Características del proceso

La independencia de Centroamérica y la consolidación de un estado centroamericano, conocido como República Federal de Centro América, que duró de 1823 a 1840, no fue un momento histórico fraguado en pocos años, sino la culminación de un proceso histórico largo y complejo cuyas causas pueden rastrearse desde sus orígenes.

En efecto, tales causas hunden sus raíces en las mismas bases que fundamentaron la sociedad colonial. Cabe recordar, como acertadamente afirman algunos historiadores, que la conquista de Centroamérica tuvo más de saqueo que de ocupación militar en vistas a la posterior colonización de la región. América Central siempre fue vista como un botín por los conquistadores, quienes se proponían regresar con fortuna y honores a España, y nunca como una tierra nueva sobre la que establecer una nueva vida. No hubo que esperar a que estos soldados empresarios cayeran en la cuenta de que el oro y la plata eran insuficientes para todos y que volvieran sus ojos a la tierra y a los indios, como último recurso. Pero para enriquecerse en el «Nuevo Mundo» la condición era quedarse en él y poblarlo. Fue así como los campamentos cercanos a las minas se convirtieron en «villas de conquistadores» y éstos, por necesidad, en colonos.

En el proceso histórico de colonización de las tierras conquistadas se creó desde un primer momento una sociedad altamente dividida y es-

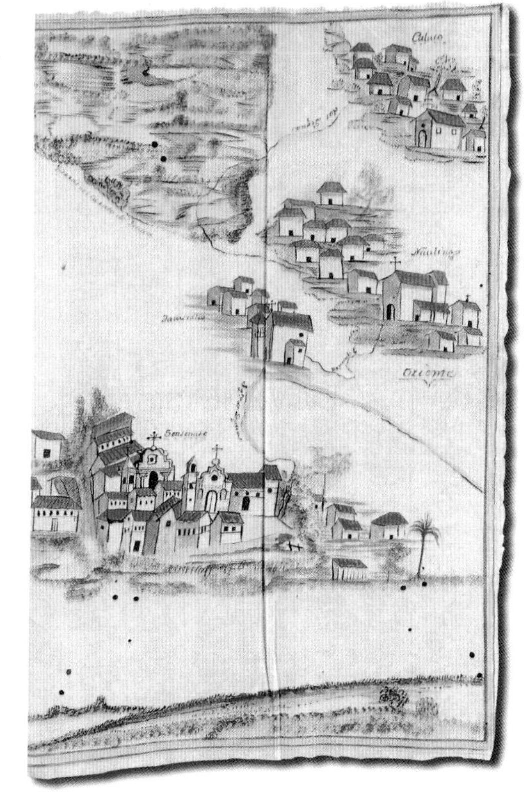

■ Fragmento de un mapa de la región de Sonsonate en las postrimerías del período colonial (1797). A la manera de la época, su anónimo autor se limitó a dar una visión aproximada de la ubicación de los pueblos, sin representación de los accidentes geográficos.

tratificada racial y socialmente. Una sociedad con dos mundos, el de los blancos y el de los indígenas, en los que la violencia, la codicia, la explotación, la rebelión, la competencia, los intereses, la desigualdad y la injusticia reinaron casi siempre. Una sociedad geográficamente muy alejada de España pero que, con el paso de los años, en la medida en que se continuó viendo a Centroamérica como un lugar de explotación y saqueo —por lo menos durante los siglos en que gobernó la dinastía de los Habsburgo—, cierto

■ Facsímil del manifiesto por la Independencia de Centro América (página de la izquierda) dirigido por el capitán general de Guatemala, Gabino Gaínza, a la ciudadanía en 1821.

Escudo de las Provincias Unidas del Centro de América aprobado por decreto en 1823. El gorro frigio simboliza el ideal de libertad republicano que campea sobre las provincias unidas, representadas por cinco montículos.

sector del mundo de los blancos, de los criollos o españoles nacidos en América, terminó alejándose también de España tanto en lo social como en lo político y lo económico, maquinando la idea de hacer de Centroamérica una «patria criolla».

Cabe decir que, para complicar aún más las cosas, el mundo de los blancos no era uno sino varios. Los blancos estaban divididos. Por un lado se encontraban los peninsulares, aquellos nacidos en España que ocupaban los cargos públicos más relevantes del régimen colonial. Por otro estaban los criollos, que se sentían despreciados y desfavorecidos por el rey y sus funcionarios llegados de la península. En estas divisiones y estos conflictos se encuentran, principalmente, las raíces más profundas de la emancipación. La independencia de Centroamérica fue, finalmente, una empresa criolla, ya que exceptuando unos contados casos aislados, los mestizos, los indios, los negros y los mulatos se mantuvieron al margen de la emancipación.

Ahora bien, transcurridos los siglos XVI y XVII otros factores fueron a sumarse a ese complicado conjunto de causas históricas, sociales, políticas y económicas que facilitaron el proceso histórico que condujo a la independencia. La aparición de estos factores adicionales se remonta a las primeras décadas del siglo XVII, y entre todos destacan las consecuencias que trajo consigo la aplicación de la nueva política colonial en el entonces Reino de Guatemala, relacionadas con el cambio de dinastía que, a partir del año 1700, vivió la Corona española e implicó el cambio de la casa de Austria por la de Borbón ■

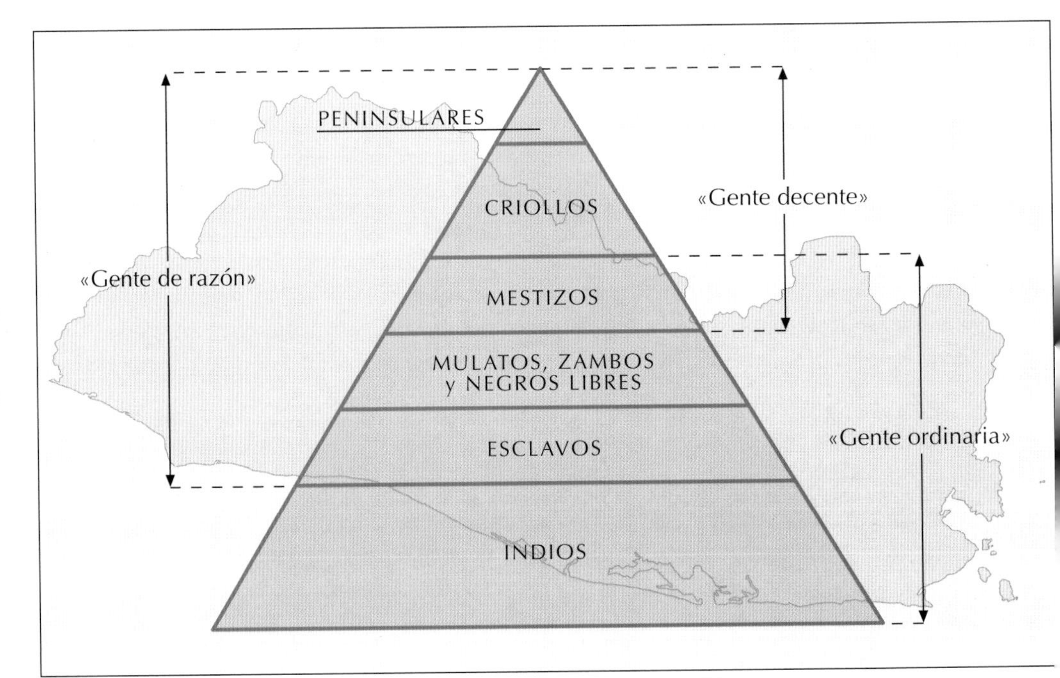

La complejidad multirracial de las colonias galvanizó una estructura social fuertemente jerarquizada, en la que prendería la llama del independentismo insuflada por las corrientes liberales europeas. Esquema de la estratificación étnica centroamericana a comienzos del siglo XVIII.

Las reformas

Cuando Carlos II, de la casa de Habsburgo, murió en 1700, no dejó un descendiente para el trono español. La sucesión provocó una larga guerra en Europa, de 1701 a 1713. Al terminar la Guerra de Sucesión española, Felipe V de Anjou (1683-1746), de la casa de Borbón, ocupó la corona de España y con el cambio dinástico una nueva política indiana se puso en marcha a través de las llamadas reformas borbónicas.

Las reformas borbónicas

Tales reformas crearon descontento y frustración entre la clase criolla centroamericana, tanto en los criollos de viejo abolengo como en los recientes, tanto en los criollos ricos como en los pobres, ya que con ellas los Borbones y sus funcionarios coloniales cuestionaron y atacaron intereses y supuestos derechos económicos, sociales y políticos.

Descontento criollo

Entre la élite criolla, los sentimientos hostiles hacia los nuevos burócratas y la dinastía borbónica fue una consecuencia inmediata; con el transcurso del tiempo, y en la medida en que se implementaban y aplicaban las reformas en el Reino de Guatemala, los resentimientos criollos, tanto de los civiles como de los eclesiásticos, terminaron por convertirse a finales del siglo XVIII y principios del XIX en movimientos antifiscales y antiespañoles que, reforzados por otros factores y acontecimientos internos y externos, culminaron en verdaderos movimientos anticoloniales que condujeron a la independencia de Centroamérica.

Mapa de la Audiencia de Guatemala levantado por W. Russell y publicado en Londres en 1778. Su jurisdicción se extendía desde Chiapas hasta Panamá.

Una de las principales raíces de la emancipación de la región radica, por tanto, en el desacuerdo y la inconformidad de los miembros de la élite colonial (terratenientes, comerciantes y eclesiásticos) con la nueva administración colonial. Sin embargo, detrás de este descontento no existía, en realidad, en la mente de los criollos, la idea de independizarse políticamente de España, sino más bien la de crear movimientos de oposición contra las reformas borbónicas y los nuevos funcionarios reales. Es decir: los criollos buscaban liberarse de las reformas y de los funcionarios impuestos por los Borbones, pero no realmente de España. Los criollos querían defender y conservar lo que por derecho de herencia de sus antepasados, los conquistadores, suponían que les pertenecía; además, en tanto colonos, creían haberse ganado, con su trabajo y esfuerzo durante más de dos siglos, la explotación de la tierra y de los indígenas, y el derecho a una serie de privilegios económicos, políticos y sociales en el Reino de Guatemala que para ellos significó una segunda España: la suya. No fue sino con el tiempo y el impacto de una serie de acontecimientos externos, pero de gran influencia en el Reino de Guatemala y particularmente entre los intelectuales de la clase criolla dirigente, que los movimientos antifiscales y antiespañoles se convirtieron, en las dos primeras décadas del siglo XIX, en movimientos anticoloniales que desembocaron finalmente en la emancipación política centroamericana.

Factores externos

Entre los factores externos que favorecieron el progreso del anticolonialismo y la búsqueda de la independencia del Reino de Guatemala se cuentan las poderosas ideas de los filósofos de la Ilustración, la independencia de Estados Unidos de América en 1776, la Revolución Francesa de 1789 y su Declaración de los Derechos del Hombre y del Ciudadano, así como el desarrollo de la revolución industrial, guerras europeas como las que libraban Inglaterra y sus piratas contra España, y la crisis política y militar que atravesó esta última al ser invadida por las tropas de Napoleón Bonaparte, quien en 1808 terminó imponiendo en el trono de España a su hermano José Bonaparte.

Las reformas borbónicas acarrearon cambios muy importantes en la administración del Reino de Guatemala. Para empezar, éste cambió a

ABSOLUTISMO Y DESPOTISMO ILUSTRADO

Crear un Estado absoluto implicaba que el monarca concentrara bajo su mando y persona todos los poderes: legislativo, ejecutivo y judicial. Los territorios y las poblaciones del reino, desde una perspectiva absolutista, le debían pertenecer al rey como suyos: los primeros como propiedad privada y los segundos como súbditos. El monarca absolutista poseía incluso la autoridad de elegir la religión de sus gobernados. Este absolutismo imperó en algunas cortes europeas del siglo XVIII y su expresión más evidente fue Luis XIV (1638-1715), quien afirmó: «El Estado soy yo».

Por despotismo se entendió que al no existir un estado de derecho, es decir basado en leyes, sino absoluto, el rey era capaz de gobernar de forma arbitraria e ilimitada sobre todos los grupos sociales de su reino: nobleza, clero y pueblo en general. Pero el monarca, para ser un buen déspota, debía ilustrarse. Esto significaba que el rey debía legislar promulgando leyes positivas acordes con las leyes naturales, para lograr así el máximo de bienestar y felicidad posible a sus súbditos. Para lograr tal propósito los monarcas tenían que educarse (ilustrarse) bajo la luz de la razón y las ciencias y hacerse acompañar de un séquito de filósofos y sabios que los aconsejaran en las opciones políticas pertinentes a su reino.

Siguiendo la línea del despotismo ilustrado, la monarquía de los Borbones emprendió en el siglo XVIII una serie de reformas políticas, sociales y económicas que buscaban modernizar el Estado en todo el reino español y sus colonias de ultramar. Su objetivo era favorecer los intereses monárquicos en detrimento de cualquier otra clase que se opusiera a los mismos, fuera ésta la nobleza, el clero o los criollos, para concentrar así en el rey todo el poder político y económico del imperio ■

Capitanía General de Guatemala en tiempos de los reinados de Carlos III (1759-1788) y Carlos IV (1788-1808). El propósito fundamental de la casa borbónica residía en recuperar el poder político y económico sobre sus colonias americanas, un poder que, desde la administración de los Habsburgo, estaba en manos de burócratas corruptos, comerciantes peninsulares ambiciosos y sin escrúpulos, y también de élites dirigentes criollas y eclesiásticas. Para lograrlo enmarcaron su política indiana en una mentalidad de corte absolutista, conocida como despotismo ilustrado, inspirada en la realeza francesa. Cabe recordar que Felipe de Anjou, el primer Borbón (quien subió al trono español con el nombre de Felipe V en 1715), era nieto del rey francés Luis XIV.

Las reformas borbónicas buscaban reestructurar totalmente la sociedad colonial y, de ese modo, enterrar todo vestigio de la administración colonial débil, descentralizada y corrupta, herencia de los Habsburgo. Con ellas los Borbones querían consolidar en las Indias un poder monárquico absolutista, despótico y, a la vez, ilustrado. Por esta razón en Centroamérica las reformas estuvieron acompañadas de expediciones científicas como la realizada entre 1787 y 1803 por el botánico José Mariano Mociño, quien llegó al Reino de Guatemala para estudiar su flora y fauna. También hacia 1794 se hicieron grandes esfuerzos por erradicar la viruela, que tantos estragos había causado entre la población.

La reforma administrativa y los comerciantes de Santiago

Entre las reformas borbónicas destacan las de índole administrativa y burocrática. Se nombraron nuevos funcionarios coloniales para romper con la corrupción y el contrabando. En la administración anterior la recolección de impuestos estaba en manos de civiles que legalmente habían recibido o comprado el derecho de cobrar impuestos, y que eran criollos o peninsulares, en general comerciantes que velaban más por sus intereses particulares, familiares o de grupo que por los del rey. Los nuevos recolectores de impuestos fueron funcionarios nombrados por la Corona misma y operaban al servicio y los intereses del monarca español. Por tanto, en principio, los nuevos burócratas no sólo eran leales sino también eficaces, y los movía el deseo de cumplir y hacer cumplir las leyes reales.

Las reformas borbónicas comportaron, entre otros cambios, modificaciones en los reglamentos y las ordenanzas militares, que afectaron también a los uniformes. Dibujo de soldados españoles de 1766 efectuado por José Villegas.

Estas reformas estaban unidas a otras más específicas, de carácter comercial, fiscal, político, eclesiástico y militar, pero todas tenían como trasfondo acabar con el poder económico y político de los grandes comerciantes peninsulares de Santiago de Guatemala y con las élites criollas corruptas de las provincias de la Capitanía General de Guatemala.

La inmigración peninsular (los «guatemaltecos»)

A partir del siglo XVI el Reino de Guatemala experimentó una serie de oleadas de inmigrantes peninsulares que se integraron rápidamente, o trataron de hacerlo, a las poderosas y dominantes élites criollas, asumiendo vínculos

La animadversión hacia algunas de las grandes familias de comerciantes de Santiago de Guatemala –descendientes de la inmigración española conocidos como los «guatemaltecos»– fue decisiva en la ruptura del proyecto centroamericano. En la ilustración, el vasco-navarro Juan Fermín de Aycinena, primer marqués de Aycinena, ejerce la caridad en un óleo de fines del siglo XVIII.

matrimoniales y, por ende, los valores tradicionales de la vida colonial centroamericana. Pero con la reactivación minera que vivió Honduras durante las primeras décadas del siglo XVIII arribó a Santiago de Guatemala una nueva clase de inmigrantes dedicados al comercio y muy bien relacionados con prestigiosas empresas comerciales de España. Se trataba de peninsulares con mentalidad calculadora y mercantilista y con un verdadero espíritu empresarial, elementos éstos desconocidos por la tradicional y conservadora clase criolla provincial. Así fue que estos comerciantes recién llegados terminaron desplazando a los viejos criollos y ocupando su lugar. No obstante, y tal como había sucedido antes, se asociaron y emparentaron con las élites de la clase criolla residentes en Santiago de Guatemala, y más tarde con algunas de San Salvador, atraídos por el comercio del añil. También dirigieron sus empresas e intereses hacia Nicaragua y Costa Rica. Sin embargo, como también sucedió en otras partes, durante los años 1740 y 1755 los poderosos comerciantes de Santiago fueron vistos en San Salvador como invasores y usurpadores, y rechazados por los 58 vecinos criollos de dicha villa, especialmente cuando trataron de comprar cargos públicos y adquirir tierras para sus negocios. Pero con el tiempo, estos nuevos comerciantes, apodados peyorativamente «los guatemaltecos» por los provincianos de El Salvador, Honduras, Nicaragua y Costa Rica, terminaron imponiéndose y, mezclándose con los criollos mismos, acapararon finalmente el poder económico y político de la Capitanía General de Guatemala. Tales acontecimientos crearon gran descontento y desconfianza entre los criollos comerciantes y terratenientes de las provincias, quienes siempre se opusieron a los poderosos «guatemaltecos». Esta situación de molestia y antagonismo por el poder en Centroamérica duró décadas y fomentó odios y rivalidades entre unos y otros.

Los descendientes y herederos de estos grandes comerciantes de Santiago asumieron, por consiguiente, un poder enorme no sólo en lo económico sino también en lo político. Entre algunas de estas poderosas familias se cuentan los Aycinena, Álvarez, Larrazábal, Palomo, Asturias, Batres, Vidaurre, etcétera. El descontento y la desconfianza de los provincianos respecto de los «guatemaltecos» fue tal que, lejos de disminuir, a finales del período colonial aumentó y se mantuvo después de la independencia centroamericana, lo cual fue un factor determinante para la quiebra de una Centroamérica unida. Efectivamente, los grandes comerciantes de Santiago se apoderaron del control comercial centroamericano, creando el monopolio de las exportaciones e importaciones de los principales productos. Tenían en sus manos, por ejemplo, la exportación del cacao y del añil, y el comercio regional de productos como el algodón, el ganado y el hierro, entre otros. También controlaban el manejo de créditos para la explotación minera.

La Corona sabía de las fortunas amasadas por los grandes comerciantes de Santiago y que continuaban aumentándolas al margen de la legalidad. Empleaban medios ilícitos y fraudulentos, favoreciendo la corrupción y el contrabando en todo el ámbito de la Audiencia de Guatemala a través de la evasión de las alcabalas, impuestos aplicados al comercio del cacao, añil, ganado y hierro. Para colmo, se ahorraban además fraudulentamente el pago del quinto real, esto es, la quinta parte de cada real ganado en la extracción de oro y plata que por ley correspondía al monarca.

Es lógico que, ante esta situación, los nuevos funcionarios nombrados por los Borbones, y llegados directamente de España para hacer cumplir las leyes reales en las colonias centroamericanas, persiguieran a los evasores e infractores tanto en la capital como en las provincias de la Capitanía General de Guatemala, y particularmente a los poderosos comerciantes radicados en Santiago de Guatemala. Asimismo, era de esperar que estos grandes comerciantes de Santiago y las poderosas élites criollas alimentaran sentimientos hostiles hacia la nueva administración colonial y crearan movimientos antifiscales y antiespañoles.

REGLAMENTO
Y
ARANCELES REALES
PARA
EL COMERCIO LIBRE
DE ESPAÑA
A
INDIAS
de 12. de Octubre de 1778.
MADRID.
EN LA IMPRENTA DE PEDRO MARIN.

La aprobación del Reglamento de Libre Comercio, de 1778, fue una de las reformas más trascendentales llevadas a cabo por la administración borbónica. Imagen de la portada del reglamento.

La reforma comercial y las vías de comunicación

La reforma comercial estaba unida a la mejora de los medios de comunicación con España, pues estas vías eran fundamentales para el desarrollo comercial entre las colonias y la metrópoli. Los Borbones querían dinamizar y levantar nuevamente la arruinada y corroída economía del imperio español, reviviendo para ello la entrada de riquezas americanas a la península, de la que había disfrutado España, junto con gran parte de Europa, durante el primer siglo de la Conquista y la Colonia.

Uno de los grandes cambios que acompañaron a estas reformas fue terminar con el monopolio comercial. En virtud de éste las colonias se veían obligadas a comerciar única y exclusivamente con España y, a los navíos comerciales que iban y venían de las colonias a la metrópoli, sólo se les permitía atracar y zarpar en Cádiz. En 1778 Carlos III modificó la situación con la creación de un mercado libre entre las colonias y España, autorizó nuevos puertos comerciales en España y América y, además, fundó un sistema de comercio basado en barcos independientes, que reemplazó al caduco sistema de flotas conforme al cual las mercancías circulaban entre América y España mediante un conjunto de navíos unidos: sistema arbitrado como protección frente a la piratería inglesa, pero que lentificaba el comercio. Con las nuevas disposiciones de Carlos III, y gracias a ciertos tratados con los ingleses, los navíos pasaron a surcar los mares en solitario, y así el comercio se tornó mucho más ágil. Esto dinamizó e incrementó, indudablemente, la economía y el comercio imperial español, y favoreció tanto a peninsulares como a criollos.

Mas la reforma del comercio y de las vías de comunicación posibilitó también una mejor recaudación de impuestos, tanto en las colonias como en los puertos de embarque y desembarque de España; dicha recaudación favoreció sobre todo a la Corona y contrarió enormemente a las élites coloniales criollas, acosadas por una carga impositiva y una auténtica reforma fiscal de signo moderno que se hacía realmente efectiva.

La reforma fiscal y la reactivación del comercio

Aprovechando la Guerra de Sucesión española (1701-1713) y el vacío de autoridad que ésta creó en las colonias, los ingleses y sus piratas aumentaron su presencia y la actividad comercial, por medio del contrabando, en toda la Audiencia de Guatemala. Se apoderaron de las costas atlánticas centroamericanas al punto de crear en ellas una especie de reino inglés-zambo-miskito. Esto facilitó que los poderosos comerciantes de Santiago pudieran vender a los ingleses toda una serie de productos de contrabando (plata, oro, añil, etc.) o que los intercambiaran por artículos extranjeros y exóticos que luego se comerciaban con gran facilidad en los demás rincones de la Capitanía General de Guatemala.

Tales prácticas eran posibles porque las fronteras aduaneras y los impuestos con que se gravaba en ellas los distintos objetos comerciales eran controlados y cobrados por los mismos comerciantes guatemaltecos.

Para poner freno al contrabando, al fraude y la corrupción en la Capitanía General de Guatemala, los Borbones crearon una reforma fiscal que determinó, entre 1765 y 1766, el monopo-

LOS FILÓSOFOS DE LA ILUSTRACIÓN

La Ilustración, conocida también como Siglo de la Luces, transcurrió a lo largo del siglo XVIII en distintos países europeos. La Ilustración es heredera de las ideas renacentistas de los siglos XV y XVI y del pensamiento racionalista y empirista de los siglos XVII y XVIII con los cuales se abandonó la época medieval, centrada en un pensamiento teológico, y se inauguró la modernidad, que puso su acento en los problemas humanos, sociales y políticos. Y si la filosofía de la modernidad se gesta durante el Renacimiento y nace en el siglo XVII con la filosofía subjetivista de Descartes, alcanza su madurez con los filósofos ilustrados.

Entre algunas de las características de la Ilustración, expresadas en el pensamiento de distintos filósofos, se pueden nombrar: la fe en el poder de la razón para organizar una vida social en la que los hombres sean iguales y libres, y en la que la soberanía recaiga en el pueblo mismo; la confianza absoluta en la racionalidad humana para conocer la naturaleza y así poder dominarla y ponerla al servicio de los hombres; la creencia en la idea de progreso; la tolerancia religiosa; el libre comercio; la independencia de los estados y la crítica al absolutismo.

Filósofos ilustrados fueron, por ejemplo, los precursores de origen inglés Newton (1642-1727) y Locke (1632-1704), los franceses Montesquieu (1689-1778), Voltaire (1694-1778) y Rousseau (1712-1778), los alemanes Kant (1724-1804) y Herder (1744-1803). Varias de las obras de estos autores circularon en las colonias hispanoamericanas y fueron fuente de discusión y análisis en las universidades durante finales de la época colonial, como los escritos de Rousseau.

El pensamiento ilustrado penetró con gran fuerza en América y trajo consigo nuevos planteamientos políticos, económicos y sociales en todo el continente, fundamentales para los movimientos independentistas y anticolonialistas ■

lio del comercio del tabaco, del aguardiente, de la pólvora, de la sal, del alquitrán y de las cartas de juego. Con esta reforma se crearon, en 1777, cuatro subadministraciones: Chiapas, San Salvador, Comayagua y León, para el control y la aplicación de impuestos. Con estas subadministraciones y los monopolios la Corona logró una mayor presencia en toda la Audiencia y aumentó considerablemente los ingresos fiscales, los cuales, antes de la reforma fiscal, provenían casi exclusivamente de los tributos indígenas. Asimismo, los distritos y las jurisdicciones de las subadministraciones fueron la base para la creación del sistema de intendencias.

Reforma político-administrativa

Las audiencias eran los órganos administrativos de mayor poder en las colonias. En el Reino (posteriormente Capitanía General) de Guatemala, la Audiencia se estableció en Santiago de Guatemala, a partir de 1549, por su situación geográfica estratégica. Se la conoció como Audiencia de Guatemala. Sus funciones eran administrativas, ejecutivas y judiciales. Quien la dirigía era llamado presidente-gobernador y estaba asistido por el Consejo de la Audiencia. Todos eran peninsulares. Su jurisdicción se extendía desde el actual estado mexicano de Chiapas hasta la actual República de Panamá. Centroamérica comprendía en ese entonces un espacio geográfico bastante más amplio que el de hoy. Para su control, todo ese territorio se dividió en provincias, gobernaciones, alcaldías mayores y corregimientos. Había cerca de 32 provincias y jurisdicciones en la Capitanía General de Guatemala antes de los grandes cambios que trajo consigo la reforma político-administrativa de los Borbones.

Alcaldías mayores e intendencias

Las alcaldías mayores gozaron de un enorme poder económico y político, por lo que los alcaldes mayores, como también los corregidores, fácilmente cayeron en la corrupción. Eran

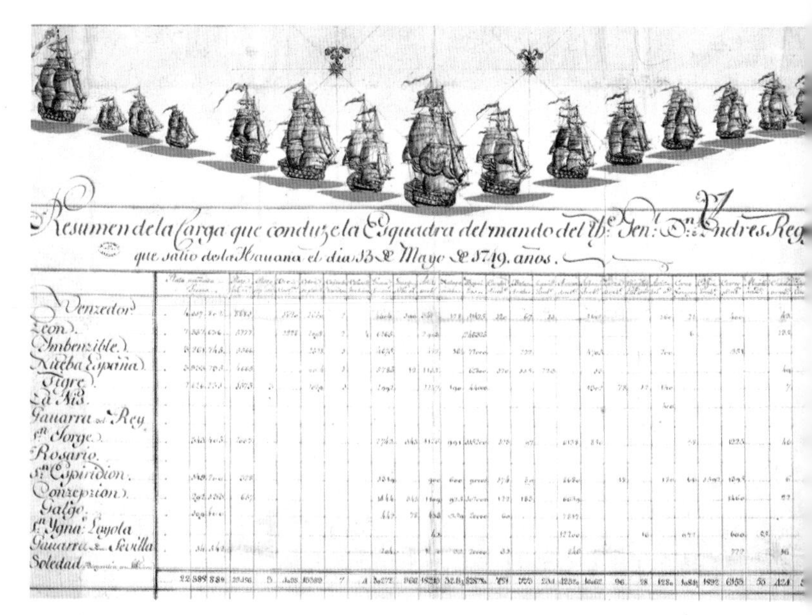
Resumen dela Carga que conduze la Esquadra del mando del Th.e Gen.l D.n Andres Reg[illegible]
que salio dela Havana el dia 13 de Mayo de 1749. años.

Venzedor.
Leon.
Imbenzible.
Nueba España.
Tigre.
La Nª S.
Gauarra del Rey.
S.n Jorge.
Rosario.
S.n Espiridion.
Conzepzion.
Galgo.
S.n Ygna.º Loyola
Gauarra de Sevilla
Soledad.

[illegible]

los únicos bastiones burocráticos en poder de la clase criolla. Y la administración colonial de los Borbones los atacó directamente por corruptos poniendo en práctica una disposición que eliminó alcaldías mayores y corregimientos y los sustituyó por un sistema de intendencias.

A mediados del siglo XVIII el territorio de Guatemala estaba formado por once alcaldías mayores. En lo que al salvadoreño respecta, se contaban dos: la de San Salvador y la de Sonsonate. La de San Salvador estaba compuesta por tres ciudades: la Villa de San Salvador, en la que residía el alcalde mayor y la élite criolla, que controlaba la producción de añil; la Villa de San Vicente y la de San Miguel. Las otras alcaldías mayores se encontraban repartidas en el resto de la Capitanía General de Guatemala. Pero éstas desaparecieron y fueron reemplazadas por las intendencias, cuyos funcionarios, directamente nombrados por la Corona, defendían los intereses del rey.

Las intendencias posibilitaron una verdadera centralización administrativa y constituyeron realmente el mayor éxito de las reformas borbónicas. Pero, por otra parte, su creación contribuyó a aumentar el sentimiento de autonomía en las distintas regiones de la Audiencia, es

■ La protección del comercio colonial frente a la piratería había impuesto el sistema de flotas protegidas por galeones armados, que desde La Habana navegaban con una derrota conjunta hacia España. Remediar la lentitud del tráfico comercial impuesta por este sistema fue uno de los objetivos del nuevo reglamento que, en 1778, autorizó la navegación de navíos en solitario. Hoja contable del asentamiento de carga de la escuadra del teniente general Andrés Reggio salida de La Habana el 13 de mayo de 1749.

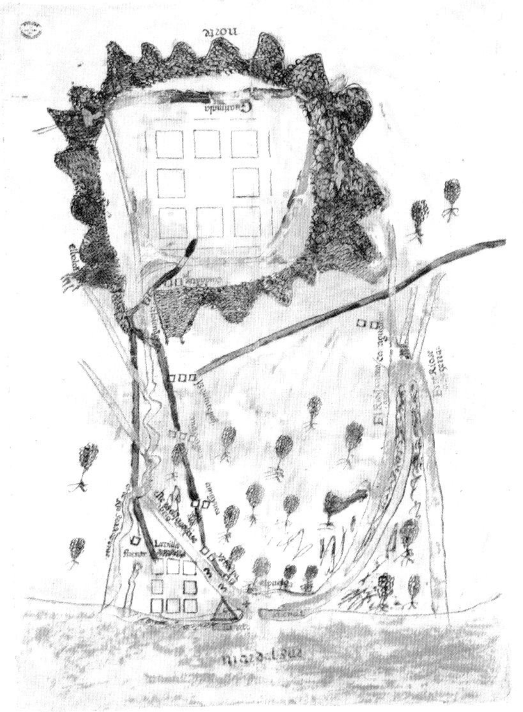

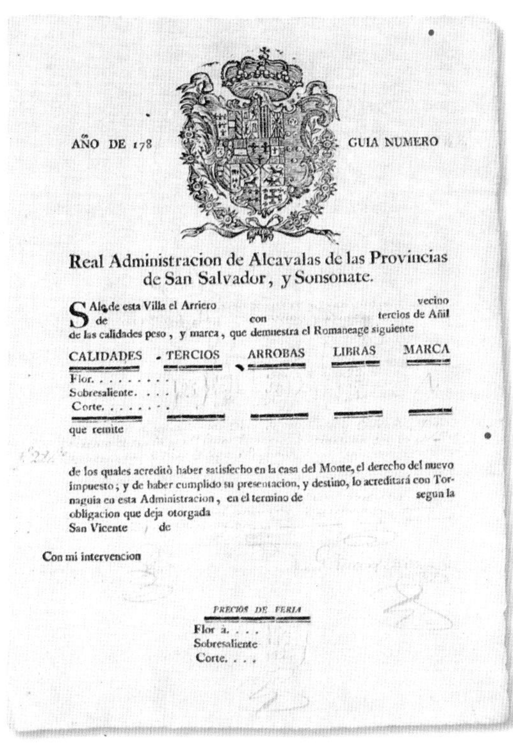

AÑO DE 178 GUIA NUMERO

Real Administracion de Alcavalas de las Provincias de San Salvador, y Sonsonate.

Sale de esta Villa el Arriero vecino de con tercios de Añil de las calidades peso, y marca, que demuestra el Romaneage siguiente

CALIDADES	TERCIOS	ARROBAS	LIBRAS	MARCA
Flor.				
Sobresaliente. . . .				
Corte.				

que remite

de los quales acreditò haber satisfecho en la casa del Monte, el derecho del nuevo impuesto; y de haber cumplido su presentacion, y destino, lo acreditará con Tornaguia en esta Administracion, en el termino de segun la obligacion que deja otorgada
San Vicente de

Con mi intervencion

PRECIOS DE FERIA

Flor à. . . .
Sobresaliente
Corte. . . .

Plano del puerto de Yztapa (izquierda) que contiene la planta de la ciudad de Guatemala, realizado por el ingeniero Pedro Ochoa de Leguizamo en 1598.

La reforma del sistema de impuestos afectó en primer lugar a la recolección de la alcabala. A la derecha, documento de 1783 acreditativo del pago de la alcabala.

decir, su creación profundizó un cierto chauvinismo regional entre los provincianos criollos que diferenciaba a unos provincianos de otros y a todos ellos de los «guatemaltecos».

Las fronteras establecidas por las intendencias pesaron en gran medida en la creación de las actuales repúblicas de América Central, pues el espacio político-administrativo de estas intendencias delimitó y sentó las bases de las fronteras y de los actuales territorios nacionales de Centroamérica al romperse la Federación Centroamericana en 1840.

Con la reforma político-administrativa los Borbones buscaron centralizar el gobierno colonial y tener bajo control la recaudación de impuestos en la Audiencia. Al efecto se crearon entre 1785 y 1787 cinco intendencias en la Capitanía General de Guatemala: la de Ciudad Real, en Chiapas; la de Guatemala, con sede en ciudad de Guatemala; la de San Salvador, con sede en la Villa de San Salvador; la de Honduras, con sede en Comayagua, y la de Nicaragua, con sede en León. Con la creación de las intendencias, las 32 provincias y jurisdicciones en las que se dividía la Audiencia de Guatemala se redujeron a quince.

El intendente pasó a convertirse en la autoridad real de mayor rango y poder en las provincias, y en el ejecutor de las reformas borbónicas en dicho ámbito. No obstante su posición de funcionarios reales, los intendentes no siempre fueron vistos de mala manera por los criollos, ya que participaron en alianzas con las poderosas familias criollas de las provincias, frenaron y atacaron a los grandes comerciantes de Santiago y defendieron los intereses de su jurisdicción ante el presidente-gobernador de la Audiencia de Guatemala.

Todo este conjunto de prácticas habituales de los intendentes favoreció a los criollos de las provincias, en detrimento de los intereses de los «guatemaltecos», que salieron perjudicados. Este hecho aumentó aún más si cabe las tensiones existentes entre los comerciantes de Santiago de Guatemala y los productores criollos de las provincias ■

La ideología criolla y los movimientos antifiscales y antiespañoles

Las reformas borbónicas y otras medidas implementadas a principios del siglo XIX generaron gran descontento y resentimiento entre los criollos de toda la Capitanía General de Guatemala. Los criollos reaccionaron de distintas formas ante tales reformas desde el momento mismo de su aplicación, pero no fue sino durante los años 1811 y 1814 que los criollos de las provincias, con el apoyo de algunos mestizos, crearon una serie de movimientos antifiscales y antiespañoles que más tarde derivaron en movimientos anticolonialistas e independentistas, principalmente en las ciudades de San Salvador, León y Granada, donde los intereses económicos de las élites criollas se vieron más afectados.

Con los movimientos antifiscales y antiespañoles los criollos no pretendían independizarse de España. En principio, sólo protestaban contra las reformas, los funcionarios reales y los comerciantes peninsulares, y contra las medidas tomadas por España para financiar sus guerras en Europa. A lo sumo, buscaban una autonomía local en lo económico, y que se les permitiera participar en el gobierno de la Audiencia de Guatemala, en lo político. Consideraban que la administración colonial los estaba explotando, que sus funcionarios reales eran autoritarios y los guatemaltecos un grupo ambicioso que les robaba tierras y fortunas. Ante esta situación, los criollos de vieja alcurnia sintieron que les estaban arrebatando «su» patria.

La *Recordación florida*

El texto del cronista criollo Francisco Fuentes y Guzmán, *Recordación florida. Discurso historial y demostración natural y material, militar y política del Reino de Guatemala*, en la que se cuenta la condición de los criollos durante el siglo XVIII, es una excelente fuente para conocer y comprender la ideología criolla y el gran descontento que esta clase social sentía a finales del período colonial. En esta obra se alega en favor de 111 familias criollas de «sangre ilustre» en situación empobrecida, pero no miserable, como era

Mapa iluminado del corregimiento del valle de Guatemala, que ilustraba el manuscrito de Francisco Antonio de Fuentes y Guzmán *Recordación florida*, clásico en la difusión de la idea de una patria criolla.

el caso del grueso de la población colonial, compuesta por indígenas, mestizos, negros y mulatos que, en su mayoría, sí vivían en condiciones paupérrimas. La crónica en cuestión muestra grandes contradicciones en la ideología criolla que representa y refleja, pues falsifica la realidad social colonial que describe. El autor de la crónica pide justicia para los criollos empobrecidos y se queja del mal trato, los abusos, la explotación y la injusticia que los criollos reciben de los peninsulares, tanto comerciantes como funcionarios reales. No habla, sin embargo, de las injusticias cometidas durante siglos por la clase criolla y que, en el momento de escribir la crónica, seguía cometiendo contra las otras clases sociales, particularmente contra los indígenas.

La patria criolla de Fuentes y Guzmán

La *Recordación florida* considera «ilustres» a estas familias criollas que defiende porque estima que sus orígenes se remontan a los tiempos de la Conquista, contemplada por el autor como una especie de «epopeya» gloriosa y sin precedentes en la historia de la humanidad ya que ha traído la «civilización» y la fe cristiana a las tierras americanas, y en la que sus protagonistas, los conquistadores, aparecen como «beneméritos» del Reino de Guatemala. En efecto, los criollos de viejo abolengo idealizaron la Conquista y la figura de Pedro de Alvarado. Se consideraron sus descendientes directos y, sobre todo, sus herederos. Esto les permitió re-

El capitán español Pedro de Alvarado, adelantado de Hernán Cortés, fue el conquistador de los territorios correspondientes al Reino de Guatemala, que incluía el actual El Salvador. Retrato de Alvarado encargado por la municipalidad de Santiago de Guatemala a Delfina Luna en 1854.

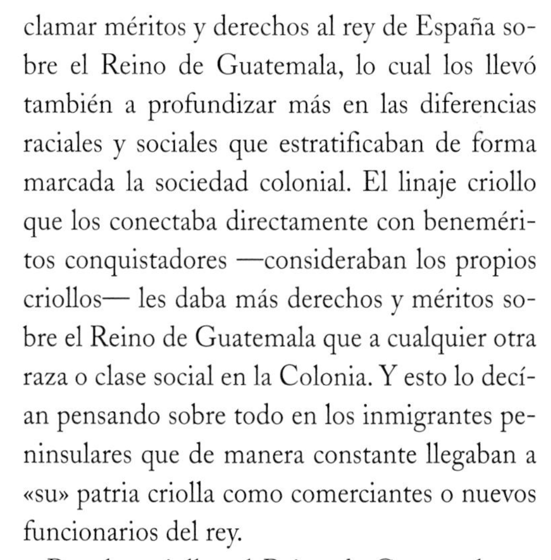

clamar méritos y derechos al rey de España sobre el Reino de Guatemala, lo cual los llevó también a profundizar más en las diferencias raciales y sociales que estratificaban de forma marcada la sociedad colonial. El linaje criollo que los conectaba directamente con beneméritos conquistadores —consideraban los propios criollos— les daba más derechos y méritos sobre el Reino de Guatemala que a cualquier otra raza o clase social en la Colonia. Y esto lo decían pensando sobre todo en los inmigrantes peninsulares que de manera constante llegaban a «su» patria criolla como comerciantes o nuevos funcionarios del rey.

Para los criollos el Reino de Guatemala era una patria que les estaba siendo arrebatada, y en la que se sentían explotados y desfavorecidos, pues como criollos tenían menos derechos que los nacidos en España, beneficiarios de los principales puestos burocráticos y las organizaciones comerciales más ricas y fuertes de la Audiencia. En cierto modo todo esto era verdad, pues aparte de que muchos criollos pasaban penurias y no gozaban de rentas públicas como algunos peninsulares, era un hecho que desde el siglo XVI la Corona les había negado el acceso a los cargos públicos. Los criollos nunca tuvieron acceso a órganos fundamentales de la administración colonial como las audiencias, sólo tuvieron posibilidad de acceder a puestos y mandos intermedios (los cargos de alcalde mayor y corregidor). Ahora bien, las alcaldías mayores y los corregimientos fueron instituciones calificadas de corruptas por la Corona y por ello fueron sustituidas por el sistema de intendencias. La pérdida de estos bastiones de la administración colonial creó un profundo malestar entre los criollos.

El descontento y la frustración criollos en toda la Capitanía General de Guatemala condujo a la creación de movimientos de protesta en muchas ciudades contra las autoridades coloniales locales y contra los inmigrantes españoles asentados en éstas. Los movimientos de protesta contra las políticas impositivas de la Corona y la fuga de capitales hacia la Península con el fin de financiar las guerras de España alcanzaron cierto grado de violencia en San Salvador, León y Granada. No obstante, dichos movimientos se circunscribieron a un ámbito propiamente urbano y no se propagaron a las áreas rurales de sus provincias. Los indígenas, mestizos y negros se mantuvieron, salvo algunos casos aislados de mestizos acomodados y muy cercanos a los criollos, al margen de estas protestas criollas.

Las logias masónicas, cenáculos de la burguesía más avanzada, jugaron un papel importante en la difusión de las ideas liberales, que en las colonias conducirían a la lucha por la independencia. Emblema masónico del grado 33 del Rito Escocés.

Desamortización de bienes eclesiales

Los movimientos antifiscales y antiespañoles cobraron mayor fuerza cuando, entre 1803 y 1804, la Corona decidió confiscar los bienes de la Iglesia y crear los donativos patrióticos, así como forzar la consolidación de deudas, debido a su necesidad de capitales para mantener el costo de las guerras. Dichas medidas consistían, primero, en contribuciones a título personal para las arcas del rey, como fue el caso de José Simeón Cañas, de quien se dice tuvo que contribuir, aunque muy modestamente dado sus escasos recursos, con algo de su dinero para financiar las guerras de España. Segundo, todos aquellos que mantenían una deuda con la Iglesia y sus dependencias, por ejemplo con las cofradías, capellanías, monasterios, conventos o escuelas, debían cancelarlas en su totalidad, so pena de ver confiscadas tierras y propiedades en un proceso de desamortización que permitiera recuperar el dinero adeudado.

Endeudarse con la Iglesia y sus dependencias era normal. La Iglesia tenía un enorme poder económico y se dedicaba a prestar dinero, sobre todo a los productores de añil. Para una zona que dependía de la producción y comercialización de este producto, como la Intendencia de San Salvador, la consolidación de deudas supuso un duro golpe a su economía y creó un descontento tal entre los criollos que sentó las bases para los sucesos del 5 de noviembre de 1811. Uno de los grandes afectados por tal medida fue Manuel José Arce, quien tuvo que pedir dinero prestado al Montepío de Cosecheros de Añil para cancelar su deuda. La mayoría de los añileros salvadoreños perdieron muchas tierras, las cuales pasaron a manos de los «guatemaltecos», entre quienes figuraba la familia Aycinena, que se apoderó de varias haciendas de la región. Estas medidas y sus consecuencias profundizaron la crisis de las provincias y, particularmente, afectaron a la Intendencia de San Salvador. La economía de la zona, que había entrado ya en crisis a raíz de las plagas de langosta o chapulín que devastaron las cosechas de añil entre 1802 y 1803, empeoró con la competencia internacional que imponía la producción añilera de India y Venezuela y se hundió cuando las guerras europeas interrumpieron el comercio del añil entre 1798 y 1802. Cuatro años de crisis para los añileros, y para los muchos otros criollos que dependían directa e indirectamente de esta producción, fue un hecho terrible; por si fuera poco, cuando la Corona aplicó la consolidación de deudas la situación económica se volvió insos-

Escudo de la Sociedad Económica de Amigos del País que, bajo el lema «el zelo unido produce la abundancia», promovió las reformas de la Ilustración en el Antiguo Reino de Guatemala.

tenible para ellos: fue la gota que derramó el vaso. Los criollos se rebelaron en 1811 y crearon un movimiento antifiscal y antiespañol, oponiéndose a los funcionarios reales y al monopolio comercial de los «guatemaltecos». Estas rebeliones estallaron en los actuales territorios de El Salvador y Nicaragua.

Crisis política y militar española

Los motivos no fueron sólo económicos. Entre otras causas, en el levantamiento de 1811 influyó la crisis política y militar vivida por España tras la invasión de las tropas de Napoleón en 1808. España se vio dividida tras ese acontecimiento. Por una parte, Napoleón instaló en el trono español a su hermano José Bonaparte y mandó al exilio al rey Carlos IV y a su hijo Fernando VII, heredero de la Corona. Por otra, los españoles patriotas se organizaron para enfrentarse política y militarmente a los franceses y devolver el trono a Fernando VII, creando una Junta Central que se opuso a las tropas invasoras francesas.

Esta situación de crisis de autoridad afectó no sólo a España sino también a las colonias. Sin embargo, en casi todas las principales posesiones españolas de ultramar, como México, Guatemala, Nueva Granada, Venezuela, Argentina, se organizaron juntas para gobernar en nombre del rey Fernando VII, se prometió apoyo económico a España en calidad de donaciones patrióticas y se manifestó lealtad a la Junta Central organizada en la península, con la condición de tener, como criollos, representación y participación directa en ella a través de las diputaciones provinciales. Tal situación condujo a que la Junta Central convocara a la elección de Cortes Generales, asamblea legislativa constituyente con la participación de delegaciones de España y de todas las colonias, que se celebraría en Cádiz.

Como representante de la Intendencia de San Salvador participó el clérigo José Ignacio Ávila. La Constitución de Cádiz fue firmada en 1812. Y si su fin último era apoyar la monarquía española y gobernar en ausencia del rey Fernando VII, paralelamente a estas intenciones dicha constitución tenía a la vez un carácter liberal que no sólo limitaba el poder absoluto del soberano, una vez éste regresara al trono, sino que daba pie para apoyar los distintos movimientos independentistas y anticolonialistas que, aunque incipientes, ya se estaban gestando. La constitución que crea el parlamento beligerante de Cádiz, entre 1808 y 1813, es un documento en el que se decreta la igualdad de todos los hombres ante la ley, la elección popular de los cabildos, la libertad de prensa, la abolición de los tributos indígenas, el cese de trabajos gratuitos de los indios para la Iglesia, etcétera. Se trata, por tanto, de un documento en el que estaban plasmadas algunas de las ideas políticas más modernas y revolucionarias de ese entonces, inspiradas, claro está, en los filósofos ilustrados y liberales. Era un hecho, pues, que en los medios intelectuales de la élite criolla ya existían elementos y movimientos independentistas y anticolonialistas, pero eran la excepción y no la regla en las colonias, y particularmente en la Capitanía General de Guatemala ■

Un impulso importante para la conciencia del movimiento independentista colonial procedía del liberalismo de las Cortes de Cádiz, instauradas en 1810-1813 en la metrópoli. Recreación pictórica de la proclamación de la Constitución de 1812 en Cádiz, en un óleo de Salvador Viniegra.

Las rebeliones de 1811 y 1814

La rebelión del 5 de noviembre de 1811 que tuvo lugar en San Salvador no constituye en realidad un primer grito de independencia en vistas a la emancipación total respecto a España, sino más bien un grito de autonomía local criolla que se enmarca en un movimiento más amplio de carácter antifiscal y antiespañol. No obstante, los sucesos de esa fecha son un primer gran paso hacia la independencia centroamericana, pues para ese entonces se fraguaban ya ideas republicanas muy influidas por los ideales de la Ilustración y por los movimientos independentistas surgidos en México y Sudamérica. Se consideraba, sin embargo, que no había llegado aún el momento propicio para poner en marcha un movimiento que posibilitara la emancipación centroamericana, ya que no se contaba con el apoyo popular y las tendencias conservadoras que apoyaban al rey en la Capitanía General de Guatemala eran todavía muy fuertes. Quienes formaban parte de ese grupo liberal independentista eran considerados, por los conservadores, «revoltosos exaltados».

Miembro activo de las primeras conspiraciones por la independencia, el criollo Manuel José Arce fue elegido en 1825 el primer presidente de la República Federal de Centro América.

Personajes destacados de 1811 y 1814

Los personajes más destacados de los eventos de 1811 y 1814 fueron Bernardo Arce (1754-1814), criollo propietario de haciendas añileras; Manuel José Arce (1787-1847), criollo, hijo de Bernardo Arce; José Matías Delgado (1767-1862), criollo y presbítero doctorado en Cánones y Jurisprudencia por la Universidad de San Carlos de Guatemala; Manuel Delgado, criollo, hermano de José Matías Delgado; Domingo Antonio Lara, criollo, que había estudiado filosofía con los jesuitas en el colegio San Borja de Guatemala; Santiago José Celis, mestizo, doctorado en Medicina; Manuel Rodríguez; los hermanos Manuel, Nicolás y Vicente Aguilar, todos ellos sacerdotes; Juan Vicente de Villacorta, quien realizó estudios de filosofía en la Universidad de San Carlos de Guatemala, y Pedro Pablo Castillo, mestizo.

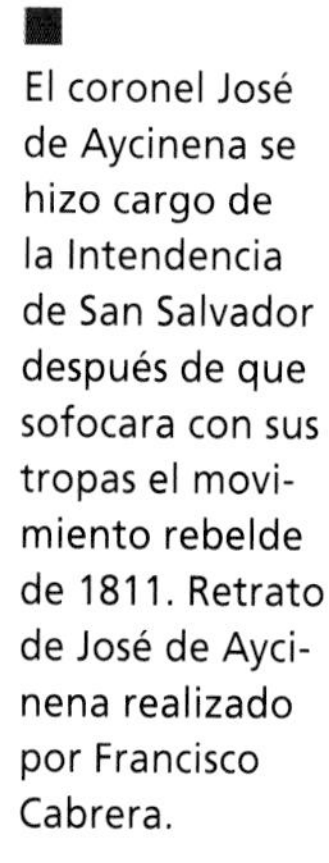

El coronel José de Aycinena se hizo cargo de la Intendencia de San Salvador después de que sofocara con sus tropas el movimiento rebelde de 1811. Retrato de José de Aycinena realizado por Francisco Cabrera.

El movimiento de 1811

El levantamiento del 5 de noviembre de 1811 tuvo como origen el arresto en Guatemala del padre Manuel Aguilar, acusado de mantener correspondencia con los rebeldes mexicanos y un grupo de conspiradores de Nicaragua, y las órdenes de arresto que se giraron contra otros sacerdotes de San Salvador por los mismos cargos. La noticia del encierro y de las órdenes de arresto llegó a San Salvador el 4 de noviembre. Esa noche el pueblo se congregó en la plaza y reclamó violentamente al entonces intendente Antonio Gutiérrez y Ulloa por la seguridad de sus sacerdotes, pues además corría el rumor de que se quería asesinar al padre José Matías Delgado. La muchedumbre apedreó las casas de los peninsulares. También tomó el salón de armas, pero las autoridades habían transferido éstas a otro lugar. Mas la situación fue tal que el intendente se vio obligado a renunciar. Un documento escrito por Manuel José Arce el 8 de noviembre, y que dirigió al Ayuntamiento de Zacatecoluca para contar lo ocurrido en San Salvador, narra que el pueblo pidió esa noche la captura de los funcionarios reales y de los peninsulares residentes en la ciudad. Dice que reinaba el desorden y la confusión. Pero, presentando a los criollos como gente razonable, sostiene que éstos calmaron los ánimos de la multitud y que finalmente se acordó dar protección a los europeos. Los líderes criollos tomaron el poder.

Al amanecer del 5 de noviembre el pueblo se reunió en cabildo abierto para elegir a las nuevas autoridades: resultó electo alcalde Bernardo Arce. El intendente Gutiérrez y Ulloa, junto a varios funcionarios y peninsulares, presenció los actos. El día 7 se celebró otro cabildo abierto en el que se organizó el nuevo gobierno y se labró un acta. Al rendir testimonio de estos hechos Manuel José Arce asegura que durante el levantamiento, pese a los excesos notorios que se cometieron, él no oyó que nadie se expresara contra las autoridades de Guatemala y que en el acta se juró vasallaje al rey. No estaba en cuestión, pues, la autoridad de las Cortes de Cádiz ni del rey Fernando VII, como relata también otro documento de Juan Manuel Rodríguez que habla en forma similar sobre los hechos. Únicamente se reivindicó el derecho a un nuevo gobierno provincial. Se pidió apoyo a otras ciudades, pero éste no llegó. La mayoría de los criollos que formaron el nuevo gobierno estaban emparentados entre sí y eran propietarios de haciendas de añil, maíz y ganado.

El 3 de diciembre de 1811 las autoridades de Guatemala restablecieron el orden en San Salvador; el coronel José Aycinena se hizo cargo de la Intendencia de San Salvador. Éste y sus tropas fueron recibidos pacíficamente por los criollos conciliadores, quienes calmaron los ánimos de los independentistas conocidos como los «rebeldes exaltados» que planeaban capturar al nuevo intendente a su llegada. Así, mientras en Guatemala se liberó al padre Aguilar, en San Salvador el padre José Matías Delgado juró lealtad a las nuevas autoridades y se nombró como nuevo intendente a José María Peinado.

RELATO DE LOS SUCESOS DEL 5 DE NOVIEMBRE

«El día cinco, siendo de cabildo ordinario, incautamente se tocó aquella campana, cuyo sonido reunió no más pocas gentes como la noche anterior, ¡sino todas las personas capaces de sostenerse en pie! ¡Cosa rara! Los ánimos indispuestos, el tumulto en movimiento, la potestad dudosa, nadie manda, nadie obedece, y sólo el desorden reinaba, la confusión se esculpía en los habitantes de San Salvador. Pero reintegrados un tanto los espíritus de los españoles americanos toman la voz para representar al pueblo que el movimiento tumultuario prometía grandes desastres. Que hablase y pidiese lo que justicia quería, y con ese objeto se congregó en las casas y corredores consistoriales, en donde nombró al Sr. Regidor Don Bernardo de Arce de Alcalde de primer voto concurriendo también el Sr. Intendente y todos los Europeos. ¿Pero a qué? A exaltarse en odio público, y el pueblo ya no hace peticiones sino que clama contra ellos, de forma que repartido en varios trosos asestan las casas de estos y los que la noche antes les contubieron, toman empeño particular en reprimirle. La predicación de su cura y vicario, la confianza de los españoles americanos y la obediencia del alcalde nombrado fueron los ángeles tutelares de los europeos de modo que la mayor gloria que se tiene es la conservación de sus vidas y caudales» ■

Juan Manuel Rodríguez,
secretario del Ayuntamiento de San Salvador

■ Lejos de beneficiarse de las libertades proclamadas por la Constitución de Cádiz de 1812, la población de la Colonia fue cruelmente reprimida por las tropas del capitán general José de Bustamante, abriendo un período conocido como «terror bustamantino». Retrato de Bustamante por Francisco Cabrera.

Los movimientos independentistas cobraban mayor fuerza y apoyo. Las ideas de libertad política, económica y religiosa de los filósofos ilustrados, como las de los ingleses John Locke y Adam Smith y de los franceses Montesquieu, Voltaire y Jean-Jacques Rousseau, estaban en boga. La independencia de Estados Unidos (1776) y la Revolución Francesa (1789) eran ejemplos vivos de que la soberanía residía en el pueblo. Pero más vivo era el ejemplo de la rebelión mexicana, un movimiento independentista que se inició el 16 de septiembre de 1810 con el Grito de Dolores lanzado por el sacerdote Miguel Hidalgo llamando a la rebelión popular. Sus seguidores fueron reprimidos y perseguidos y el cura Hidalgo ejecutado por rebelde en 1811. Este movimiento mexicano en favor de la independencia fue seguido por José María Morelos, con quien los «rebeldes exaltados» centroamericanos tenían contacto. Otro ejemplo que inspiraba a los primeros patriotas centroamericanos era la lucha que libraba Simón Bolívar contra los españoles en Sudamérica.

Una buena noticia en las colonias fue la firma, en 1812, de la Constitución de las Cortes de Cádiz. Pero cuando criollos y mestizos pidieron su aplicación y fiel cumplimiento en la Capitanía General de Guatemala, el capitán general José de Bustamante se opuso e impuso en la región un terror que se conoció como el «terror bustamantino», lo que encendió los ánimos de criollos y mestizos y alimentó los movimientos independentistas y anticolonialistas. El colmo se rebasó en 1812 cuando, habiendo resultado electos alcaldes de San Salvador Juan Manuel Rodríguez y Pedro Pablo Castillo, ambos de origen mestizo, fueron rechazados por el intendente Peinado. Las consecuencias no se hicieron esperar, y se desató una batalla política entre el intendente y los alcaldes.

El movimiento de 1814

En el contexto de enfrentamientos señalado, el 24 de enero de 1814 San Salvador se levantó nuevamente contra las autoridades españolas. La rebelión no duró mucho. Hubo algunos muertos y numerosos heridos. Se combatió toda la madrugada, pero las tropas del intendente triunfaron y una vez vuelta la calma se libraron órdenes de captura contra Manuel José Arce, Juan Manuel Rodríguez, Domingo Antonio de Lara y otros. Todos ellos terminaron en la cárcel, donde pasaron varios años. Sin embargo, Bustamante y Peinado fueron destituidos.

■ Fernando VII, protagonista de la restauración absolutista que precipitaría a España en el oscurantismo y haría inviable cualquier solución negociada para los independentistas centroamericanos. *Fernando VII a caballo*, de Francisco de Goya.

Mientras, en España, tras la expulsión de los franceses, Fernando VII ocupó el trono y terminó por abolir la Constitución de Cádiz que le impedía gobernar de forma absoluta. Una preocupación mayor del monarca español era contener a los rebeldes en las colonias. Para ello, en 1819 Fernando VII organizó una expedición militar fuertemente armada para combatir los movimientos independentistas en distintos frentes coloniales. No obstante, los oficiales del ejército español estaban descontentos con el rey por haber anulado la Constitución de Cádiz. En 1820, el general Rafael Riego, a punto de embarcar con sus tropas hacia las colonias, se amotinó, tomó Madrid y obligó a Fernando VII a restablecer la Constitución de 1812. España conoció un segundo período constitucional que resultó muy favorable para los movimientos independentistas de las colonias, sobre todo gracias al restablecimiento de la libertad de prensa.

El capitán general de Guatemala, Carlos Urrutia, quien había reemplazado a Bustamante, era partidario de los derechos que se proclamaban en la Constitución de Cádiz y, con el fin de restablecer el orden y la paz, liberó a los presos políticos y autorizó la libertad de prensa en Centroamérica, restituyendo a Peinado como intendente de San Salvador. La libertad de prensa fue un elemento clave para el desarrollo de los movimientos independentistas. Entre los periódicos de mayor circulación e influencia en la difusión de los ideales libertarios se cuentan los dirigidos por Pedro Molina (*El Editor Constitucional*) y José Cecilio del Valle (*El Amigo de la Patria*) ■

De la independencia mexicana al fracaso de la Federación

Tras el golpe de Riego de 1820, los movimientos independentistas y anticolonialistas se desbordaron en todas las colonias. En Nueva España (México) Agustín de Iturbide, un oficial criollo del ejército monárquico que había combatido a Morelos y sus rebeldes, se dirigía a enfrentarse a las tropas pro independentistas de Vicente Guerrero en Oaxaca, pero en lugar de combatirlo decidió pactar con él: el 24 de febrero de 1821 ambos firmaron el Plan de Iguala o de las Tres Garantías, en que se proclamaba la independencia de México, la unidad de todos los habitantes de la región mexicana y la idea de que la religión del país sería la religión católica. El plan no fue aprobado por el virrey de México, pero Iturbide salió triunfador de la insurrección popular y militar, y un año más tarde, en mayo de 1822, se proclamó emperador de México.

Independencia de México

La noticia de la independencia de México llegó rápidamente a la provincia de Chiapas, la cual no sólo declaró su independencia, sino también su anexión a México. Guatemala se enteró de los acontecimientos el 13 de septiembre de 1821. Para ese momento el nuevo capitán general era Gabino Gaínza. Los miembros del Ayuntamiento convencieron a Gaínza de que no se opusiera a los movimientos independentistas y declarara la independencia de la ciudad ya que no contaban con suficiente fuerza militar para contener al torrente emancipatorio que llegaba desde México y que tenía muchos seguidores en la capital. Se temía que el pueblo se levantara, sobre todo el llamado «pueblo bajo», compuesto por unos trescientos mil mestizos y seiscientos mil indígenas, frente a cuarenta mil criollos y peninsulares. Para los grandes comerciantes, como los Aycinena, la independencia era inevitable y dado que había que resignarse a ella, hasta recolectaban firmas en los barrios en favor de la misma. Presionado, Gaínza aceptó ante la promesa de que se mantendrían las mismas estructuras del poder. Convocó a sesión en el palacio del Capitán General de Guatemala para el 15 de septiembre de 1821, fecha en que

En México, el pueblo secundó el llamamiento independentista del cura Miguel Hidalgo, que pasó a la historia como «Grito de Dolores». En la imagen, el cura Hidalgo en el mural del pintor Juan O´Gorman sobre la independencia mexicana.

se decretó la independencia de España. Y por paradójico que parezca la declaración fue firmada, primeramente, por Gabino Gaínza, quien se suponía representaba al rey.

Es importante señalar que la declaración de independencia del 15 de septiembre de 1821 sólo liberaba políticamente a la ciudad de Guatemala, pero no al resto de Centroamérica. Dicha emancipación se entendió como una independencia de carácter temporal y se convocó acto seguido un congreso regional que el 1 de marzo de 1822 se encargó de definir la independencia general de la Capitanía General de Guatemala. En las provincias la pregunta era: ¿a quién pertenecer tras la independencia de la ciudad de Guatemala?

A pesar de la euforia que causó la noticia, la declaración de la independencia causó profundo malestar en las provincias, marcadas por la profunda animadversión hacia la ciudad de Guatemala, cuyo gobierno estuvo siempre bajo el control de los poderosos comerciantes peninsulares. En realidad los provincianos tenían miedo de caer bajo la hegemonía de Guatemala. Por ello cada provincia optó por sumarse a la independencia de manera autónoma, sin reconocer a Guatemala como capital. De este modo los conflictos entre criollos y peninsulares, que habían menguado con los movimientos independentistas, recobraron fuerza, sobre todo cuando, tras el acta de independencia, se mantuvo en Guatemala el mismo gobierno colonial,

EXTRACTOS DEL ACTA DE INDEPENDENCIA DE 1821

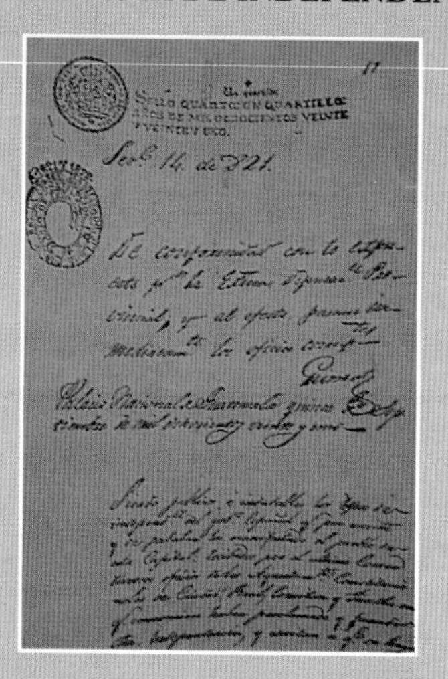

El Acta de Independencia de Centro América, aprobada el 15 de septiembre de 1821, abrió un camino emancipatorio que iba a ser ya irreversible.

Septiembre 14 de 1821

«De conformidad con lo expuesto por la Excelentísima Diputación Provincial, y al efecto, pásense inmediatamente los oficios correspondientes.»

Gaínza

Palacio Nacional de Guatemala, 15 de septiembre de 1821.

«Siendo públicos e indudables los deseos de independencia del Gobierno Español, que por escrito y palabra ha manifestado el pueblo de esta capital: recibidos por el último correo diversos oficios de los Ayuntamientos Constitucionales de Ciudad Real, Comitan y Tuxtla, en que comunican haber proclamado y jurado dicha independencia y escitan a que se haga lo mismo y en esta ciudad: siendo positivo que han circulado iguales oficios a otros Ayuntamientos, determinando de acuerdo con Excelentísima Diputación Provincial que para tratar de asunto tan grave se reuniesen en uno de los salones de este palacio la misma Diputación Provincial (...): Congregados todos en el mismo salón: leídos los oficios expresados: discutido y meditado detenidamente el asunto; y oído el clamor de VIVA LA INDEPENDENCIA que repetía de continua el pueblo que se veía reunido en las calles (...) de este palacio se acordó: Por esta diputación e individuos de Excelentísimo ayuntamiento.»

«Que siendo la independencia del gobierno español la voluntad general del pueblo de Guatemala, y sin perjuicio de lo que determine sobre ella el Congreso que debe formarse, el señor Jefe Político la mande publicar, para prevenir las consecuencias que serían temibles en el caso de que la proclamase de hecho el mismo pueblo.» ■

dirigido por el poderoso grupo Aycinena. La desunión y el localismo llevarían, inevitablemente, a la atomización de Centroamérica en cinco pequeñas repúblicas.

Agustín de Iturbide (en un óleo del siglo XIX), hijo de un acaudalado español, fue un oficial realista que se convirtió en artífice de la independencia mexicana y en 1822 fue coronado emperador, tras anexionar Centroamérica a aquella república.

El fracaso de la Federación

Centroamérica no libró ninguna guerra por la independencia de la región. Según algunos especialistas, haberse liberado del padecimiento de la guerra comportaba en sí toda una desgracia, en la medida que la inexistencia de batallas militares susceptibles de unir a las provincias contra el gobierno colonial potenció la desunión y las rivalidades entre unas y otras, arrastrándolas a la postre a la guerra civil y la lucha por la delimitación de fronteras nacionales. No obstante, entre 1823 y 1840 hubo importantes intentos unionistas para crear y conformar una Centroamérica unida y hermanada bajo una misma constitución y bandera con el nombre de República Federal de Centro América.

Anexión a México

Pero mientras en las provincias de la todavía llamada Capitanía General de Guatemala no se decidía aún qué hacer tras la independencia de la ciudad de Guatemala, y los gobernantes «guatemaltecos» perdían presencia y autoridad en las provincias, Iturbide planificaba en México anexar Centroamérica a su imperio. En efecto, Iturbide se comunicó con las autoridades de Guatemala y las invitó a unirse a México como había hecho Chiapas. A finales de 1821 había en Guatemala unos grupos a favor y otros en contra de la anexión. Muchos criollos conservadores, como los del grupo Aycinena, veían con buenos ojos la unión a México; algunos de los argumentos que manejaban para defender tal idea eran que con ella se evitaría que tomara más fuerza la desintegración del poder centralizador guatemalteco, se contendría la desintegración política de la región en varias repúblicas y, sobre todo, se prevendría una guerra civil en el istmo. Sin embargo, se decidió consultar a los ayuntamientos de las provincias al respecto. De los ciento setenta ayuntamientos consultados sólo los de San Salvador y San Vicente, donde predominaban los movimientos liberales, rehusaron anexarse. Por tanto, sin el consenso total, la Junta Provisional de Gobierno con sede en Guatemala aprobó, el 5 de enero de 1822, la anexión de Centroamérica a México. Y en junio de 1822 un ejército mexicano al mando del general Vicente Filísola llegó a la ciudad de Guatemala para apoyar la anexión y, por supuesto, para combatir a los rebeldes de San Salvador y San Vicente.

Rebelión de San Salvador

En junio de 1822, tras declararse en rebeldía, San Salvador sufrió una invasión militar dirigida por la Junta Provisional de Guatemala. En esta ocasión los guatemaltecos la tomaron y saquearon por cierto tiempo, pero inmediatamente después fueron derrotados y expulsados por las tropas de Manuel José Arce. A pesar de

Estampa de la plaza Central de la ciudad de Guatemala a comienzos del siglo XIX: palacio de los Capitanes (a la izquierda); portal de Aycinena, actual portal de Comercio (a la derecha); la fuente de Carlos III (en el centro), y la catedral, aún desprovista de sus torres (al fondo).

ello se temía lo peor frente al ejército mexicano de Filísola que estaba listo para marchar sobre la ciudad rebelde. Ante esta situación el 5 de diciembre de 1822 se presentó una moción urgente a la Junta Provincial de San Salvador en la que se pedía enviar una comitiva (compuesta entre otros por Manuel José Arce y Juan Manuel Rodríguez) a Washington a fin de negociar una posible anexión de la provincia a Estados Unidos, con objeto de neutralizar a los ejércitos mexicanos y guatemaltecos que amenazaban con invadir San Salvador. La negociación nunca se llevó a cabo, pues a pesar de que Filísola venció la resistencia salvadoreña y San Salvador cayó en manos de los invasores en febrero de 1823, en México, Iturbide renunció como emperador en marzo de ese año; Filísola liberó San Salvador y dejó Guatemala, regresando con sus tropas a México. La anexión de Centroamérica a México había terminado. Duró muy poco tiempo: del 5 de enero de 1822 al 1 de julio de 1823.

Las Provincias Unidas de Centro América

Antes de su partida el general Vicente Filísola, consciente de que la anexión de Centroamérica a México no podía imponerse por la fuerza, posibilitó que se organizara una Asamblea General Constituyente en la que las provincias centroamericanas decidieran sobre su futuro. Los liberales se impusieron sobre los conserva-

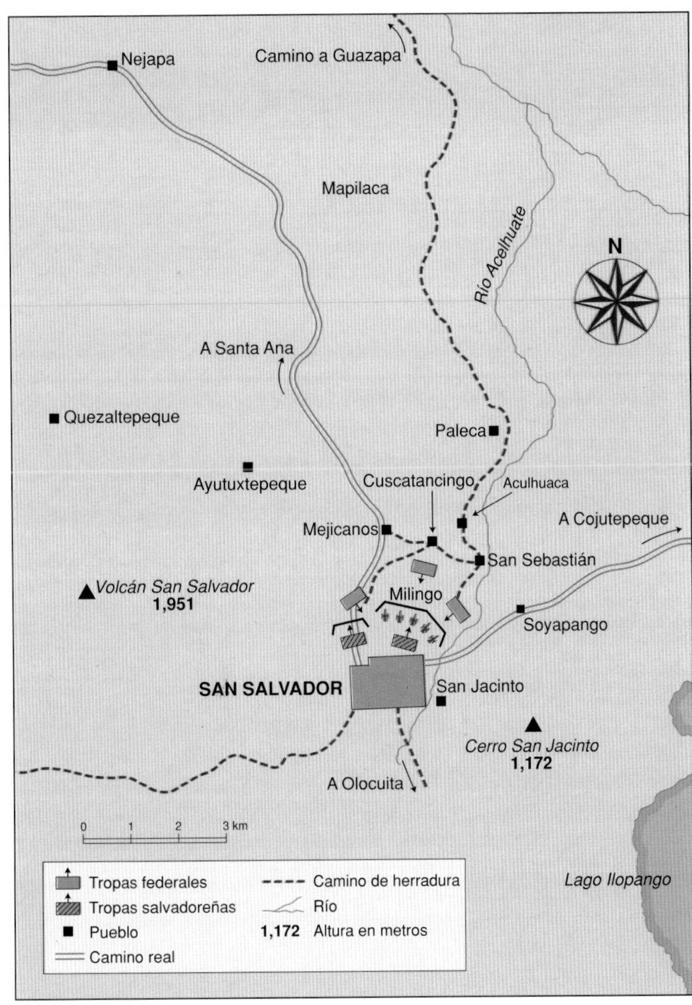

dores, y es así como en junio de 1823 un Congreso Constituyente presidido por el clérigo José Matías Delgado se reunió en Guatemala. En sesión plenaria, con diputados representantes de todas las provincias, se declaró que la Capitanía General de Guatemala pasaba a convertirse en Provincias Unidas de Centro América (luego se llamó República Federal de Centro América) como nación totalmente libre e independiente de España, México o cualquier otra potencia extranjera. Los diputados representantes de las provincias centroamericanas organizaron la Asamblea Nacional Constituyente y se pusieron a trabajar de inmediato en la elaboración de una constitución para la nueva república federal. Ésta fue promulgada el 22 de noviembre de 1824. Y el año de 1825, Manuel José Arce fue elegido presidente de la Federación.

Lamentablemente la frágil paz y la estabilidad centroamericanas no se mantuvieron mucho tiempo. Los conflictos entre las distintas provincias, apaciguados desde 1823, estallaron de nuevo en 1826 y, a partir de esta fecha, sumieron a Centroamérica en una vorágine de guerras civiles que minaron su unidad hasta su fragmentación total, en 1840. Centroamérica se convirtió en un mundo en el que predominaron más las pasiones localistas que los intereses por una república federal unida y poderosa.

Y quizás no podía ser de otra manera, pues la misma historia regional muestra que desde la fundación de la sociedad colonial, Centroamérica, como Reino de Guatemala, adolecía de falta de unidad. La región nunca estuvo unida sino profundamente dividida en un conjunto de provincias en disputa permanente entre sí y, en particular, contra Santiago de Guatemala, la capital. La tarea por la unidad fue, de hecho, un proyecto criollo liberal reformista que comenzó con la creación de la República Federal

Batalla de Milingo, 18 de mayo de 1827: episodio de la guerra civil en el que las tropas federales de Manuel José Arce fracasan en el ataque contra San Salvador.

El presbítero José Matías Delgado (izquierda) presidió el congreso constituyente de las Provincias Unidas de Centro América.

de Centro América en 1823. Mas por haberse mantenido en la ciudad de Guatemala, después de la independencia de 1821, las mismas estructuras del poder colonial —pues continuaron las mismas leyes y los mismos funcionarios coloniales, así como una poderosa élite criolla y peninsular que manipulaba a éstos según sus intereses—, los conflictos entre las provincias y la ciudad capital nunca se resolvieron. Por tanto el sueño de una república federal resultaba imposible desde su origen, ya que los criollos provincianos de El Salvador, Honduras, Nicaragua y Costa Rica nunca aceptaron estar sujetos a la hegemonía y los intereses económicos y políticos de los «guatemaltecos».

PROCLAMA.

El Gobierno acaba de recibir aviso oficial de haberse instalado el 22 de junio, en Panamà el *Congreso general americano.*

¡Pueblos! Veis yà reunida la representacion augusta de las republicas del nuevo mundo. El voto de los libres: los deséos de la filantropia: los designios de una politica franca y liberal se han cumplido!

El dia de la reunion de esta gran Dieta ocuparà un lugar distinguido en los anales de nuestra historia: este dia de jubileo serà consagrado en adelante por nuestra devocion patriotica.

¡Pueblos! El Gobierno se congratula con vosotros por un acontecimiento, que fija las miradas de todo el mundo civilizado: se congratula por la consideracion que merece Centro-america, representada en aquel congreso eminentemente respetable: se congratula en fin por que de aquel foco de luz se derramaràn à todas las secciones de América bienes y prosperidades que aun no és dado calcular.

Dirigid ¡Pueblos! vuestros ardientes votos al Todo Poderoso, para que se digne protejer los esfuerzos de la alianza benefica, de la confederacion augusta, que và à fijar la suerte de toda la américa y à presentarla à la faz del mundo, digna del alto puesto, à que és llamada por el destino.

Palacio nacional de Guatemala à 19 de setiembre de 1826.

Manuel Josè Arce.

Proclama de Manuel José Arce en 1826, con ocasión de la instalación del Congreso Anfictiónico de Panamá, en la vorágine de ideas que precedió al fracaso de la República Federal de Centro América.

La Constitución de 1824, por su parte, adolecía de una serie de contradicciones, sobre todo al autorizar, simultáneamente, dos tipos de poderes, uno regional (o federal) y otro provincial (o local), lo cual, claro está, originó conflictos entre el gobierno federal y los gobiernos de las provincias que eran libres y soberanas en cuanto a su administración interna. Y por no haberse librado una guerra de independencia, los criollos liberales a favor de una Centroamérica unida carecieron de un respaldo que justificara y legitimara su poder, y hasta el uso de la fuerza para mantener la unidad y la integridad territorial de la Federación.

El peso de todo ello llevó al fracaso de la República Federal de Centro América. Tal fue la experiencia que tuvieron que sufrir, por ejemplo, Manuel José Arce desde 1825, y también Francisco Morazán desde 1829, quienes al frente de la República Federal de Centro América no pudieron mantener una autoridad federal en la región. La autonomía local provincial y el caudillismo condujeron a la creación de aparatos estatales y militares propios, que finalmente se impusieron quebrando la Federación, en 1839, y atomizando en 1840 Centroamérica en cinco repúblicas independientes.

■ ■ ■ ■

LA ÉPOCA REPUBLICANA

ESTACIONA
MO

Liberales *versus* conservadores

Las Provincias Unidas de Centro América surgidas tras el proceso independentista de 1821 y la caída de Iturbide en México pronto se convirtieron en escenario de aquellas luchas entre liberales y conservadores que hicieron de la Federación un proyecto efímero y azaroso. En uno de los polos se situaba Guatemala, con un población mayoritariamente indígena y una élite marcada por un estilo de vida señorial; en el otro estaba El Salvador, con una población mayoritariamente mestiza y un sector exportador fuerte, cuyo primer rubro era el añil.

El fin de la Federación

Los liberales, encabezados por el general Francisco Morazán, aprovecharon su dominio sobre la política centroamericana y trataron no sólo de crear un obispado en San Salvador, sino de trasladar hasta ese lugar la capital de las Provincias, iniciativas que generaron fuertes resistencias en la Iglesia y entre los grupos aristocráticos guatemaltecos, que veían amenazado su protagonismo político y económico. Detrás del fracaso de la Federación Centroamericana estaban, por supuesto, las personalidades caudillescas y sus pasiones, pero sobre todo el peso de problemas fundamentales como la conformación económico-social de las provincias, el criollismo —de proyección liberal— enfrentado a la aristocracia guatemalteca, y el localismo que se resistía a supeditar las provincias a la antigua capital colonial.

Hacia 1837 la situación de la región centroamericana se vio agravada por una rebelión indígena encabezada por Rafael Carrera, ante la cual las huestes de Morazán fracasaron. El 19 de marzo de 1840, Carrera derrotó con cerca de dos mil hombres a un ejército integrado por unos ocho mil salvadoreños y hondureños. Acto seguido tomó el poder en Guatemala y la separó de la Federación. Primero gobernó en alianza con los conservadores y después, en 1854, recibió el gobierno vitalicio de la República: el gobierno unionista de las Provincias Unidas de Centro América tocó a su fin, abriendo el camino a la constitución de Nicaragua, Honduras, Costa Rica y El Salvador como estados republicanos independientes.

El general Francisco Morazán, presidente electo de la República Federal en 1830, trató de llevar la capital de las Provincias Unidas de Centro América a San Salvador. En la imagen, monumento erigido en memoria del héroe liberal en la plaza Morazán de San Salvador.

La rebelión de Anastasio Aquino

En El Salvador la República se instauró en medio de graves tensiones sociales que agitaban el campo y que, fraguadas durante la Colonia, no hicieron sino agudizarse durante la Federación. Durante todo el período colonial la población indígena se vio postrada en una marginación social y económica que se agravó con las guerras regionales y las luchas intestinas vividas a partir de 1821. Una de las poblaciones más afectadas fue la de Santiago Nonualco, centro básico del cultivo y la fabricación de añil. A sus difíciles condiciones de vida —determinadas por la precaria situación laboral en que se encontraban— se sumaron las levas propiciadas por los ladinos, que reclutaban por la fuerza a los jóvenes indígenas para sus ejércitos. En este escenario surgió la figura de Anastasio Aquino quien, como capitán general de los nonualcos, encabezó en 1833 una protesta en contra de la movilización forzosa de su gente y el trabajo obligatorio en las haciendas y fincas de los ladinos.

La rebelión de los nonualcos fue reprimida brutalmente; sin embargo las condiciones socioeconómicas que la habían alimentado se mantuvieron vigentes a lo largo de todo el siglo XIX y buena parte del XX. Fue sobre la base de esa realidad —una realidad de marginación extrema de la población indígena campesina y de violencia institucional ejercida por las autoridades— que vino a alzarse la Constitución de 1841. No trataba de aliviar la situación de la mayor parte de la población, sino sólo de legitimar el ejercicio del poder que ejercían las élites (criollas), el cual giraba en torno a la división entre conservadores y liberales. Para los organizadores y líderes de ambas facciones políticas los campesinos no eran más que mano de obra indígena destinada a la explotación en las haciendas y, al mismo tiempo, carne de recluta de sus respectivos ejércitos.

DEL TESTAMENTO DEL GENERAL FRANCISCO MORAZÁN (15 DE SEPTIEMBRE DE 1842)

DECLARO: Que no he merecido la muerte, porque no he cometido más falta que dar libertad a Costa Rica y procurar la paz en la república...

DECLARO: Que mi amor a Centroamérica muere conmigo. Excito a la juventud, que es llamada a dar vida a este país que dejo con sentimiento por quedar anarquizado, y deseo que imiten mi ejemplo de morir con firmeza antes que dejarlo abandonado al desorden en que desgraciadamente se encuentra... ■

■ En su condición de liberal, Morazán puso freno a los privilegios políticos y económicos detentados por las antiguas familias conservadoras. Imagen de Morazán en un óleo anónimo de la época.

«ANASTASIO AQUINO, TU MUERTE...» de Roque Dalton

Cómo es que pudo agonizar la tierra?
Cómo es que un estertor de barro y jade
sacrificó los días?
Por qué se hizo sollozo el firmamento
Y al ánimo del árbol se ha transformado en potencial
suicidio?
Por qué los pájaros, el viento y las quebradas
están viviendo en el aullido temporal y ciego?
Por qué han querido interrumpir los cementerios
su paz triste y dogmática?
Por qué en cada torrente
se hace pedazos la inevitable lágrima
y anda flotando un dolor nuevo,
que no es completamente rabia ni es del todo esperanza,
en derredor de las nacientes savias y las profundas
raíces florales?

Es que nunca la sangre
Pudo ser más incómoda,
ni jamás la impotencia
fue más puño dormido.
Nunca en cada pupila
se encerró tanta muerte,
ni de un cuerpo moreno
se nos fue tanto espíritu ■

Apoyado en un ejército propio, rústicamente armado, el 15 de febrero de 1833 Aquino tomó la ciudad de San Vicente y se autoproclamó rey de los nonualcos en la iglesia de la ciudad, en donde se habían refugiado los ladinos con los bienes que pudieron llevar consigo. Tras una serie de enfrentamientos, de los que los rebeldes salieron victoriosos, las autoridades lograron sofocar la rebelión. A mediados de abril Aquino fue capturado; en julio fue ejecutado y su cabeza se exhibió públicamente.

Proclamación de la República (1841)

En 1841, tras la quiebra de las Provincias Unidas de Centro América, El Salvador comenzó su vida como república independiente y soberana. Esa nueva condición republicana se plasmó en la Constitución del Estado decretada el 18 de febrero de 1841. En el segundo artículo se dejó establecido el carácter del gobierno de la nueva nación —republicano, popular y representativo— y su división en tres poderes: legislativo, ejecutivo y judicial. En materia religiosa, en su tercer artículo el texto constitucional estableció un cierto confesionalismo del estado salvadoreño: la religión católica, apostólica y romana, única verdadera, sería profesada y el gobierno la protegería con leyes sabias, justas y benéficas.

No obstante, se abrió cierto espacio a la libertad de culto. Así lo muestra la afirmación de que todo hombre es libre para adorar a Dios según su conciencia, sin que ningún poder o autoridad pueda, con leyes, órdenes y mandatos de cualquier naturaleza, perturbar o violentar las creencias privadas. Además, esta defensa constitucional de las creencias como un asunto privado fue complementada con otra disposición que apuntaba a la separación entre la Iglesia y el Estado, ciertamente avanzada para la época: ningún eclesiástico podría ser nombrado diputado, senador, presidente ni obtener ningún destino de elección popular.

El ejercicio político, pues, recaía exclusivamente sobre personas seglares, seleccionadas mediante elecciones directas realizadas en los distritos electorales —formados por una población de quince mil almas— correspondientes a cada departamento. Los electores tenían que elegir a los representantes de la Cámara de Diputados entre candidatos mayores de 23 años, domiciliados o vecinos del distrito, en uso de sus derechos ciudadanos y con una propiedad de al menos 500 pesos; a los Senadores, entre candidatos con 30 años de edad cumplidos, naturales de Centroamérica, con vecindario de tres años en El Salvador y uno en el departamento que lo elige, y con una propiedad raíz que no bajara de 2,000 pesos. El presidente de la República era elegido entre candidatos que contaran de 32 a 60 años, naturales de Centroamérica, con vecindario de cinco años en El Salvador, en ejercicio de sus derechos ciudadanos y con una propiedad raíz que no bajara de 4,000 pesos.

Banderas de la Federación Centroamericana, en 1823, y de El Salvador, en 1865.

La Iglesia tuvo que aguardar al triunfo de los conservadores para proyectar su influencia en las esferas del gobierno y ver reconocido San Salvador como diócesis. Iglesia parroquial de San Salvador en un grabado de Louis Enault de 1867.

Con la Constitución de 1841 se proclamaba un texto que, pese al compromiso que asumía de proteger a la religión católica, tenía un fuerte contenido liberal, como lo muestra su título X, en el que se establecen las garantías individuales. Sin embargo, por muy avanzados que fueran, sus preceptos no podían garantizar por sí solos los cambios sociales, económicos y políticos necesarios para otorgar pleno sentido al texto constitucional. En resumidas cuentas, la Constitución de 1841 carecía de fuerza para revertir el peso de las estructuras coloniales que la contradecían en aspectos tan esenciales como la libertad de conciencia de los individuos, la separación entre Iglesia y Estado o la marginación y las precarias condiciones de vida de los campesinos. Estas estructuras sobrevivieron con la anuencia de los gobiernos conservadores que se sucedieron tras la entrada en vigencia del texto constitucional.

Jorge de Viteri y Ungi, primer obispo de San Salvador, se convertiría en un aliado indispensable del presidente Juan José Guzmán.

Primer período conservador (1840-1845)

Los ideales liberales sufrieron un fuerte revés con la llegada de los conservadores al gobierno del Estado; incluso tras la ejecución del general Francisco Morazán (15 de septiembre de 1842), condenado en Costa Rica por un gobierno conservador, el presidente salvadoreño, el conservador Juan José Guzmán, presionó a la Asamblea del Estado para que emitiera un decreto donde se premiaba al enemigo de Morazán, general Antonio Pinto, con el grado de general del ejército salvadoreño y con una espada guarnecida de oro. El acuerdo, firmado el 12 de octubre de 1842, nunca se llevó a efecto debido a la fuerte oposición mostrada por el pueblo salvadoreño. Siete años después, la disposición del gobierno de Guzmán fue anulada.

El empuje conservador se vio fortalecido el 30 de septiembre de 1842 con la erección de la diócesis de San Salvador. Jorge de Viteri fue preconizado primer obispo de El Salvador en el consistorio del 17 de febrero de 1843. El significado político del hecho era indudable: el obispado de San Salvador contribuiría a garantizar la paz y el orden conservadores que tutelaba Guzmán; para la Iglesia salvadoreña el acontecimiento implicaba no sólo su independencia de la autoridad eclesial de Roma, sino el acceso a recursos que el Estado podía ofrecerle, como los 1,500 pesos que fueron entregados a Viteri para su misión en favor del obispado. Pronto el gobierno se resarció con el favor eclesial: el obispo Viteri, que había prohibido a su clero que participara en política, dirigió sus ataques contra Morazán.

Posteriormente, en el gobierno del general Francisco Malespín, el influjo de Viteri alcanzó su máxima expresión, al grado de que su poder llegó a ser ilimitado, pues el jefe de Estado le concedía al obispo cuanto deseara. El 1 de marzo de 1844 la Asamblea no sólo proclamó la indistinción de los intereses del Estado y los de la Iglesia, sino que restableció el derecho de las autoridades eclesiásticas sobre el clero salvadoreño, así como su inmunidad, siempre y cuando no fuera en menoscabo de la soberanía nacional y el orden público.

Con todo, las relaciones entre ambos personajes se deterioraron a raíz del asesinato de un sacerdote, perpetrado por Malespín, en León,

Nicaragua. El 25 de febrero de 1845 Malespín fue excomulgado por el obispo. En junio de ese mismo año, ya fuera del poder, el general preparaba un ataque a El Salvador. Viteri no dudó en apoyar a las autoridades. Hizo un llamamiento para que quienes tuvieran armas que pudieran servir al ejército invasor las entregaran

DEL DISCURSO DE ISIDRO MENÉNDEZ EN LA PRIMERA MISA PONTIFICIAL DE JORGE DE VITERI

Hoy es, señores, el gran día de la patria, y el triunfo de la Iglesia de El Salvador; hoy se cumplen las esperanzas que nuestros mayores abrigaron tanto tiempo en sus pechos, y que ha costado tamaños sacrificios al Estado; hoy se perfecciona nuestra independencia, que antes era incompleta, porque estábamos sujetos a autoridades eclesiásticas que residían fuera del territorio salvadoreño... ■

al Estado a través de los párrocos. En febrero de 1845 llegó al poder Eugenio Aguilar, con quien Viteri tuvo pronto serias diferencias. Este último reclamó ante el gobierno que no se le tomara en cuenta en los asuntos eclesiásticos y de Estado. En su opinión, el bienestar del país sólo podía lograrse mediante un acuerdo y una acción concertada entre los órdenes civil y eclesiástico. Viteri fue expulsado el 3 de julio de 1849 por el presidente Aguilar, aunque, para que pusiera fin a dicha prelatura, hubo que esperar al 5 de noviembre, cuando aceptó la sede episcopal de León.

Sin duda una figura relevante en el período 1840-1845 fue el general Malespín, quien tenía el respaldo de Rafael Carrera, el hombre fuerte de Guatemala. Aunque Malespín no ejerció el poder directamente hasta 1844, de hecho gobernaba ya a través de tres presidentes sobre los que pudo ejercer su influencia: Antonio José Cañas, Norberto Ramírez y Juan José Guzmán. Todos ellos tuvieron que enfrentar las revueltas de los morazanistas, quienes persistieron en su afán unionista.

Uno de los hechos más importantes de la época lo constituyó el levantamiento del 5 de septiembre de 1844 de los generales Trinidad Cabañas y Gerardo Barrios, a la sazón dos de los líderes liberales más importantes después de Morazán. Ese día los dos generales tomaron la guarnición de San Miguel y, al mando de un reducido batallón, avanzaron hacia Cojutepeque, desde donde, ante el temor de un posible ataque de Malespín, se exiliaron a Nicaragua, donde el jefe de Estado, Emiliano Madrid, les concedió asilo político. Las represalias contra Nicaragua no se hicieron esperar y el 14 de noviembre tropas salvadoreñas y hondureñas invadieron aquel país.

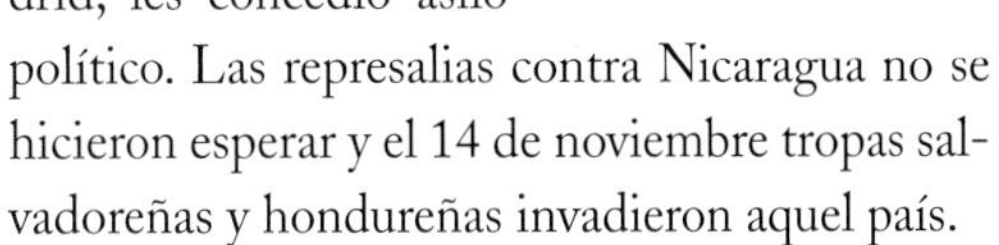

■ El general Joaquín Eufrasio Guzmán, héroe de la Jornada de Montero por su victoria sobre las tropas de Malespín, presidió el primer bienio liberal de la historia salvadoreña.

En enero de 1845 Cabañas y Barrios regresaron a El Salvador en un momento en el que el malestar contra Malespín —quien en ese entonces se encontraba en León (Nicaragua)— era generalizado. Barrios no sólo difundió la especie de que el ejército salvadoreño había sido derrotado, sino también la de que Malespín se había refugiado en Costa Rica. Acto seguido Barrios y Cabañas convencieron al general Joaquín Eufrasio Guzmán para que asumiera el mando del gobierno. El 10 de febrero de 1845 el presidente derrocado penetró con sus tropas en territorio salvadoreño con la idea de recuperar el poder. El 22 de febrero del mismo año el general Guzmán lo derrotó en la llamada Jornada de Montero. Malespín se exilió en Honduras.

> **POEMA A MALESPÍN, EN UNA HOJA SUELTA DE LA ÉPOCA (1847)**
>
> *Protervo, impío, infame y criminal,*
> *asesino, faccioso, excomulgado*
> *de rostro denegrido y señalado,*
> *de cuerpo y alma oscuro e infernal.*
>
> *Enemigo del sabio y liberal*
> *amigo del bandido y del malvado,*
> *con sangre y aguardiente alimentado,*
> *sin más placer que producir el mal;*
>
> *tal era el antropófago inmoral,*
> *que del Izalco la lava produjera,*
> *para que nos talase y destruyera*
> *cual fenómeno horrendo natural.*
>
> *Ya su influjo cesó, llegó su fin;*
> *ved su cabeza y marca, es Malespín* ■

Primer período liberal (1845-1851)

Guzmán se instaló en el poder dando inicio a un período liberal en el que el respaldo de los sectores morazanistas era decisivo para los gobiernos. Tres fueron los presidentes que ejercieron su mandato durante esos años: Guzmán (1845-1846), Eugenio Aguilar (1846-1848) y Doroteo Vasconcelos (1848-1851). Buena parte de las labores de gobierno de estos tres jefes de Estado consistió en contener las asechanzas de Malespín y la enemistad del presidente de Guatemala, Rafael Carrera. Malespín lanzó una serie de infructuosos ataques contra las autoridades de El Salvador; el 25 de noviembre, en las cercanías del pueblo de San Fernando, departamento de Chalatenango, fue muerto a machetazos durante una riña personal con el campesino Fernando Galdámez. Su cabeza fue llevada a San Salvador y exhibida en un camino que conduce a Mejicanos, en un lugar que llevó durante años el nombre de La Calavera.

Durante sus respectivos mandatos, los presidentes Aguilar y Vasconcelos trataron de avanzar en la unidad centroamericana, pese a que, salvo en el caso salvadoreño, todos los gobiernos del área eran conservadores. De ese modo en El Salvador los grupos liberales recuperaron su prestigio; el presidente Aguilar compartía con ellos la opinión de que lo ideal era agrupar los estados de Centroamérica por medios pacíficos, conjuntando a las fuerzas afines para evitar derramamientos de sangre.

El panorama parecía propicio para la iniciativa liberal, sobre todo cuando, entre 1847 y 1848, Carrera tuvo que dejar provisoriamente la presidencia de Guatemala a los liberales Juan Antonio Martínez, José Bernardo Escobar y Mariano Paredes, quienes se pusieron en contacto con los morazanistas salvadoreños. Con todo, el optimismo despertado por la situación guatemalteca pronto fue puesto en entredicho por Carrera, quien regresó a su país, reconquistó el poder y se erigió en comandante general de las Armas de Guatemala.

Aguilar entregó la presidencia a Vasconcelos, quien siguió la política de confrontación abierta con Carrera. Una de sus iniciativas más importantes, en claro desafío al jefe de armas guatemalteco, fue el traslado de los restos de Francisco Morazán de Costa Rica a San Salvador. Además, se negó a reconocer su gobierno y, más bien, reconoció diplomáticamente al Estado de los Altos, que en la región de Quezaltenango se había declarado inde-

■ Los doctores Eugenio Aguilar (izquierda) y Doroteo Vasconcelos (derecha), morazanistas que retomaron infructuosamente el proyecto de unidad centroamericana, presidieron el segundo y tercer bienios liberales.

pendiente y mantenía una posición de franca rebelión contra el gobierno del presidente Rafael Carrera.

Para ese entonces, Barrios ya estaba de regreso de su viaje por Europa. Junto con los liberales Francisco Barrundia y Trinidad Cabañas fraguó una alianza con Honduras para enfrentarse a Carrera. El 2 de febrero de 1851 los aliados sufrieron una fuerte derrota frente a las tropas guatemaltecas en la batalla de La Arada, cuyo impacto negativo sobre los sueños liberales se dejó sentir durante mucho tiempo. Los efectos inmediatos fueron la salida del poder de Vasconcelos y el cierre del primer período liberal en El Salvador.

José Francisco Barrundia fue, con el general Gerardo Barrios, el principal artífice de la iniciativa que, durante el gobierno de Vasconcelos, condujo a la alianza con Honduras y a la derrota militar de La Arada frente al gobierno guatemalteco de Rafael Carrera.

Segundo período conservador (1852-1858)

El militar victorioso quiso asegurarse un jefe de Estado salvadoreño más afín a sus intereses. Impuso así a Francisco Dueñas, con quien firmó un tratado de amistad que aseguraba las buenas relaciones entre ambos gobiernos. En este segundo período conservador gobernaron —con una fuerte influencia de Carrera y sin interrupción alguna— el ya citado Dueñas (1852-1854), José María San Martín (1854-1856), Rafael Campo (1856-1858) y Miguel Santín Castillo (1858).

Pese a sus compromisos con Carrera, la administración de Dueñas no fue particularmente hostil con los liberales. Se mostró más bien dispuesta a colaborar con ellos en la reconstrucción de la unidad centroamericana. Más aún, siendo Dueñas jefe de Estado, Barrios fue electo diputado por el distrito de Usulután y designado ante la Asamblea Constituyente de 1852. San Martín llegó al poder en 1854, en un momento en el que las relaciones entre Barrios y el presidente saliente, Dueñas, comenzaban a deteriorarse. En 1856 la invasión a Nicaragua por parte del estadounidense Willian Walker limó las diferencias entre conservadores y liberales ante la necesidad de contrarrestar el ataque.

Los liberales no mostraron en principio el menor asombro por los sucesos de Nicaragua. Walker causó buena impresión en Barrios, quien llegó a decir que el filibustero era un hombre de acero, que sabía guerrear. Ello se explica por el deseo liberal de que el invasor extranjero ayudara a derribar los gobiernos conservadores. El 1 de marzo de 1856 Costa Rica declaró la guerra a las huestes de Walker. Ese mismo año el presidente Campo comisionó a Barrios para que negociara con el gobierno de Guatemala la lucha conjunta contra Walker, a lo que Carrera accedió.

El 18 de septiembre los ejércitos de Guatemala, Honduras y El Salvador emprendieron su ofensiva contra las tropas extranjeras. El

Las presidencias conservadoras de Rafael Campo (izquierda) y Miguel Santín del Castillo (derecha) no fueron especialmente beligerantes con los liberales.

El gobierno extranjero del estadounidense William Walker (izquierda) en Nicaragua fue visto con buenos ojos por los liberales salvadoreños sólo en cuanto amenaza para el conservadurismo centroamericano.

Estatua ecuestre de Gerardo Barrios en San Salvador.

DEL DISCURSO DE GERARDO BARRIOS EN LA PARTIDA HACIA NICARAGUA (ABRIL DE 1857)

«Compatriotas: Walker, caudillo de los filibusteros que existen en Nicaragua, se ha quitado ya la máscara hipócrita con que aparentaba sumisión y dependencia al gobierno de aquel Estado. Se ha sobrepuesto a la Autoridad Suprema persiguiendo al que ejerce y a sus Ministros, y por consiguiente ha usurpado los derechos sagrados del pueblo nicaragüense dando un golpe mortal a su independencia y soberanía...» ■

8 de abril de 1857, Barrios fue nombrado jefe del ejército expedicionario salvadoreño que, con cerca de mil hombres, combatiría a las órdenes del general de las fuerzas centroamericanas José Joaquín Mora. El 30 de abril Walker se rindió, aunque no a los aliados, sino al capitán de la corbeta de guerra *Saint Mary*.

Al terminar las hostilidades en Centroamérica Barrios regresó a El Salvador, donde las autoridades lo recibieron con recelo. De hecho, en alianza con Francisco Dueñas, entró en conflicto con el presidente Campo al grado de llegar a proponerse como objetivo la deposición de éste. Con todo, las tensiones se aflojaron cuando Barrios decidió trasladarse a San Miguel y, desde allí, a Guatemala, en compañía de su esposa, Adelaida Guzmán. El 30 de enero de 1858 Campo dejó la presidencia de la República, siendo elegido como su sucesor el coronel Miguel Santín. El 10 de febrero Barrios regresó a San Salvador y se presentó ante la Cámara de Senadores, donde pidió se le exonerara de responsabilidad por la oposición contra el gobierno de Campo.

Santín incorporó a Barrios a su gabinete como ministro de Relaciones (Exteriores) y del Interior. El 23 de junio de 1858 el presidente tuvo que dejar el gobierno. Barrios, segundo senador designado por la Asamblea General, asumió las funciones ejecutivas del Estado en un mandato que se prolongó, una vez que fue electo presidente constitucional, hasta 1863 ■

El impulso reformista

Gerardo Barrios asumió provisionalmente la presidencia de la República tras la salida del presidente Miguel Santín. Desde ese momento, asumiendo sus funciones de jefe de Estado, proclamó su intención de llevar adelante una serie de reformas que perseguían el bienestar y el progreso del país. Entre otros aspectos, Barrios asumió, como objetivos prioritarios de su gobierno provisional, sanear las finanzas públicas, así como recuperar la agricultura y la industria, y fortalecer la educación general y universitaria.

Presidencia y muerte de Gerardo Barrios

En enero de 1860 fue electo presidente constitucional, lo cual le permitió desplazar nuevamente del poder a los sectores conservadores, quienes no desaprovechaban oportunidad para socavar la autoridad del gobierno.

Entre 1860 y 1863 Barrios impulsó la reorganización de las finanzas públicas, alentó la producción de café y las actividades relacionadas con la elaboración de la seda, se propuso crear una institución armada de carácter permanente y profesional, y favoreció la educación pública de naturaleza laica. Además, en los primeros años de su mandato buscó la convivencia pacífica con el gobierno de Guatemala, lo cual se tradujo en una visita a ese país en 1860. Sin embargo, no faltaron los conflictos, especialmente con la Iglesia.

Uno de los primeros incidentes fue la expulsión de tres religiosos capuchinos que hacían cruzada contra el amancebamiento. En 1860 los conflictos se agravaron a tal punto que el clero se negó a juramentar la Constitución de la República, aduciendo por boca del obispo Tomás Pineda y Zaldaña que ninguno de los párrocos estaba obligado a cumplir los preceptos del gobierno puesto que la única autoridad que reconocían eran las de Dios, el obispo y el papa.

Los conservadores se sintieron afrentados por Barrios, a quien presentaron como anticlerical, despótico y liberal. Muchos conservadores —entre ellos el obispo Pineda y Zaldaña— habían buscado refugio en Guatemala y desde allá

La primitiva Casa Blanca, palacio de Gobierno que fue construido en 1875 y resultaría destruido por un incendio en 1918, en un dibujo a la pluma de la época.

El presidente de Guatemala, Rafael Carrera, cuyas tropas tomaron San Salvador durante la invasión de 1863 y determinaron la caída del presidente Gerardo Barrios y el ascenso del gobierno conservador de Francisco Dueñas.

lanzaban sus ataques al gobierno salvadoreño a través de escritos periodísticos. En 1861 arreciaron los ataques a Barrios y, lo que es peor, comenzó a fraguarse un clima de confrontación entre los gobiernos de ambos países. Al presidente Carrera no le preocupaba tanto la situación de los exiliados conservadores ante el gobierno de Barrios, como las negociaciones que mantenían El Salvador, Honduras y Nicaragua para unir Centroamérica.

En febrero de 1863 estalló la guerra entre ambas repúblicas; el 19 de junio tropas guatemaltecas iniciaron su invasión a El Salvador. El 26 de octubre Carrera había llevado sus tropas a San Salvador, donde cayó el último bastión de la defensa salvadoreña. Ese mismo día Barrios huyó hacia San Miguel. Con la venia de Carrera, Francisco Dueñas se instaló en el poder, dando inicio así a un nuevo gobierno conservador que llegaría a su fin de mano de Santiago González.

LA MUERTE DE BARRIOS, SEGÚN EL TESTIGO ANTONIO GRIMALDI

«El cadáver fue levantado en hombros, y ya lo habían conducido hacia el interior del gran barrio, clamando venganza y llorando a gritos. La fuerza armada por los sicarios del poder rescató el cadáver, empleando espadas y bayonetas, sin que este proceder pudiera impedir que aquel vecindario fiel y consecuente con sus creencias, empapara algodones y pañuelos en la sangre inocente de la víctima, para guardarla como reliquia venerable.» ■

Dueñas triunfó en las elecciones presidenciales de 1865. Como presidente constitucional promovió un juicio contra Barrios, radicado en ese entonces en Costa Rica. El 27 de julio Barrios fue capturado en Nicaragua y extraditado a El Salvador. El 10 de agosto comenzó el consejo de guerra que lo había de juzgar; el día 28 se dictó su sentencia de muerte, que fue ejecutada al día siguiente.

Con la muerte de Barrios parecía que la suerte de los conservadores cambiaría totalmente, pero no fue así. Carrera murió en Guatemala en 1865 y su sucesor, el conservador Vicente Cerna, fue derrocado por Justo Rufino Barrios. Ese mismo año González derrocó a Dueñas, con lo que puso fin a las aspiraciones de los conservadores de hacerse nuevamente con el poder. Un nuevo mandatario liberal, Rafael Zaldívar, se encargaría de profundizar las reformas liberales impulsadas por Barrios. Estas reformas afectarán a la estructura de la tenencia de la tierra en función de la producción de café.

El gobierno de Rafael Zaldívar (1876-1884)

El presidente González (1872-1876) convocó a una Asamblea Constituyente de la cual surgió la Constitución de 1872. En 1876, González impuso en la presidencia al cafetalero Andrés

Valle y se hizo elegir vicepresidente. El gobierno de Justo Rufino Barrios obligó a Valle a renunciar, al tiempo que convocó a los cafetaleros santanecos a elegir al nuevo jefe de Estado. Fue así como Zaldívar llegó al poder y gobernó desde 1876 hasta 1884, cuando lo reemplazó su ministro de Hacienda, Fernando Figueroa, quien gobernó durante 1885.

Entre las medidas más importantes tomadas por el gobierno de Zaldívar destacan aquellas orientadas a la abolición de las tierras ejidales y comunales. En efecto, entre 1879 y 1881 se aprobó una serie de leyes cuyo objetivo inicial era regular el uso de las tierras comunales y ejidales en todo el país. Sin embargo, su aplicación llevó a la extinción de todos los sistemas de tenencia comunitaria de la tierra. Las reformas impulsadas por Zaldívar estaban inspiradas en un afán por cambiar lo que el presidente consideraba un sistema arcaico e ineficaz del uso de la tierra. Su sueño, como el de todos los liberales, era ver transformado el campo salvadoreño en empresas agrícolas modernas que produjeran valiosos frutos, entre los cuales el café ocupaba un lugar de primera importancia.

Los principales beneficiarios de la abolición de las tierras comunales y ejidales fueron los terratenientes más adinerados. Se valieron de las más diversas artimañas —como la contratación de abogados corruptos y el soborno de alcaldes— para quedarse con las mejores tierras. Por supuesto, las medidas impulsadas por el gobierno generaron un inmediato malestar social, especialmente en el occidente del país, donde se sucedieron los le-

■ Las reformas liberalizadoras impulsadas por el presidente Rafael Zaldívar determinaron la abolición del régimen de uso y tenencia de la tierra, favoreciendo los intereses terratenientes de los cafetaleros.

SOCIEDAD Y POLÍTICA (1840-1871)

«1.Tendencias sociales más radicales aparecieron en Guatemala y Costa Rica, a pesar de la mayor fuerza liberal militar y electoral en otras naciones-provincias del centro.

2. Reformas igualitarias se postularon para los menos favorecidos dentro de la sociedad hispana o ladina, mientras el liberalismo esquivó este planteamiento directo acerca de la «cuestión indígena».

3. El liberalismo fue incapaz de articular un programa creíble para construir la nacionalidad y una identidad nacional, a pesar de su identificación con una Independencia justificada por una mezcla cosmopolita de ideas que favorecían la libertad de pensamiento y acción en una sociedad reformada.

4. La tendencia, ocasionalmente escandalosa, de los dirigentes individuales a cambiar de bando, no sólo en gobiernos de coalición sino dentro de sus propias filiaciones partidistas.

5. La capacidad de destacados dirigentes conservadores, especialmente a partir de la segunda mitad del siglo, de apoyar y beneficiarse de buen número de las políticas propuestas muchos años antes por los liberales, particularmente en los que se refiere a la privatización de la tierra y a las políticas de promoción de las exportaciones.» ■

Lowell Gudmundsun, *Historia general de Centroamérica.*, vol III, San José, Flacso.

vantamientos campesinos. En el marco de esas movilizaciones los rebeldes cortaron las manos a varios jueces repartidores —nombrados por Zaldívar— como castigo por haber repartido tierras que pertenecían a la comunidad.

Pese a las protestas, el gobierno llevó adelante su proyecto reformista amparándose en un sistema de autoridad represivo dotado de tres elementos básicos: leyes contra la vagancia (para obligar a los campesinos a trabajar en las propiedades cafetaleras), leyes de expulsión de intrusos en las haciendas y creación de una fuerza pública para proteger a los nuevos propietarios agrícolas del saqueo y la venganza.

La abolición de las tierras comunales y ejidales fue el hecho que dio impulso definitivo a la expansión de la producción cafetalera en El Salvador. Asimismo, fue a partir de esas transformaciones en la estructura de la tierra que el proceso de constitución de la burguesía cafetalera salvadoreña devino irreversible. Y ello porque los esfuerzos de Zaldívar se volcaron hacia el fortalecimiento de las grandes plantaciones de café convertidas en propiedad privada. Tras las reformas de Zaldívar no sólo el café se convirtió en el eje fundamental de la vida económica nacional, sino en el eje del poder político. Los grandes cafetaleros, a la vez que concentraron el poder económico, se aseguraron de que quienes gobernaran lo hicieran —al igual que Zaldívar— para ellos.

PREÁMBULO DEL DECRETO DEL 16 DE FEBRERO DE 1881

La existencia de tierras bajo propiedad de las comunidades impide el desarrollo agrícola, estorba la circulación de la riqueza y debilita los lazos familiares y la independencia del individuo. Su existencia contraría los principios económicos y sociales que la República ha adoptado ■

Los gobiernos que siguieron a Rafael Zaldívar hasta el cierre del siglo XIX —Francisco Menéndez (1885-1890), Carlos Ezeta (1890-1894) y Rafael A. Gutiérrez (1895-1898)— cumplieron este mandato del poder económico, lo cual se continuó durante las tres primeras décadas del siglo XX, en que los relevos presidenciales se hicieron constitucionalmente entre miembros de las propias familias cafetaleras.

■ Privados de sus tierras comunales y ejidales, los campesinos vieron deterioradas radicalmente sus condiciones de subsistencia. Imagen tomada en una reunión de alcaldes indígenas, quienes tenían entre sus competencias el reparto de las tierras del común.

Un nuevo orden económico y social

Desde el fracaso de la Federación hasta la llegada de Zaldívar al poder, la vida sociopolítica salvadoreña estuvo marcada por fuertes conflictos entre conservadores y liberales, los cuales desembocaban normalmente en violencia militar. Uno de los ejes de la confrontación era la posición que asumían unos y otros ante la Iglesia y sus privilegios. Mientras que los conservadores proclamaban la unidad indisoluble de los intereses de la nación con los intereses clericales, los liberales clamaban por la separación de ambos órdenes e, incluso, por la subordinación del orden religioso al poder civil. Detrás de esa pugna se encontraba una visión distinta de lo que debía ser la organización política de la sociedad y su gestión. Los conservadores apostaban por un ejercicio político fundado en el abolengo y la tradición: la política era patrimonio de aquellos que hereditariamente podían ejercerla. Los liberales anunciaban una nueva forma de hacerla: la gestión política no era asunto de herencia o tradición, sino cuestión de elección por votación popular. Es decir, el pueblo irrumpía con un derecho que le era inalienable: el derecho de elegir a sus gobernantes, los cuales legitimaban su ejercicio del poder en virtud de un mandato popular ajeno a cualquier designio divino o herencia de sangre.

Ahora bien, si en materia religiosa o en materia política las diferencias entre conservadores y liberales eran tajantes, en el plano económico las tensiones, sin dejar de ser más sutiles, no eran menos graves. El eje de la disputa era la tierra, pero la concepción económica sobre la misma era distinta en unos y otros. Para los conservadores lo importante era la gran propiedad señorial, en cuyos dominios ejercían su poder los grandes terratenientes. La gran propiedad, las caballerizas, el casco de la hacienda, daban la medida del poder de su propietario, siendo secundarias sus actividades productivas. Para los liberales, en cambio, la tierra importaba en cuanto espacio de producción, en cuanto espacio para generar productos susceptibles de ser comercializados y de proporcionar ingresos a la hacienda pública. Los grandes dominios territoriales improductivos —orgullo de los conservadores— eran un sin sentido para los liberales, quienes no desaprovecharon las oportunidades para introducir en ellos una dinámica productivista que explica por sí sola la importancia que varios de sus líderes asignaron al café.

Con la muerte de Gerardo Barrios el liberalismo más radical cedió el paso a un liberalismo más moderado, al cual le resultó fácil convivir con el conservadurismo. Ese acercamiento entre liberales y conservadores tenía dos ejes básicos: uno, la aceptación de que la tierra era la fuente privilegiada para enriquecerse, y dos, que la población campesina —sobreexplotada y sin derechos de ninguna especie— era la fuente de la mano de obra necesaria para las tareas agrícolas. Sobre estas coincidencias básicas pudieron los liberales convivir con los conservadores, dando lugar a la conformación de los grupos oligárquicos que dominaron la vida económica y política de El Salvador desde las tres últimas décadas del siglo XIX hasta más allá de la segunda mitad del siglo XX.

En 1912 se adoptó la actual bandera nacional de El Salvador.

De ese modo, durante las tres últimas décadas del siglo XIX se echaron las bases del orden económico y social que había de prevalecer a lo largo de casi todo el siglo XX. El ejercicio político caracterizado por la elección de los candidatos a la presidencia de entre representantes de las familias cafetaleras tuvo vigencia hasta 1931, pues con el golpe de Estado del general Maximiliano Hernández Martínez los militares asumieron la gestión del poder político. Sin embargo, la dinámica de la economía se rigió por los intereses de los cafetaleros hasta bien entrada la década de 1970, cuando, en el marco de una conflictividad sociopolítica sin precedentes en el mundo rural, los sectores industriales y financieros comenzaron a asumir el protagonismo en la conducción de la economía nacional. Habría que esperar a las décadas de 1980 y 1990 para que el café dejara de ser uno de los ejes fundamentales de la economía salvadoreña.

El general Rafael Antonio Gutiérrez, uno de los presidentes que en las postrimerías del siglo XIX fundamentó su mandato en poner la República al servicio de las grandes familias cafetaleras.

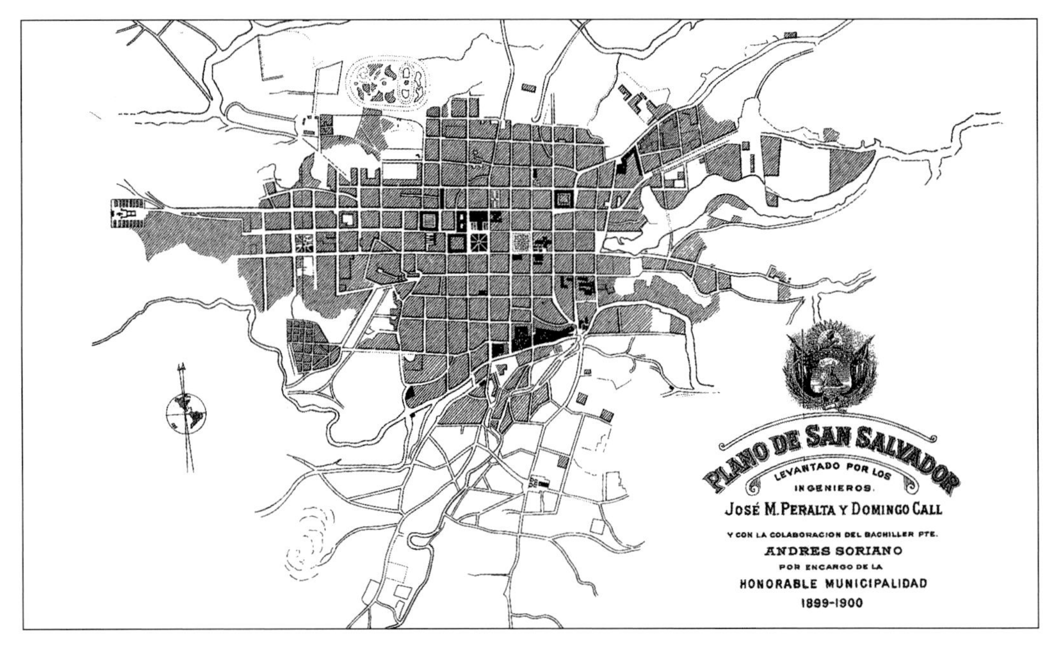

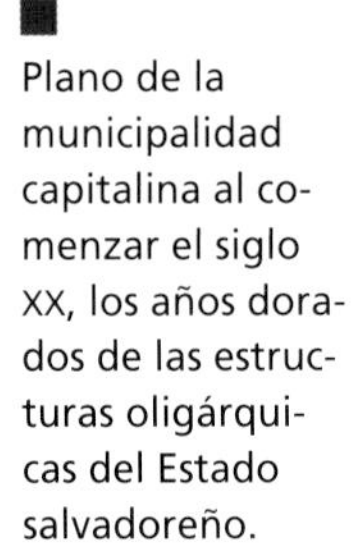

Plano de la municipalidad capitalina al comenzar el siglo XX, los años dorados de las estructuras oligárquicas del Estado salvadoreño.

A la par de un orden económico centrado en la producción-exportación de café, en las tres últimas décadas del siglo XIX se fraguó un orden social excluyente y marginador de los sectores mayoritarios de la población. La pobreza y el deterioro creciente de las condiciones de vida en el campo fueron los resultados más palpables de la implantación de la lógica cafetalera iniciada por Zaldívar y continuada por sus sucesores. El descontento y el malestar campesino indígena fueron contenidos por la violencia del Estado, que se convirtió en un componente imprescindible del ejercicio de la autoridad estatal.

A la violencia estructural, cuya fuente estaba en la exclusión socioeconómica de la mayor parte de la población, se sumó la violencia institucional, componente necesario de un control social siempre huérfano de legitimidad. Éste fue El Salvador que nació a finales del siglo XIX y se consolidó durante las tres primeras décadas del siglo XX. En la década correspondiente a 1930, las familias cafetaleras dejaron la gestión del poder en manos de los militares, quienes se encargaron, durante los siguientes cincuenta años, de velar por el mantenimiento del orden social y económico surgido en torno a los intereses de esas grandes familias.

■ ■ ■ ■

El Salvador en el siglo XX

Los años de la efervescencia

Las tres primeras décadas del siglo XX estuvieron marcadas en El Salvador por intensos dinamismos sociales, políticos y económicos. La producción de café se consolidó como principal bastión de la economía y como soporte del poder político, al nutrirse la clase política de figuras provenientes de las familias cafetaleras más importantes o estrechamente relacionadas con ellas. La vinculación del país con el mercado mundial a través del café no sólo condicionó fuertemente las posibilidades de un despegue económico apuntalado en la producción industrial, sino que los vaivenes de los precios mundiales de materias primas, sobre todo cuando se inclinaron a la baja, demostraron la fragilidad de las estructuras de poder que se estaban gestando.

En estas primeras décadas emergió una sociedad dual y de agudos contrastes socioeconómicos. Por un lado se situaban los sectores sociales mayoritarios, formados por grupos de campesinos indígenas y mestizos y criollos que se incorporaban temporalmente a las cosechas de café, artesanos, obreros de la naciente industria, dependientes de comercio y empleados públicos. Por el otro, las familias terratenientes; entre ellas las vinculadas a la producción y exportación de café ocupaban un lugar privilegiado, pues hasta el acceso del general Maximiliano Hernández Martínez a la presidencia, llegaron a concentrar en sus manos todo el poder político.

En la página anterior, el monumento *El Salvador del Mundo*, de gran simbolismo para los salvadoreños. Esta escultura de mármol de Carrara es obra del arquitecto C. Barahona Villaseñor, quien la proyectó en 1943 para el mausoleo del ex presidente Manuel Enrique Araujo. Actualmente se encuentra en la plaza de las Américas.

Símbolo de la sociedad adinerada en 1924: el Casino Salvadoreño, edificio ocupado actualmente por el Centro Comercial Libertad.

Con la llegada de Hernández Martínez al poder se produjo una brusca quiebra en la evolución política seguida por la sociedad salvadoreña. Ante todo se echó por la borda el lento proceso de democratización, que con la elección de Arturo Araujo había dado un paso importante en la consolidación de las instituciones del país. En segundo término, el naciente movimiento obrero, que comenzaba a avanzar en el camino de organización de sus sindicatos y federaciones, sufrió un fuerte revés, del que sólo comenzaría a reponerse al cesar Hernández Martínez como presidente. Con el ascenso del militarismo, en 1932, comenzó en El Salvador una etapa de desarrollo sociopolítico, que culminaría en 1979, durante la cual el estamento militar se encargó de la gestión directa del poder político y de imponer los límites a la organización de los trabajadores del campo y la ciudad.

La democracia cafetalera

El Salvador inauguró el siglo XX bajo la administración del general Tomás Regalado (1898-1903), la cual marcó una transición respecto de la estabilidad política del país. Los antecesores de Regalado habían llegado al poder por la fuerza, y él continuó esa tradición, aunque legitimó su gobierno a través de unas elecciones que le proporcionaron el ejercicio del mando presidencial, sin interrupción alguna, durante cuatro años. Su mayor mérito consistió en lograr, mediante la consolidación de un poder centralizado, un equilibrio político entre los diversos grupos (familias) oligárquicos. Por oligarquía se entiende un reducido grupo de familias que concentra en su haber una considerable proporción de las riquezas del país y, por tanto, ejerce una influencia decisiva, directa o indirecta, sobre el manejo del Estado.

Desde finales del siglo XIX las familias cafetaleras se habían ido perfilando por su capacidad para lograr la identificación de sus intereses con los de la nación. Con Regalado se dio un paso importante en esa identificación; sin embargo, fue su sucesor, el finquero Pedro José Escalón (1903-1907), quien se encargó de que la democracia institucionalizada por la Constitución de 1886 —una democracia cafetalera— comenzara a funcionar en la primera década de 1900. Con Escalón se inició la práctica de que el presidente saliente, que tenía prohibida la reelección, designara a su sucesor para el cuatrienio siguiente. Además, entre 1907 y 1931 se siguió la regla de elegir presidentes civiles, con la excepción del general Fernando Figueroa (1907-1911).

El desarrollo urbano de la capital refleja la prosperidad de la oligarquía y la incidencia dramática de los sismos, que obliga a su periódica reconstrucción. Panorámica de la ciudad de San Salvador desde el cerro de San Jacinto, publicada en *El libro azul de El Salvador* en vísperas de los dramáticos movimientos telúricos de 1917.

El juego electoral era claro: las autoridades centrales organizaban las elecciones ejerciendo un severo control sobre los votantes a través de las autoridades municipales y los finqueros cafetaleros y cañeros. Asimismo, se trataba de controlar al máximo la postulación de los candidatos de la oposición. La votación no era secreta y duraba tres días consecutivos: ello hacía indispensable el control de las municipalidades y la colaboración del ejército —el mejor equipado, entrenado y pagado de Centroamérica—, que veía en su alianza con la élite cafetalera una oportunidad para promover sus intereses corporativos.

Pedro José Escalón instauró en 1907 la práctica presidencial de designar sucesor para el cuatrienio siguiente.

Intento de autonomía política

En 1911 llegó al poder Manuel Enrique Araujo (1911-1913), quien buscó dotar a su gobierno de una mayor autonomía respecto de los intereses de los terratenientes, lo cual lo vinculó a los intereses de los exportadores que eran sujetos de crédito por parte de los inversores extranjeros. Araujo también buscó el apoyo de otros sectores sociales como el de los artesanos —creando sociedades gremiales— y el de los líderes opositores, a través del llamado «transformismo». Su política hacia la población indígena se orientó a forzar a que éstos se incorporaran a la economía monetaria y a que asumieran un estilo de vida ladino.

Para Araujo los militares continuaron siendo unos aliados imprescindibles. De hecho, su gobierno reforzó lazos con el estamento castrense, estableciendo el servicio militar obligatorio, mejorando los servicios de la Escuela Militar y creando la Guardia Nacional (GN), para lo cual nombró ministro de Guerra al general José María Peralta Lagos, quien además de militar era un reconocido hombre de letras.

Araujo fue asesinado en confusas circunstancias en 1913, en un momento en que los inversores ingleses se batían en retirada de Centroamericana y la diplomacia del dólar, a la que Araujo se resistía, ganaba terreno en la región.

La dinastía Meléndez-Quiñónez

Tras el asesinato de Araujo, el vicepresidente Carlos Meléndez (1913-1918) asumió interinamente el mandato del fallecido y luego, tras ganar las elecciones de 1915, asumió constitucionalmente la presidencia. Con la llegada al poder de Carlos Meléndez se inauguró el dominio de la dinastía de los Meléndez-Quiñónez, caracterizada por aglutinar a quienes, desde la producción y exportación de café, concentraban enormes cantidades de dinero. Estas familias, que se contaban entre las más importantes en la producción y exportación del grano, lograron así el monopolio del poder político. Al contrario de lo que hizo su antecesor, Meléndez facilitó la penetración de capital estadounidense en el territorio nacional.

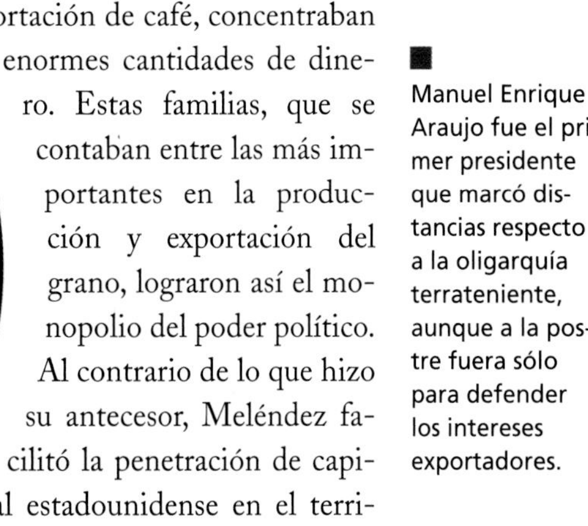

Manuel Enrique Araujo fue el primer presidente que marcó distancias respecto a la oligarquía terrateniente, aunque a la postre fuera sólo para defender los intereses exportadores.

El general José María Peralta, a caballo entre la literatura y la política, se desempeñó como subsecretario de Guerra y Marina, con Araujo, y de Obras Públicas, con Hernández Martínez. Su obra literaria se nutre de aquella experiencia política y lo convirtió en académico de la lengua.

JOSÉ MARÍA PERALTA LAGOS, POLÍTICO Y ESCRITOR

«José María Peralta Lagos... nació el 25 de julio de 1873 y falleció el 22 de junio de 1944... Por ambas ramas de su árbol genealógico contaba con antepasados ilustres... Como era frecuente entre los jóvenes de las principales familias, viajó a Europa para perfeccionar su formación. Se recibió de ingeniero en la Academia Militar de Guadalajara (España). Regresó al país en 1898. Se incorpora entonces al ejército nacional en el cual alcanzará el grado de general...

Peralta Lagos fue un convencido «librepensador»... y... defiende con celo casi religioso los valores de la Civilización, es decir del progreso, la ciencia y la razón como combate frente a la Barbarie, es decir la supersitición, el fanatismo y la arbitrariedad... Peralta Lagos encauza estas inquietudes en una intensa vida pública, que cultiva en dos vertientes, la política y la literaria. En lo que respecta a la primera vertiente, se puede constatar una larga y distinguida hoja de servicio público. Llega a ser ministro de Guerra durante el efímero gobierno progresista del doctor Manuel Enrique Araujo. En esa cartera tiene como encomienda la modernización del ejército... Peralta Lagos fungirá como embajador de nuestro país en España del gobierno de Pío Romero Bosque. Luego, aspirará fallidamente a la vicepresidencia durante las elecciones de 1931 que llevaran al poder al ingeniero Arturo Araujo como presidente. Más tarde, durante la dictadura del general Hernández Martínez, Peralta Lagos se desempeña como director de Obras Públicas.

La carrera artística de Peralta Lagos está indisolublemente ligada a su actividad política, es decir participa del deseo de hacer del país "una patria... digna, justa, fuerte y noble"... Es así como el general José María Peralta Lagos... se inventa una personalidad literaria, que bautiza bajo el nombre de T.P. Mechín que, como nos aclara Juan Ramón Uriarte, "designa un pecillo, no de los mares, sino de nuestra humildes aguas mediterráneas...". T.P. Mechín nace a la vida literaria publicando artículos en periódicos y folletos, gracias a los cuales adquiere un gran respeto del público por su mordacidad y su honestidad. No es sino hasta 1923 cuando se atreve a publicar su primer libro, *Burla burlando*, recopilación de artículos y cuadros de costumbres. En 1925, le sigue una obra de características, *Brochazos*. Con el *Doctor Gonorreitigorrea*, publicado al siguiente año, tenemos una primera incursión en el relato novelesco. Tratando de recuperar sus experiencias de campaña política, escribe y publica la comedia *Candidato*, que se estrena en... 1932. *La Muerte de la Tórtula*, aparecido en 1933, es su segundo relato novelado. Publica con nombre propio los siguientes folletos: "El sabio Valle", "En defensa del idioma", "Masferrer humorista" (conferencia pronunciada en 1933 en el primer aniversario de la muerte de este autor) y "Algunas ideas sobre la futura organización de la enseñanza superior en Centroamérica" (1936). Fue miembro de la Academia de la Lengua correspondiente a la Española, y del Ateneo de El Salvador.» ■

Ricardo Roque Baldovinos, prólogo a *La muerte de la tórtola* de José María Peralta Lagos.

Jorge Meléndez reemplazó a su hermano en 1919. El segundo de los Meléndez en el poder hizo que su grupo familiar, sus amigos y socios, expandieran sus operaciones hacia el comercio y la agricultura al amparo de las inversiones estadounidenses. Este aumento desmesurado de la riqueza en unas pocas manos agudizó el contraste entre la forma de vida de los privilegiados y la de la mayor parte de la población. La situación dio pie a una creciente contestación política, especialmente en San Salvador, adonde habían comenzado a emigrar cientos de campesinos sin tierra.

El fuerte desequilibrio social fue cobrando visos de protesta política, ante lo cual el gobierno formó la Liga Roja, organización que aglutinaba a sectores populares que se identificaban con el gobierno y tenía por cometido amedrentar a la oposición mediante la violencia paramilitar. Los miembros de esta organización, conocidos también como los «rojos», se encargaban de crear conflictos en localidades apartadas y, de esta manera, justificar la persecución violenta de todo aquel que fuese considerado enemigo político del gobierno. El desgaste de Jorge Meléndez fue evidente e incluso se vio obligado a imponer el estado de sitio para hacer frente a las críticas y las protestas sociales y políticas. Pese a ello, la lógica dinástica continuó y, en las elecciones de 1923, fue designado candidato su cuñado Alfonso Quiñónez Molina (1923-1927), quien gobernó durante los años de mayor auge cafetalero.

Aunque pretendió recuperar el proyecto liberal, Quiñónez Molina se entrampó en las redes impuestas por los intereses vinculados al café. De ahí que su gobierno se caracterizara por propiciar una cierta apertura sociopolítica vinculada a recurrentes medidas de coacción estatal en contra de anarquistas, comunistas y laboristas. Empero, disolvió la Liga Roja y, desde 1924, propició el reconocimiento legal de los sindicatos. Además, fue partidario de un cierto «intervencionismo» estatal en la diversificación de cultivos, el sistema de ahorros y las compañías aseguradoras.

A Quiñónez Molina lo sucedió en el poder Pío Romero Bosque (1927-1931). Éste se preocupó por buscar un respaldo social en las clases mayoritarias. Pese a estar vinculado a los intereses cafetaleros, Romero Bosque intentó democratizar el sistema político, para lo cual su-

Durante la presidencia de Jorge Meléndez se acentuó la polarización social y política salvadoreña, característica de todas las sociedades duales. A la izquierda, imagen de la residencia a la que se retiró tras dejar el poder en 1923.

Jorge Meléndez (arriba, a la derecha) designó como sucesor a su cuñado Alfonso Quiñónez-Molina, quien presidió los años dorados del auge cafetalero y brindó oportunidades a la organización popular en sociedades mutuales.

■ Presionado por la creciente participación de las organizaciones populares en la vida pública, Pío Romero Bosque condujo el cuatrienio 1927-1931 por la senda del reformismo político, aunque no dudó en usar las fuerzas del orden en contra de los trabajadores que desafiaban el poder oligárquico.

primió el estado de sitio, creó el Ministerio de Trabajo y sentó las bases para la sanción de una legislación de las relaciones obrero-patronales. Por supuesto, el intento de apertura tenía sus límites, y eran éstos que el movimiento sindical no afectara en ningún caso los intereses de los caficultores. Sin embargo, rindió sus frutos en la fundación de una serie de partidos políticos independientes, así como en el nacimiento de una prensa que difundió ampliamente ideas nacionalistas (que atacaban a las compañías extranjeras y a Estados Unidos) y democráticas, a favor de la tolerancia y el pluralismo. Fue este intento de democratización del sistema político y de la sociedad lo que quiso continuar Arturo Araujo, el sucesor de Romero Bosque.

Con su Partido Laborista, inspirado en el modelo de su homólogo inglés, Araujo trató de convertirse en el benefactor de la clase obrera y pronto consiguió que se afiliaran al mismo trabajadores urbanos y campesinos, quienes fueron fuertemente influidos por el proselitismo y las ideas de Alberto Masferrer. El 22 de enero de 1931 se realizaron las elecciones presidenciales con los resultados siguientes: Araujo (Partido Laborista en coalición con la Unión Vitalista): 104,083 votos; Alberto Gómez Zárate (Partido Zaratista): 64,259; Enrique Córdova (Partido Evolución Nacional): 34,219; Miguel Tomás Molina (Partido Constitucional): 4,911. Ninguno de los candidatos obtuvo mayoría absoluta, por lo que la Asamblea Legislativa tuvo que decidir

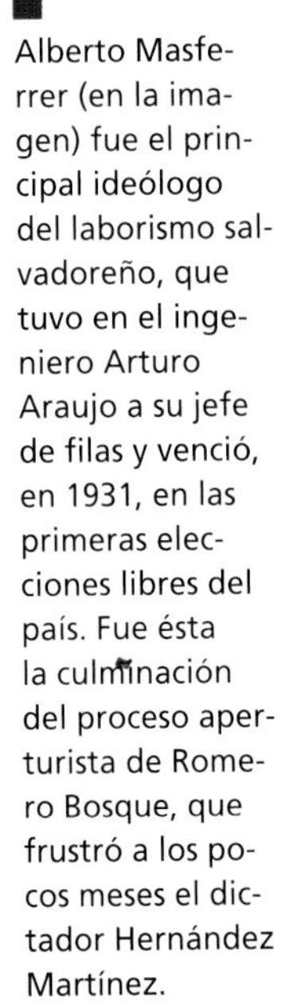

■ Alberto Masferrer (en la imagen) fue el principal ideólogo del laborismo salvadoreño, que tuvo en el ingeniero Arturo Araujo a su jefe de filas y venció, en 1931, en las primeras elecciones libres del país. Fue ésta la culminación del proceso aperturista de Romero Bosque, que frustró a los pocos meses el dictador Hernández Martínez.

TEXTO DE ALBERTO MASFERRER PUBLICADO COMO EDITORIAL EN EL PERIÓDICO *PATRIA*, 1928.

«El Estado no provee escuelas sólo después de atender a la función de mantener la soberanía; al contrario, la nación es una gran familia que vela por las necesidades primero, posibilitando una vida para sus miembros. Nosotros, vitalistas, no queremos oír acerca de la soberanía ni de otras abstracciones; nosotros queremos oír acerca de los niños que comen pan y toman leche, del pueblo que viste zapatos y ropas decentemente, de trabajadores a quienes se les paga un salario vital, de familias que viven en viviendas adecuadas, acerca de un pueblo fuerte, vigoroso, saludable y feliz, cuya religión es el trabajo y cuyos salarios son la vida» ■

quién iba a ser el nuevo presidente: la elección recayó en Araujo, quien tomó posesión el 1 de marzo de 1931, estando en pleno auge de la crisis mundial de 1929. Las manifestaciones contra el gobierno estaban al orden del día sin que éste pudiera responder adecuadamente a la situación. La agitación social —que desembocaría en el levantamiento de 1932— y el malestar de los grupos de poder económico eran extremos, y el 2 de diciembre Araujo fue derrocado por un golpe de Estado que llevó al poder al general Maximiliano Hernández Martínez, hasta ese momento vicepresidente de la República y ministro de Guerra.

El movimiento sindical en el primer tercio del siglo

Hasta 1920 los intereses de los trabajadores salvadoreños se encauzaron a través de la formación de asociaciones artesanales. En 1918, ante el surgimiento de las primeras actividades industriales y agroindustriales, el artesanado estaba en franco proceso de desaparición, ya que mientras algunos trabajadores del sector completaban sus ingresos empleándose en tareas agrícolas, otros se insertaban en la dinámica del capital comercial, que comenzaba a propiciar el desarrollo de pequeñas industrias manufactureras. Ese año el número total de asociaciones artesanales y de obreros fue de 45, siendo predominantes las primeras.

Lo característico de las anteriores asociaciones era que en su integración participaban tanto los patrones como los asalariados (oficiales y aprendices), e incluso comerciantes, empleados públicos, profesores e industriales. Asimismo, la dirección estaba en manos de los patronos o maestros propietarios de los talleres. Éste era el caso, por ejemplo, de La Concordia, que en 1917 tenía por presidente al coronel Salvador Ciudad Real, «herrero, tenedor de libros, oficinista, agricultor y soldado». Los fondos de la asociación provenían de cuotas semanales pagadas por sus miembros, así como de los aportes gubernamentales que eran exigidos por aquellas asociaciones que creían merecerlo y no representaban amenaza alguna para el orden establecido.

El Congreso Obrero celebrado en la ciudad de Armenia en 1918 marcó un hito importante en la evolución de la organización laboral salvadoreña. Algunos aspectos del encuentro fueron los siguientes: a) los discursos de apertura estuvieron a cargo de los intelectuales (algunos

La radicalización condujo a Centroamérica por la vía insurreccional: en 1926, Augusto César Sandino emprendió la lucha de guerrillas contra la intervención estadounidense en Nicaragua. En el centro de la imagen, Sandino junto a Agustín Farabundo Martí (a la derecha).

PRESIDENTES DE EL SALVADOR (1898-1944)

1898-1903	Tomás Regalado
1903-1907	Pedro José Escalón
1907-1911	Fernando Figueroa
1911-1913	Manuel Enrique Araujo
1913-1918	Carlos Meléndez
1919-1923	Jorge Meléndez
1923-1927	Alfonso Quiñónez Molina
1927-1931	Pío Romero Bosque
1931	Arturo Araujo
1931-1944	Maximiliano Hernández Martínez

El paso del mutualismo al sindicalismo dio lugar a las primeras huelgas obreras de El Salvador. Imagen de una manifestación de mujeres reprimida a sangre y fuego en las calles de San Salvador el 25 de diciembre de 1922: una de las primeras movilizaciones femeninas de la historia latinoamericana.

de ellos futuros profesores de la Universidad Popular, creada posteriormente) y de los propietarios de los talleres; b) el local estaba adornado no sólo con la bandera y el escudo nacionales, sino también con la fotografía del presidente Carlos Meléndez, quien fue informado mediante un telegrama del desarrollo de la reunión; c) los acuerdos principales fueron la creación de la Federación de Trabajadores y la declaración de Arturo Araujo, que estuvo representado en el congreso por Alberto Masferrer, como benefactor de la federación y de la clase obrera; e) se aprobó una moción presentada por los maestros pidiendo al gobierno garantías contra los traslados arbitrarios y el establecimiento de un sistema de promociones y sociedades cooperativas.

Entre 1920 y 1932 el movimiento de los trabajadores salvadoreños abandonó progresivamente los rasgos organizativos de la etapa anterior —la etapa mutualista y cooperativa— y se encaminó no sólo hacia unas formas de organización más autónomas respecto de los intereses de otros grupos sociales, sino hacia prácticas reivindicativas como la huelga, más propias del sindicalismo obrero. Este período se puede dividir en tres fases. En la primera, de 1920 a 1924, se agudizó la desarticulación del artesanado y se reforzó el trabajo asalariado, lo cual se vio acompañado de la adopción de la huelga como método de lucha. La segunda, de 1924 a 1930, vio nacer a la Regional de Trabajadores de El Salvador, afiliada a la Confederación Obrera Centroamericana (COCA), así como también, en marzo de 1930, al Partido Comunista Salvadoreño; en la tercera, de 1930 a 1932, se generaron intensos conflictos laborales relacionados directamente con el impacto de la crisis mundial de 1929.

A lo largo de ese período lo más significativo fue el papel de la COCA, la cual en 1922 expulsó a la Confederación de Obreros de El Salvador (COES) —surgida en la reunión de Armenia de 1918— por discrepancias en el modo de entender la lucha de los trabajadores. La COES argumentó que había sido expulsada porque su orientación mutualista era inaceptable para los miembros radicales de la COCA, los cuales adoctrinaban con «ideas subversivas» a oficiales, aprendices y obreros. Mientras tanto, la Federación Regional de Trabajadores de El Salvador, que se debatía entre el anarcosin-

ALGUNAS ORGANIZACIONES AFILIADAS A LA FEDERACIÓN REGIONAL DE TRABAJADORES DE EL SALVADOR (1929)

San Salvador

1. Sindicato de Trabajadores Manuales e Intelectuales de los Diarios
2. Sindicato de Panificadores
3. Sindicato de Ferrocarrileros
4. Sindicato de Trabajadores de Salón
5. Sindicato de Servicios Domésticos
6. Sindicato de Sorbeteros y Refresqueros
7. Sindicato de la Construcción
8. Sindicato de Tejedores
9. Unión de Pintores
10. Unión Sindical de Barberos
11. Sindicato de Instaladores Eléctricos
12. Unión de Sastres
13. Sindicato de Zapateros
14. Unión de Empleados de Comercio
15. Sociedad de Motoristas y Mecánicos

Santa Ana

1. Sindicato de Panificadores
2. Liga de Albañiles y Carpinteros
3. Sindicato de Oficios Varios
4. Comité Pro Acción Sindical
5. Sindicato de Campesinos de Potrero Grande

■ En plena radicalización del proceso sociopolítico salvadoreño, Farabundo Martí participó en 1930 en la fundación del Partido Comunista de El Salvador (PCS). Fue fusilado por su responsabilidad en el movimiento insurreccional de 1932, con lo que su leyenda iba a convertirse en referencia mítica para los revolucionarios del país. Imagen de Agustín Farabundo Martí.

dicalismo y el marxismo, se empleó, con el apoyo de la COCA, en promover la organización de los campesinos y de los trabajadores del campo. Al mismo tiempo, decantándose finalmente por la influencia marxista, la Regional comenzó a aplicar las directrices de la III Internacional Comunista mucho antes de que se fundara el Partido Comunista.

A finales de la década de 1930 se perfilaron dos corrientes en el movimiento de los trabajadores salvadoreños. La orientación «reformista» vinculada a la COES formuló sus planteamientos en los órganos *Los Obreros Unidos*, dirigido por Masferrer, *Egida*, *El Mundo Obrero* y *El Forjador*, mientras que la línea «revolucionaria» se expresó en *Opinión Estudiantil*, *La Estrella Roja* —animado por grupos marxistas de la Universidad de El Salvador y del grupo Revolución Universitaria— y *El Machete*, de la Regional. En el contexto electoral que llevó a Arturo Araujo al poder, en 1931 ambas tendencias se hicieron presentes. El general Hernández Martínez, tras expulsar a Araujo, arremetió duramente contra ambas, y en especial lo hizo con particular energía contra la corriente sindical que, vinculada al Partido Comunista, dio soporte al levantamiento campesino de 1932 ■

La Gran Depresión y el ascenso de las dictaduras

El movimiento insurreccional del 22 de enero de 1932 fue el primer levantamiento campesino latinoamericano que secundaba las consignas de un partido comunista. Sofocado en varios días, dejó un saldo de víctimas que los historiadores estiman entre 7,000 y 30,000 muertos. Mapa de los principales puntos rebeldes.

El Partido Comunista de El Salvador (PCS), la organización política más beligerante a principios de la década de 1930 y durante la revuelta campesina, fue desarticulado en 1932, justo a los dos años de su fundación. El suceso se produjo en el contexto de la crisis económica mundial de 1929, conocida como Gran Depresión, que consiguientemente afectó también a El Salvador, aquejado por las consecuencias de una caída estrepitosa de los precios del café en los mercados internacionales.

La crisis de 1932

Las haciendas cafetaleras disminuyeron drásticamente sus niveles de producción, generando el desempleo masivo y agudizando la miseria de amplios sectores de la población, que dependían casi en exclusiva del empleo estacional que una vez al año les ofrecía la recogida del café.

1 Tacuba
2 Ahuachapán
3 Juayúa
4 Nahuizalco
5 Sonsonate
6 Izalco
7 San Salvador
8 San Vicente
9 San Miguel
10 Acajutla
Océano Pacífico

Las nacientes clases medias de San Salvador, compuestas básicamente por empleados estatales y militares, vieron disminuir de forma sustancial sus ingresos, ya que las arcas fiscales se vaciaron como resultado de la crisis que abatía al agro. En el país se vivía un clima de agitación social cuyo epicentro se ubicaba en la zona occidental, donde se concentraban las principales haciendas cafetaleras. En esta coyuntura se conjugaron el deterioro de la situación económica y las protestas sociales, especialmente campesinas. El colapso de la bolsa de valores en Wall Street ocasionó una drástica caída de los precios del café y de los salarios de los trabajadores de las fincas que lo producían.

En 1931 el precio de exportación del café bajó hasta 18 colones por quintal (1 quintal = 100 libras = 46 kilogramos; en 1927 costaba 32 colones, y 39 en 1928), los salarios descendieron hasta 20 centavos por día en 1930, lo cual no representaba ni la mitad de lo que se pagaba antes de la crisis. No sorprende, por tanto, que los revolucionarios fuesen capaces de organizar a unos 80,000 trabajadores agrícolas, principalmente peones de las fincas de café situadas al oeste de El Salvador, en sindicatos militantes. Hubo huelgas y, en mayo de 1930, se organizó una manifestación masiva en San Salvador.

En el marco de esta conflictividad socio-económica se produjo el golpe de Estado del general Maximiliano Hernández Martínez (diciembre de 1931) que derribó al gobierno de Arturo

Araujo, quien sólo un año antes había asumido la presidencia de la República. Hernández Martínez recibió el apoyo de una fracción importante de la oligarquía cafetalera disconforme con la incapacidad de Araujo para enfrentar la situación. En enero de 1932 el nuevo gobierno convocó a unas elecciones en las cuales participó el PCS, que en forma creciente —durante las votaciones— hizo sentir su fuerza electoral en diferentes lugares del país. El general Hernández Martínez suspendió el proceso electoral y, pocos días después (7 u 8 de enero), el PCS hizo un llamado a la insurrección.

El 22 de enero se produjo un levantamiento campesino en la zona occidental del país. A medianoche, miles de campesinos pobremente armados atacaron poblados, haciendas e instalaciones militares. Lograron la captura de poblados como Nahuizalco, Juayúa, Tacuba e Izalco y fueron repelidos en sus ataques a los cuarteles de Ahuachapán y Sonsonate. Los rebeldes masacraron a funcionarios locales y a ciudadanos notables, principalmente comerciantes. Se trató de un levantamiento espontáneo y mal organizado que fue sofocado rápidamente. No obstante, la Guardia Nacional y la propia burguesía agraria, mediante la organización de las llamadas guardias cívicas, procedieron a asesinar en masa a la población trabajadora del campo, en particular a la población de origen indígena, lo cual hizo que el control de la rebelión cobrara un fuerte carácter de etnocidio. Aunque no hay datos exactos en torno al número de muertos como resultado de las acciones represivas emprendidas por el gobierno de Martínez, se calcula que hubo entre veinte y treinta mil asesinados.

TODOS

Todos nacimos medio muertos en 1932
sobrevivimos pero medio vivos
cada uno con una cuenta de treinta mil muertos enteros
que puso a engordar sus intereses
sus réditos
y que hoy alcanza para untar de muerte a los que siguen naciendo
medio muertos
medio vivos

Todos nacimos medio muertos en 1932

Ser salvadoreño es ser medio muerto
eso que se mueve
es la mitad de la vida que nos dejaron.

Y como somos medio muertos
los asesinos presumen no solamente de estar totalmente vivos
sino también de ser inmortales.

Pero ellos también están medio muertos
y sólo vivos a medias

Unámonos medio muertos que somos la patria
para 'hijos suyos podernos llamar'
en nombre de los asesinados
unámonos contra los asesinos de todos
contra los asesinos de los muertos y de los mediomuertos

Todos juntos
tenemos más muerte que ellos
pero todos juntos tenemos más vida que ellos
La todopoderosa unión de nuestras medias vidas
de las medias vidas de todos los que nacimos
medio muertos en 1932 ■

Roque Dalton

■ El general Maximiliano Hernández Martínez acabó en 1931 con el gobierno laborista de Arturo Araujo y, al año siguiente, suspendió su propia convocatoria electoral, ante el avance experimentado por los comunistas durante la campaña.

Bajo la dictadura, las instituciones del país quedaron al abrigo de cualquier crítica gracias a una rigurosa censura de prensa. El control estatal se extendió a todos los ámbitos de la vida nacional y afectó asimismo a la vida universitaria, que perdió la autonomía de que gozaba. Imagen de 1931 de los edificios de Correos, la Universidad de El Salvador, el Palacio Nacional y el hotel Nuevo Mundo en la calle Arce-Delgado del centro de San Salvador.

Dictadura de Hernández Martínez

Durante el período en que el general Maximiliano Hernández Martínez estuvo en el poder fueron violentadas las libertades constitucionales de los salvadoreños, especialmente de aquellos ciudadanos que contaban con medios para hacer algún tipo de oposición. La prensa nacional fue sometida a una constante censura: tanto la que seguía una orientación en favor de las libertades cívicas, como la que promovía una oposición al régimen en virtud de las medidas económicas que decidió tomar en contra de las familias más ricas del país. Por su parte, la Universidad de El Salvador perdió en los hechos su autonomía.

Los únicos que en cierto modo quedaron fuera del alcance del dictador fueron los propios militares —cuya profesionalización era una de las metas de Hernández Martínez—, quienes no dejaron de fraguar conspiraciones y lanzaron fuertes críticas a algunas de las decisiones del mandatario, en particular la que condujo a la creación de una milicia armada entre sus partidarios. De forma paralela a estas medidas dictatoriales el gobierno martinista hizo cuanto pudo por sacar la producción cafetalera del estancamiento, para lo cual jugó un papel importante el Banco Hipotecario, de propiedad estatal, creado con el propósito de ayudar a los cafetaleros. A ello se sumaron sus esfuerzos por lograr la estabilidad monetaria y que le llevaron a centralizar la emisión de moneda en el Banco Central de Reserva (BCR). El gobierno mostró asimismo una cierta preocupación por el fomento del desarrollo manufacturero, como lo muestra el establecimiento de una fábrica, con concesión de monopolio, para producir bolsas para el comercio de café fabricadas con fibra de henequén cultivado en el país. Hasta entonces dichas bolsas se importaban. Además, a fines de la década de 1930, tres hilanderías producían textiles de algodón.

RELATO DEL DIRIGENTE COMUNISTA MIGUEL MÁRMOL SOBRE LOS SUCESOS DE 1932

«Ya para ese terrible 22 de enero, el enemigo nos había cogido la iniciativa: en lugar de un partido que estaba a punto de iniciar una gran insurrección... dábamos el aspecto de un grupo de desesperados, perseguidos y acosados revolucionarios. El enemigo no esperó nuestra famosa Hora Cero para iniciar sus acciones militares contrarrevolucionarias...

Una amarga noticia llegó días después a terminar de amargar mi vida... había trascendido a conocimiento público que Farabundo Martí, Alfonso Luna y Mario Zapata habían sido condenados a muerte por un tribunal militar y que el tirano Martínez les había negado el indulto» ■

■ El intervencionismo estatal en la vida económica de El Salvador favoreció la industria manufacturera de la fibra de henequén, cultivo tradicional que fue empleado para frenar las importaciones de las bolsas con que se comercializaba el café. Imagen de matas de henequén en San Francisco Gotera.

La dictadura de Hernández Martínez trató de convertir la institución militar en uno de los pilares de su régimen. Para ello se propuso profesionalizar el ejército, aunque ni así logró la unanimidad castrense en torno a su figura. Imagen de una parada militar de la época.

El general Hernández Martínez fue derrocado en 1944; en el orden internacional, su caída se vio propiciada por el movimiento antifascista que se propagó por Europa y América ante la derrota inminente de las potencias del Eje, y a escala nacional por los movimientos democráticos que aprovecharon la coyuntura antifascista para exigir la instauración de un régimen político constitucional. En este clima se forjó una alianza entre diversos sectores, entre ellos una fracción de la oligarquía molesta por algunas de las medidas tributarias de Hernández Martínez que afectaban a sus intereses y cuyos reclamos hallaron eco en *El Diario de Hoy*. A esta alianza se sumaron también representantes de los grupos medios y populares, y militares jóvenes. El propósito de esta alianza era derrocar a la dictadura mediante un golpe de Estado cívico-militar. El 2 de abril de 1944 se produjo una sublevación que fue sofocada por Hernández Martínez y castigada con el fusilamiento de sus principales dirigentes. La revuelta se inició con un golpe militar fallido, pero San Salvador se transformó durante dos días en un campo de batalla, con el resultado numerosos heridos y muertos.

DE UNA CONVERSACIÓN CON EL PRESIDENTE HERNÁNDEZ MARTÍNEZ

«La impresión que causa [el general Hernández Martínez] es la de un abuelo bonachón... Su único comentario acerca de la huelga estudiantil [que en ese momento se desarrollaba] tenía que ver con el hecho de que a los escolares en ninguna parte del mundo les gustaba ir a la escuela. La revuelta, según explicó, había sido producto de personas inconformes, como las hay en todos los países. "Nuestros intelectuales leen muchos libros, y entonces tratan de reformar al mundo de acuerdo a los escritos de su autor favorito. Los obreros nada tienen que ver con la sedición que se está danto en este momento."

Se mostró amargado por el abandono a su persona de buena parte de las clases propietarias del país. Pintó un cuadro heroico del dirigente comunista Farabundo Martí, a quien mandó a fusilar en 1932: Martí, personalidad desinteresada y generosa, fue un organizador magnífico quien se había formado entre los peones al compartir su escasa comida y dormir sobre el duro suelo... Se detectaba en su voz un poco de arrepentimiento por haberse aliado con los privilegiados en contra de los pobres de los cuales había surgido. Cuando hablamos de la revuelta comunista de 1932, insistió en que el ejército había matado a "solamente dos mil campesinos".» ■

William Krem,
Democracias y dictaduras en el Caribe

Ante estas arbitrariedades del dictador, la sociedad civil respondió con la llamada «huelga de brazos caídos», que, liderada por grupos estudiantiles, paralizó casi totalmente la vida nacional. La estocada final al régimen llegó el 7 de mayo, cuando el estudiante José Wright, miembro de una familia de la élite salvadoreña,

El divorcio existente entre el ejército y la sociedad devino un fenómeno de alcance centroamericano que, durante la década de 1930, arrastró a Guatemala y Honduras hacia regímenes dictatoriales. En la fotografía, de 1927, soldados salvadoreños a la salida del Palacio Nacional.

fue muerto a tiros por un policía. Al día siguiente, el embajador de Estados Unidos aconsejó a Martínez la renuncia, y éste terminó por aceptar la recomendación.

Las dictaduras de Guatemala y Honduras

La llegada del general Maximiliano Hernández Martínez al poder permitió la instauración de un régimen dictatorial en El Salvador y la entronización de un esquema de gobierno autoritario gestado por el estamento militar. El Salvador no fue un caso único en Centroamérica. Hubo procesos análogos en Guatemala y Honduras, donde encarnados por Jorge Ubico y Tiburcio Carías Andino, respectivamente, se afianzaron regímenes políticos antidemocráticos, en los cuales no se toleró ninguna oposición. Curiosamente, de los tres dictadores, sólo Hernández Martínez llegó al poder por la vía del golpe de Estado; Ubico y Carías Andino fueron electos para ocupar la presidencia de sus respectivos países.

En febrero de 1931 Ubico fue electo para ocupar la presidencia de Guatemala. Su antecesor, Estrada Cabrera, le dejó en herencia un sistema de espionaje policial del cual hizo uso sin dilaciones, especialmente para detectar cualquier indicio de malestar político. Los opositores fueron aplastados sin contemplación e incluso estuvieron en la mira de la represión estatal varios líderes laborales centroamericanos a la sazón exilados en Guatemala. Su afán de controlar a la sociedad llevó a Ubico a servirse de la radio y la motocicleta para hacerse presente en los pueblos más remotos. La red vial, construida con trabajo forzado, le sirvió para sus propósitos de informarse de lo que sucedía en cada provincia.

Ubico no sólo fue sumamente duro con sus opositores sino que tuvo una particular vocación para conocer a sus enemigos, lo cual le sirvió para evitar que los obreros, los artesanos y los campesinos pudieran articular oposición real alguna. En 1935 los agentes del gobierno descubrieron una conspiración cuyos animadores fueron diezmados por las fuerzas del orden. En 1936 se derogó el artículo 66 de la Constitución Política, lo cual permitió a Ubico mantenerse en el gobierno hasta 1943.

Tiburcio Carías Andino llegó a la presidencia en 1932 como candidato electo del Partido

■ Las clases medias venían consolidándose desde finales del siglo XIX a través de los sectores profesionales liberales, que acabarían por irrumpir en la política décadas más tarde, determinando la caída de la dictadura. En la imagen, de 1896, estudiantes durante un curso de prácticas en la antigua Facultad de Medicina.

Nacional. La fuerza del Partido Liberal, derrotado en las elecciones de ese año, hizo presumir que Honduras no se despeñaría por el camino de la dictadura. Sin embargo, los ejemplos de El Salvador y Honduras animaron a Carías Andino a dar rienda suelta a sus ambiciones dictatoriales. Entre sus primeras medidas se contó la de enfrentar la rebelión del Partido Liberal contra su victoria electoral. Lanzó una campaña exitosa en contra de ese partido, a consecuencia de la cual su líder, Zúñiga Huete, tuvo que marchar al exilio.

El movimiento laboral, que se concentraba en mayor medida en las plantaciones bananeras de la costa norte, no ofreció ninguna resistencia a los desmanes de Carías Andino. Éste, además, estableció relaciones cordiales con las compañías bananeras, autorizadas por el gobierno a controlar la agitación de los trabajadores. La élite económica tampoco causó problemas al presidente hondureño, puesto que, al ser la mayoría de sus componentes de origen extranjero, se arriesgaban a ser deportados si se involucraban en actividades antigubernamentales. El único peligro significativo al que se enfrentaba Carías Andino procedía de las filas del ejército, razón por la cual sus desvelos hacia la profesionalización de sus mandos. Su principal apoyo provino de la Fuerza Aérea, que estuvo completamente sometida a sus órdenes. Casi al final de su mandato creó la Escuela Militar Hondureña.

En 1944 se gestó un intento de derrocamiento del gobierno que Carías Andino pudo controlar. Sin embargo, tal intento puso de manifiesto el grado de descontento que prevalecía en amplios sectores sociales y políticos. Ante ello Carías Andino no sólo ofreció retirarse en 1948, sino convocar elecciones libres para elegir al nuevo presidente de Honduras.

Irrupción política de las clases medias

Las protestas que forzaron la salida de Hernández Martínez no sólo proporcionaron un nuevo aliento al proceso de organización de los trabajadores, suspendido violentamente en 1932, sino que dieron paso a la irrupción de las clases medias —estudiantes, maestros y em-

LAS DICTADURAS CENTROAMERICANAS

«La recuperación económica en los años treinta no implicó la liberalización política. Por el contrario, los regímenes de las tres repúblicas del norte (Guatemala, El Salvador y Honduras), los cuales llegaron al poder en los inicios de la depresión, se convirtieron en fuertes dictaduras donde ninguna oposición era tolerada. En Nicaragua, a finales de la década, la dirección que estaba tomando el presidente Somoza era clara. Sólo en Costa Rica, donde la tradición de elecciones libres y justas se mantenía, el descenso hacia la dictadura fue evitado, pero incluso en este país el gobierno comenzó a manifestar un fuerte carácter autoritario» ■

Historia general de Centroamérica, Vol. IV., Victor Hugo Acuña, editor.

pleados— como agentes dinamizadores de la vida política. Desde los preparativos de la huelga de brazos caídos hasta su culminación, el papel de los sectores medios fue decisivo. A partir de ese momento y a lo largo del siglo XX, las clases medias han estado presentes, como protagonistas, en las principales etapas del proceso sociopolítico salvadoreño. Junto a ellas, a partir de 1932 los «militares jóvenes» van a representar una orientación, en las filas del ejército, de oposición a la línea dura y proclive a la exclusión, defensora de la institucionalidad del país y de las reformas necesarias para reducir los niveles de pobreza.

Son esas dos orientaciones en las filas del estamento militar las que van a convivir, pactando y haciéndose concesiones mutuas, desde que los militares iniciaron su gestión del aparato estatal en 1932. Así, a pesar de que Hernández Martínez se vio forzado a abandonar el país —después de él, y sin interrupción hasta 1979—, los militares no sólo decidieron el rumbo político de El Salvador, sino que en buena medida también (a veces en connivencia con los grupos de poder económico y, a veces en su contra) decidieron el modelo de desarrollo que consideraron adecuado.

La presencia de los militares, pues, terminó siendo decisiva, con la subsiguiente militarización del país. De ahí que una de las vertientes

Clases medias: arriba, aula de la Escuela Normal de Maestros en 1925; abajo, el San Salvador de la ciudadanía urbana en 1927.

de las reivindicaciones populares y de los sectores medios se orientara a clamar por el fin del militarismo, con la consecuencia de que no sólo fortaleció el espíritu de cuerpo del estamento militar, sino que también contribuyó a hacer abismal la distancia entre los militares y la sociedad. Una importante dosis de resistencia civil y popular al militarismo fue la que alimentó al movimiento insurgente durante la década de 1980 y principios de la década de 1990. Los Acuerdos de Paz dieron cabida a ese clamor, al proponerse como uno de sus principales objetivos la salida de los militares del ejercicio directo del poder político.

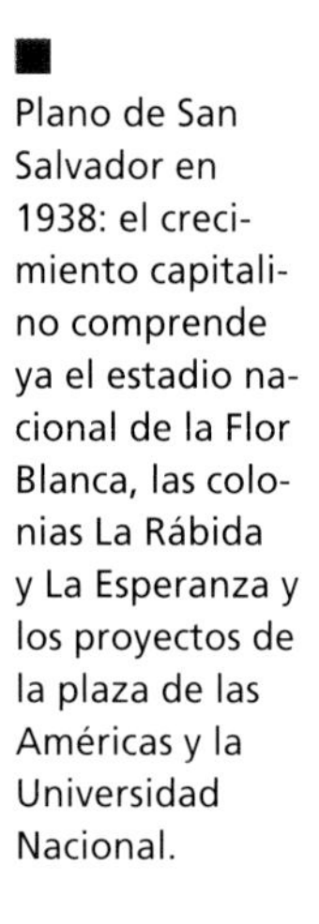

Plano de San Salvador en 1938: el crecimiento capitalino comprende ya el estadio nacional de la Flor Blanca, las colonias La Rábida y La Esperanza y los proyectos de la plaza de las Américas y la Universidad Nacional.

LAS ÚLTIMAS DÉCADAS DEL SIGLO XX

ARENA
YAMAHA
NO

Características generales

Las tensiones sociales y políticas son la característica más destacada del proceso histórico salvadoreño que va desde mediados de la década de 1940 hasta la conclusión de la guerra civil librada entre 1979 y 1992. Una vez tras otra, esas tensiones se tradujeron en crisis marcadas por la confrontación entre quienes daban dinamismo a lógicas contradictorias.

Sus principales actores fueron los sectores medios, cuyos miembros más lúcidos —estudiantes, profesores, empleados— asumían y daban expresión al malestar de la sociedad ante los diversos tipos de exclusión de que eran objeto. A través de sus organizaciones campesinas y sindicales los sectores populares demandaban el respeto a sus derechos básicos; en el seno del estamento militar pervivían orientaciones diversas y hasta encontradas acerca del modo de enfrentar el malestar de la sociedad —con la coacción o con la apertura institucional—, mientras que los grupos de poder económico (primero los cafetaleros, luego los algodoneros y cañeros y, después, los industriales y banqueros), cuyo principal interés era garantizar su riqueza, veían con temor no sólo las movilizaciones sociales, sino las pretensiones de reforma social abanderadas por los militares jóvenes.

A partir de la caída del dictador Hernández Martínez (1944) —ocurrida tras la movilización de amplios sectores sociales— y hasta las crisis ocasionadas por los fraudes electorales de la década de 1970, se fue gestando un fuerte movimiento de oposición cívica y democrática a la entronización del esquema autoritario que sustentaba el sector hegemónico del ejército y era apoyado casi unánimemente por los grupos de poder económico. Los sucesivos fracasos del movimiento cívico en el objetivo de poner fin a la dictadura militar institucionalizada por la vía democrática y la creciente represión política provocaron la radicalización de la oposición tanto de los sectores medios como de las organizaciones de los sectores populares, cada vez más activas y presentes en el escenario político.

■ La polarización política ha sido una constante de la sociedad salvadoreña de la segunda mitad del siglo XX. En la página anterior, manifestación de seguidores de la derechista Alianza Republicana Nacionalista (Arena) durante las elecciones de 1982.

■ Maximiliano Hernández Martínez, general que presidió la República entre 1931 y 1944, encarna para la sociedad salvadoreña la figura del dictador por excelencia: su renuncia fue propiciada por un cambio del contexto internacional y por la pujanza reivindicativa del movimiento popular.

Durante la década de 1970 las organizaciones campesinas se incorporaron a la vida del país en un marco de tensiones sociales y políticas que, al aumentar, dieron pie a una efervescencia social inédita en la historia reciente de El Salvador. Las organizaciones populares y los sectores más radicales de las clases medias se vieron cada vez más arrastradas a la lucha armada revolucionaria. Como reacción, el estamento militar endureció sus posturas y se volvió más excluyente. Los grupos de poder económico no sólo clamaron por medidas de fuerza contra quienes cuestionaban su poder y riquezas, sino que ellos mismos asumieron actitudes militantes (por ejemplo con el Frente de Agricultores para la Región Oriental, FARO) o auspiciaron grupos paramilitares para enfrentar a la creciente oposición, sobre todo aquella proveniente de los sectores populares y de las nacientes organizaciones político-militares.

El ejército pasó a desempeñar un papel político progresivamente relevante en la medida que se radicalizaron las formas de lucha popular. Patrulla militar en 1980.

El desenlace de esta acumulación de conflictos sin resolver, malestar social, marginalidad, radicalismo político y autoritarismo militar fue la guerra civil que abatió al país lo largo de la década de 1980 y que culminó con la firma de los Acuerdos de Paz en enero de 1992. Estos acuerdos fueron concebidos no sólo con el propósito de poner fin a la guerra, sino también de sentar las bases que permitieron finalmente superar aquellas tensiones que habían alimentado el proceso político de El Salvador durante todo el siglo XX ■

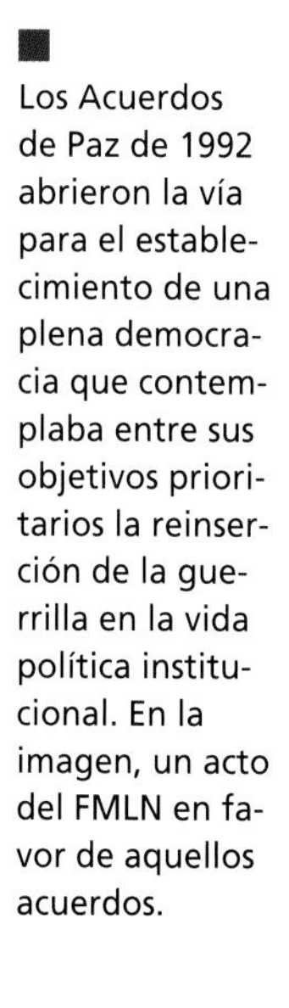
Los Acuerdos de Paz de 1992 abrieron la vía para el establecimiento de una plena democracia que contemplaba entre sus objetivos prioritarios la reinserción de la guerrilla en la vida política institucional. En la imagen, un acto del FMLN en favor de aquellos acuerdos.

Golpes de Estado y poder militar (1944-1979)

En 1944, la renuncia y el exilio de Hernández Martínez parecieron dar paso a una nueva fase de la vida política salvadoreña, atravesada por continuos golpes de Estado y luchas partidarias por el poder. Este período coincidió con el despertar del protagonismo económico de la burguesía industrial, frustrado dramáticamente por causa del fracaso del proyecto sustitutivo de importaciones en que acabó el Mercado Común Centroamericano (Mercomun). El proyecto se quebró definitivamente en 1969 con el estallido de la guerra entre El Salvador y Honduras.

La Junta de Gobierno encabezada por el general Andrés Ignacio Menéndez (en la fotografía) truncó las perspectivas democratizadoras abiertas por la caída de Hernández Martínez. Durante su mandato, Menéndez puso, sin embargo, su voluntad al servicio de una apertura democrática del régimen.

El movimiento popular —protagonista fundamental de la huelga de brazos caídos y la subsecuente salida del dictador— se aglutinó en torno a la figura del líder carismático Arturo Romero y su Partido Unión Democrática (PUD). El movimiento expresaba a la sazón las ansias democratizadoras de los sectores medios y populares y acudió al proceso electoral convocado por la Junta de Gobierno que reemplazó al general Hernández Martínez. Por su parte, los sectores de poder económico y los grupos sociales más conservadores se aglutinaron en torno al Partido Agrario (PA). En estas circunstancias, el Partido Comunista de El Salvador (PCS), principal impulsor del levantamiento campesino de 1932, no tenía mucho que ofrecer, dada su debilidad organizativa y la escasa base social de que disponía.

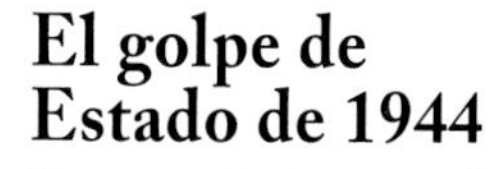

El golpe de Estado de 1944

Parecían haber quedado despejados los últimos obstáculos para la instauración de un régimen democrático, pero, a la caída de la dictadura del general Hernández Martínez, la fuerza del movimiento popular había crecido tanto que los grupos de poder económico —en especial los vinculados a la producción de café— se aliaron con un grupo de militares y dieron un golpe de Estado con el propósito de desarticular la organización popular. La Junta de Gobierno, encabezada por el general Andrés Ignacio Menéndez, se empeñó en lograr una transición pacífica hacia un régimen democrático. Las condiciones económicas eran en ese momento bastante favorables y el principal obstáculo, que a la postre resultó insuperable, fue el obstruccionismo de aquellos grupos de poder y de los militares, decididamente opuestos a la instauración de un régimen democrático.

El 21 de octubre de 1944 un grupo de militares comandado por el director general de la Policía Nacional (PN), coronel Osmín Aguirre y Salinas, se hizo con el poder: Menéndez fue obligado a renunciar y los miembros de la Asamblea Legislativa fueron convocados al cuartel El Zapote para presenciar la instauración de Aguirre como presidente provisional. Se inauguraba así una modalidad de «juego electoral» en el que la oposición política carecía de posibilidades reales de acceso al poder, ya que el partido en el gobierno utilizaría los recursos del Estado para asegurar el triunfo del candidato oficial (por lo general un militar), quien, a su vez, sería el candidato de la oligarquía.

■ Reinstaurando el régimen dictatorial, el coronel Osmín Aguirre y Salinas, director general de la Policía Nacional, desbancó a Menéndez y se erigió en presidente provisorio hasta la proclamación de Salvador Castaneda Castro, cuatro meses más tarde.

Aguirre y Salinas trató de controlar a los grupos opositores, que tenían por principales figuras a Miguel Tomás Molina y Arturo Romero, quienes dieron vida al «romerismo», un movimiento de lucha por las libertades cívicas que aglutinó a los grupos opositores al militarismo más relevantes. Además, Aguirre y Salinas hizo todo para controlar al movimiento sindical nucleado en la Unión Nacional de Trabajadores (UNT). En diciembre de 1944 aplastó una revuelta en el barrio San Miguelito y repelió una invasión lanzada por la oposición desde Guatemala. Después de gobernar con mano dura durante casi cinco meses convocó a elecciones presidenciales, asegurándose la victoria del candidato de la élite cafetalera, el general Salvador Castaneda Castro. Tal como estaba previsto éste asumió la presidencia el 1 de marzo de 1945.

La «Revolución de 1948»

La sucesión de Castaneda Castro dio lugar en 1948 a una nueva crisis política. Comoquiera que Castaneda pretendía ser reelecto, generó malestar e inconformidad en las filas del ejército, en sectores importantes de la burguesía industrial con una visión desarrollista y en los sectores populares que exigían reformas democráticas. El proceso trajo como resultado la llamada «Revolución de 1948», la cual dio lugar a la formación de un Consejo de Gobierno Revolucionario cuya finalidad declarada era restaurar la institucionalidad perturbada por Castaneda Castro. Ese organismo, de carácter provisional, preparó unas elecciones en las que salió electo, en septiembre de 1950, el coronel Óscar Osorio, candidato del nuevo partido oficial, Partido Revolucionario de Unificación Democrática (PRUD).

Con Osorio no sólo comenzó el auge de la producción algodonera. El nuevo presidente se esforzó por hacer del aparato estatal el promotor del crecimiento, lo cual quedó plasmado y legitimado en la Constitución de 1950, en la que se justifica el nuevo papel interventor del Estado. Influido por la constitución mexicana de 1917, el texto constitucional de 1950 prescribe lo siguiente: a) un intervencionismo estatal orientado a asegurar a todos los habitantes de El Salvador una existencia digna de un ser humano; b) garantizar la propiedad privada en función social; c) restringir la libertad económica en aquello que se oponga al interés social; y e) regular con carácter tutelar las relaciones entre el capital y el trabajo. En este último punto establece, entre otras cosas, la limitación de la jornada laboral, la asociación sindical, la contratación colectiva y el salario mínimo.

El Consejo de Gobierno Revolucionario protagonizó el movimiento reformista que en 1948 depuso a Castaneda Castro. De izquierda a derecha, cuatro miembros de aquel consejo: el doctor, Reynaldo Galindo Pohl, el mayor Óscar A. Bolaños, el doctor Humberto Costa y el coronel Óscar Osorio. Éste sería elegido presidente en 1950.

Los golpes de 1960 y 1961

En los comicios presidenciales de 1956 Osorio fue sustituido por el candidato del PRUD, coronel José María Lemus. El gobierno de Lemus se inició con una profundización de las reformas emprendidas por su antecesor, llegando incluso a permitir el regreso al país de todos los exiliados y prometiendo el respeto a los derechos individuales y colectivos. Una muestra de su disposición a cumplir con sus compromisos fue la derogación de la Ley de Defensa del Orden Democrático y Constitucional, que tenía aspectos claramente antidemocráticos. La relativa tolerancia mostrada por el régimen de Lemus estimuló la actividad organizativa sindical y política, a lo cual se sumó tanto el impacto de la revolución cubana en el ámbito universitario como el empeoramiento de la situación económica asociada al ciclo depresivo que en ese momento afectaba al mercado internacional de café.

Ante las movilizaciones de los sindicatos, estudiantes y diversos sectores de la clase media, el gobierno de Lemus endureció sus posturas; disolvió por la fuerza las concentraciones populares, asaltó la Universidad Nacional y decretó el estado de sitio. En este marco emergió el Frente Nacional de Orientación Cívica, formado por partidos políticos de centro y de izquierda, asociaciones estudiantiles y sindicatos, que preparó y ejecutó el golpe de Estado del 26 de octubre de 1960. En este golpe participaron diversos sectores de la vida nacional, desde los incluidos en el Frente Nacional de Orientación Cívica, hasta los modernizantes de las élites.

Tras el triunfo del movimiento golpista se instaló una Junta de Gobierno formada por tres civiles y tres militares que se mantuvo en el poder hasta el 6 de febrero de 1961. Las pretensiones del nuevo gobierno eran «restablecer la legalidad y promover un proceso democrático y constitucional que desembocaría en un evento electoral libre». Pero el proyecto se frustró el 6 de febrero de 1961 al ser derrocada la Junta: un nuevo golpe de Estado desembocó en la instauración de un Directorio Militar. Estuvo este directorio fuertemente influido por Estados Unidos y pronto puso manos a la obra en una serie de reformas económicas y sociales tales como la nacionalización del Banco Central de Reserva (BCR), la promulgación de leyes favorables a los campesinos y la rebaja en los

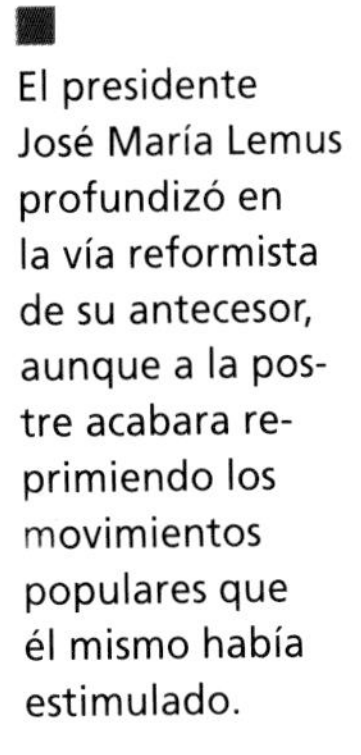

El presidente José María Lemus profundizó en la vía reformista de su antecesor, aunque a la postre acabara reprimiendo los movimientos populares que él mismo había estimulado.

alquileres de las viviendas populares, medidas todas ellas que encajaban en el esquema auspiciado por Estados Unidos para neutralizar la influencia de la revolución cubana en el continente americano.

A través de un proceso electoral, en 1962 el Directorio Militar dio paso al candidato del Partido de Conciliación Nacional (PCN, fundado en septiembre de 1961), coronel Julio Adalberto Rivera, quien hizo de la proclama del 6 de febrero de 1962 su programa de gobierno. Rivera fue relevado del cargo en 1967, tras permanecer cinco años en el ejercicio del poder. Le sucedió el general Fidel Sánchez Hernández, que gobernó hasta 1972. En las elecciones de ese año triunfó el coronel Arturo Armando Molina, quien tras expirar su mandato en el ejecutivo, en 1977 dejó el poder en manos del general Carlos Humberto Romero. El ambiente sociopolítico de la época era sumamente violento y el gobierno de Romero se vio abruptamente interrumpido el 15 de octubre de 1979 cuando un grupo de militares jóvenes, encabezados por los coroneles Arnoldo Majano y Jaime Abdul Gutiérrez, promovieron un golpe de Estado e instalaron una Junta Revolucionaria de Gobierno.

Fue éste el último de la larga serie de golpes de Estado que signaron la vida política de El Salvador durante el siglo XX. La coyuntura abierta después de octubre de 1979 fue cualita-

DE LA PROCLAMA DEL DIRECTORIO CÍVICO MILITAR DEL 6 DE FEBRERO DE 1961

«La Fuerza Armada se compromete a luchar porque en el curso de 1961 se dicten medidas de beneficio público para aliviar la presente situación económica e iniciar el desarrollo de una reforma social que se encamine principalmente a:

- Incrementar las fuentes de trabajo y estimular la producción, mediante un adecuado programa de obras públicas.
- Reformar el sistema tributario de modo que la imposición resulte equivalentemente progresiva con respecto al nivel de ingreso de los contribuyentes.
- Propiciar el incremento de la producción agrícola y elevar los ingresos del campesinado mediante la revisión y planificación del empleo y tenencia de tierras.
- Intensificar la construcción de viviendas rural y urbana para campesinos, obreros y empleados.
- Extender los servicios asistenciales: médicos, hospitalarios y sanitarios a toda la nación y desarrollar progresivamente el Seguro Social, hasta abarcar a toda la población laboral.
- Intensificar la educación técnica del campesino y del obrero con miras a facilitar el establecimiento de nuevas fuentes de producción y mejorar el nivel de producción de la República.» ■

tivamente distinta a las anteriores: se cerró una fase de la historia política del país y se abrió otra marcada por la emergencia del Frente Farabundo Martí para la Liberación Nacional (FMLN) como principal polo opositor y por el estallido de una guerra civil en la que se confrontaron el proyecto insurgente y el proyecto gubernamental.

El poder militar

En 1948 los militares salvadoreños intentaron impulsar un nuevo modelo de dominación política y económica basado en una combinación de reformas socioeconómicas, la modernización estatal y el uso discrecional de la coacción. Sin embargo ese modelo sufría de una debilidad fundamental. Se basaba en el convencimiento de que el café tenía una importancia primordial y que debía evitarse que la actividad del sector cafetalero se viese afectada por cualquier reforma que pudiera alterar el precario equilibrio de un país con muy poco territorio, una economía emergente y una población que crecía con gran rapidez. Los militares no cayeron en la cuenta de que la operación del sector cafetalero no estaba indisolublemente ligada a los sectores de poder económico por una especie de hechizo histórico irrompible.

Desde 1948 hasta 1979 los militares fueron incapaces de comprender que las necesidades sociales, políticas y económicas del país no se agotaban con las reformas estructurales, sino que requerían también de una apertura política que sólo podía hacerse efectiva con el apoyo del estamento militar. No fueron capaces de valorar adecuadamente el poder político y económico de los grupos productores y exportadores de café, a partir del cual éstos podían impedir cualquier tipo de reforma.

Los militares pudieron haber jugado un papel crucial en este proceso, tal y como lo hicieron en otros países de América Latina, pero en El Salvador no lo llevaron a cabo. En cambio, durante las tres décadas siguientes controlaron

Fidel Sánchez Hernández fue el general que presidió la República entre 1967 y 1972: encarnó la línea continuista del Directorio Militar que, bajo los auspicios de Estados Unidos y el respeto a las formalidades democráticas, neutralizó a partir de 1961 la influencia creciente de la revolución cubana en el continente.

la sociedad sin llegar a dominarla por completo. No lograron convertirse en el verdadero conductor nacional que reemplazase a la oligarquía tradicional. Perdieron varias oportunidades de formar coaliciones con otros sectores importantes y dinámicos, a la vez que impidieron que fueran otros quienes las formasen.

La pretensión de los militares de propiciar una cierta industrialización, así como una legislación que protegiera mínimamente los derechos de los trabajadores —el reformismo militar— dejó intacta a la sociedad salvadoreña. Los cambios ocurridos no fueron planeados y, en la mayoría de los casos, ni siquiera previstos. Los gobiernos militares no fueron oligárquicos, aunque a la postre resultaron beneficiosos para la oligarquía. Se trató en todos los casos de dictaduras que nunca permitieron prosperar a las instituciones republicanas, ni siquiera que operasen durante algún tiempo. Su legado histórico ha sido, entre otros, un déficit de institucionalidad que la sociedad salvadoreña todavía debe compensar ■

La modernización y la guerra con Honduras

El incipiente proceso de modernización agrícola impulsado en los años cincuenta tuvo continuidad a comienzos de la década siguiente gracias a la dinámica de crecimiento industrial vivida por todos los países del área centroamericana, que propiciaron la creación del Mercado Común Centroamericano (Mercomun). El proceso desarrollista se frustró a raíz de la guerra con Honduras.

La modernización

En la década de 1950 el coronel Óscar Osorio promovió un importante proceso de diversificación agrícola gracias a la adopción de medidas favorables a la producción de algodón, que pasó a ocupar, por su importancia, el segundo rubro entre los productos de exportación. El cultivo de algodón sólo pudo emerger merced a la capacitación en el manejo y el uso de fertilizantes a gran escala, así como a la utilización de maquinaria y equipos que, para la época y las condiciones del país, podían ser considerados de tecnología de punta. En la década siguiente, el proceso de modernización auspiciado por Osorio (y antes de su gobierno por la «Revolución de 1948») alcanzó su mejor expresión en la dinámica industrial en la que se vieron envueltos los cinco países centroamericanos.

En efecto, durante la década de 1960 los países de la región dieron muestras de una dinámica de crecimiento económico notable. Este fenómeno respondió sin duda a la participación de la producción industrial manufacturera en el intercambio comercial de la región. A partir de la segunda mitad de la década ese ritmo comenzó a desacelerarse y condujo a la crisis del modelo regional de integración de los mercados del área centroamericana.

El grado de industrialización a escala regional era en ese entonces bastante uniforme, teniendo El Salvador una proporción un poco más elevada que la de los demás países y que el promedio regional. Hacia finales de los años sesenta el desarrollo industrial de América Central mostraba desigualdades, ya que sólo Nicaragua, Costa Rica y El Salvador sobrepasaban el nivel de industrialización medio. En el curso de los siguientes veinte años, El Salvador se

■ Impulsor de una importante reforma económica, el gobierno de Osorio propició a partir de 1950 la modernización agrícola mediante la industrialización y el uso de fertilizantes. En la imagen, balas de algodón dispuestas para la exportación en el puerto de Acajutla.

perfiló como el único país que progresivamente fue perdiendo participación porcentual en el producto manufacturero de la región, a diferencia de la evolución relativamente positiva de los demás países, en especial de Guatemala. De este modo el sector manufacturero salvadoreño, que en 1960 había contribuido al Producto Territorial Bruto (PTB) con el 14.6 por ciento, subió su participación al 19 por ciento en 1969 y retrocedió al 14.8 por ciento en 1979.

Los cambios más importantes en la estructura productiva del sector manufacturero salvadoreño y de la región en su conjunto, se tradujeron en el establecimiento de industrias modernas y más dinámicas, entre las que ocuparon un lugar importante las productoras de sosa cáustica, insecticidas, clorados, llantas, fertilizantes, productos de vidrio, cables, alambre de cobre y otras similares, es decir, de productos clasificados en el rubro de subsectores de la producción intermedia y metalmecánica. Esta orientación de la estructura industrial trajo consigo importantes cambios en el sistema productivo, entre ellos la disminución de la participación de las materias primas en la generación del producto industrial.

El esquema económico que se impuso fue el de «sustitución de importaciones»: producir bienes manufacturados que tradicionalmente se adquirían fuera del área centroamericana; las plantas industriales, amparadas en leyes de fomento industrial, después de realizar una labor de envasado, etiquetado o armado final reexportaban su producción, con lo cual en esos años se generó un notable incremento en el comercio interregional centroamericano. El valor de las transacciones realizadas pasó de 32.7 millones de dólares a 297.5 entre 1960 y 1970. En el caso de El Salvador, los 7.6 millones de 1960 se incrementaron a 65 millones en 1970. Asimismo, casi tres cuartas partes de los productos centroamericanos eran elaborados en fábricas de propiedad estadounidense o en las que el capital de esa procedencia era mayoritario. El desarrollo industrial salvadoreño de la década de 1960 se convirtió en un aliciente para las inversiones extranjeras, en las cuales la participación de El Salvador aumentó del 1.6 al 38.1 por ciento.

El despegue industrial dependía en gran medida de la consolidación del Mercomun. La guerra de 1969 frustró los esfuerzos integracionistas, truncando las posibilidades de afianzar el esquema económico que la Comisión Económica para América Latina (CEPAL) estimaba viable para cada uno de los países del área.

La guerra con Honduras

Durante 1969, las relaciones entre Honduras y El Salvador se fueron endureciendo progresivamente hasta desembocar en la llamada guerra de las «cien horas» o «guerra del fútbol».

Génesis del conflicto

Desde su participación en el directorio cuatro años antes, en 1965, el presidente Julio Adalberto Rivera trataba de promover la modernización socioeconómica y mantenía conversaciones con el presidente hondureño Oswaldo López Arellano con el fin de regular la migración salvadoreña a Honduras. En estos acercamientos intervino también la Organización de

El problema de la emigración salvadoreña planteaba un serio dilema con Honduras. El fútbol jugó su papel en la creación del clima de hostilidad que en julio de 1969 daría paso a la guerra: la selección de El Salvador (en la fotografía) había jugado el mes anterior en San Salvador contra la de Honduras y la actitud de la afición llegó a ser denunciada por el gobierno del país vecino.

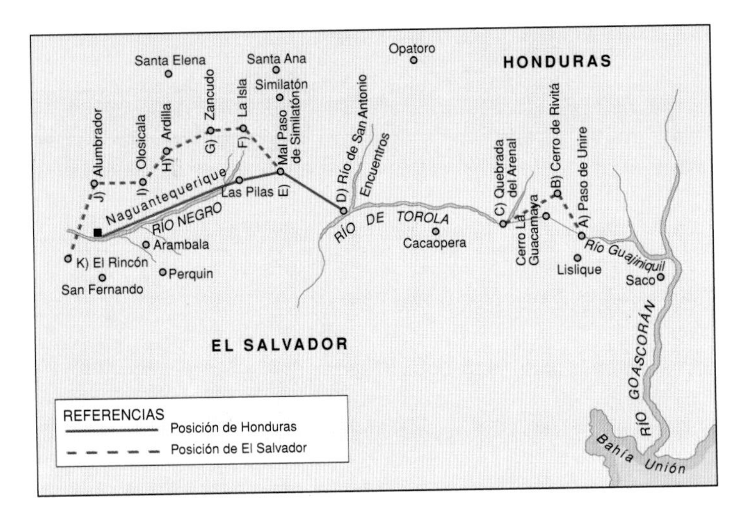

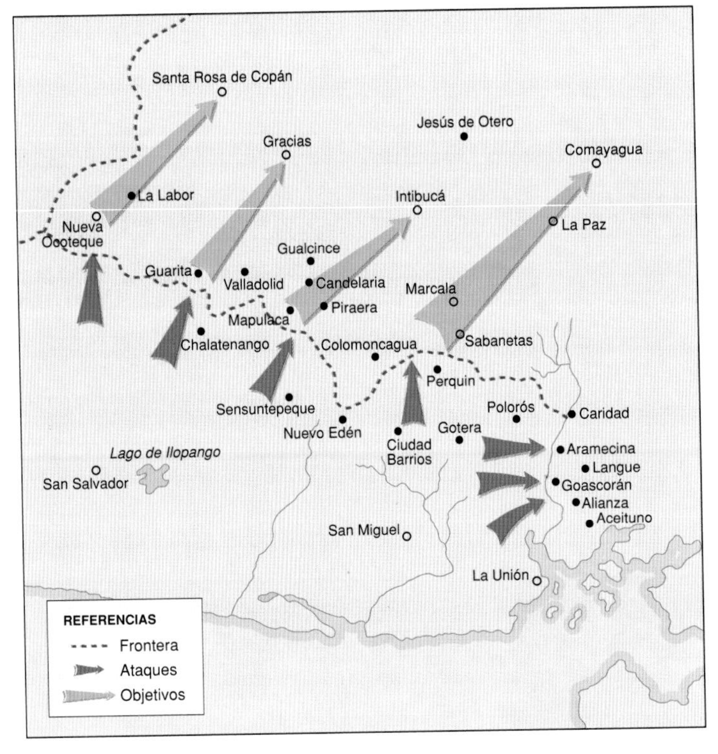

Arriba, la frontera con Honduras levantada por la comisión de 1880. Abajo, líneas de ataque del ejército salvadoreño en 1969.

Estados Centroamericanos (ODECA), dando lugar a que ambos países suscribieran el Tratado de San Miguel, el 21 de diciembre de 1965. Pero las tensiones continuaron sin que las autoridades hondureñas y salvadoreñas pudieran o quisieran hacer algo para solucionarlas de forma pacífica.

A mediados de junio de 1969 comenzaron a llegar al país numerosos grupos de salvadoreños que huían de Honduras. Muchos de ellos relataban cómo se había desencadenado una persecución generalizada que ponía en peligro sus vidas. Otros regresaron huyendo una vez que habían perdido sus propiedades. En general, casi todos coincidían en afirmar que turbas armadas habían asaltado las propiedades y los establecimientos industriales de los salvadoreños en Tegucigalpa y San Pedro Sula. Paralelamente, en varias zonas del interior de Honduras —en particular en los departamentos de Atlántida, Yoro y Olancho, así como en otros de la costa norte— habían sido desalojados violentamente de sus tierras y sufrido atentados en los que muchos perdieron la vida y muchos más resultaron heridos, sin que las autoridades o la policía intervinieran en su defensa.

Desarrollo de la guerra

Los conflictos se sucedieron día tras día a lo largo de la frontera, en los puestos aduaneros y en los poblados vecinos de ambos lados. El 17 de julio llegaron a El Salvador unas 17,000 personas procedentes de Honduras. A estas alturas ya no se trataba de pequeños grupos de emigrantes, sino de miles de salvadoreños rechazados no sólo por los ciudadanos hondureños sino por la misma autoridad pública. Particular crueldad mostraba la llamada «mancha brava», organización de choque que amedrentaba a los salvadoreños y era tolerada por las autoridades y azuzada por la prensa y la radio hondureñas.

El presidente de El Salvador demandó a su homólogo de Honduras que adoptara las medidas necesarias para proteger los derechos de los salvadoreños en territorio hondureño. En respuesta, el gobierno de Tegucigalpa hizo un reclamo del mismo sentido, denunciando los malos tratos que sus conciudadanos recibían en El Salvador. Se refería al hostigamiento que la hinchada futbolística había dispensado a los miembros de la selección hondureña de fútbol durante un encuentro de la eliminatoria regional celebrado en San Salvador el 15 de junio.

En la solución del conflicto con Honduras fue decisiva la intervención de la Organización de Estados Americanos. Imagen de la sede del Ministerio de Relaciones Exteriores en San Salvador.

Las expulsiones de salvadoreños continuaron. Entre tanto, el gobierno salvadoreño no sólo recurría a la Organización de Estados Americanos (OEA) para que interpusiera sus buenos oficios, sino que se preparaba para presionar al país vecino con acciones de fuerza. Una vez que se consideraron agotados los medios para resolver pacíficamente las diferencias con el gobierno hondureño, el general Fidel Sánchez Hernández ordenó un ataque militar que se inició el 15 de julio.

En la madrugada de ese día varios contingentes de soldados salvadoreños irrumpieron en territorio hondureño por diversos pasos fronterizos. Les había precedido, pocas horas antes, un sorpresivo bombardeo aéreo a los principales aeropuertos de aquel país. En pocos días las tropas salvadoreñas avanzaron decenas de kilómetros hacia el interior y ocuparon varias localidades de la zona fronteriza. Los hondureños respondieron bombardeando diversas instalaciones portuarias de El Salvador, así como el aeropuerto de la capital. La mayor pérdida la constituyó la destrucción casi total de la refinería de petróleo establecida en el puerto de Acajutla, pérdida valorada en unos tres millones de dólares.

La comunidad internacional reaccionó inequívocamente contra la acción militar del gobierno salvadoreño. Varios mandatarios latinoamericanos sostuvieron que era inadmisible la anexión violenta de nuevos territorios.

A fines de julio la OEA intervino en el conflicto: los días 27, 28 y 29 de ese mes se reunieron en Washington los cancilleres de los países miembros y, bajo la presidencia del canciller colombiano Alfonso López Michelsen, celebraron la XIII Conferencia Interamericana. El propósito de la reunión era el estudio de posibles medidas que permitieran poner fin al conflicto, pero, como paso previo, la OEA exigió a El Salvador la retirada de las tropas invasoras. Por su parte, la organización se comprometió a adoptar medidas para conseguir el cese de la persecución de salvadoreños en Honduras.

El 28 de julio El Salvador aceptó la exigencia de la OEA y, en los primeros días de agosto, las tropas salvadoreñas procedieron a retirarse de los territorios ocupados, que quedaron bajo control de una misión de aquella organización americana. Con este episodio llegó a su fin la guerra de las «cien horas» o «guerra del fútbol», que dejó un saldo aproximado de dos mil heridos, muertos, prisioneros y desaparecidos en ambos bandos y pérdidas económicas significativas, sobre todo en aquellas industrias que exportaban sus productos hacia el resto de Centroamérica, puesto que se rompió el convenio recíproco establecido en el marco del Mercomun ■

La violencia sociopolítica de las décadas de 1970 y 1980

En la década de 1970 se generó en el país una situación de intensa conflictividad social y política. Tal situación se vinculaba directamente no sólo con el empeoramiento de las condiciones de vida de los sectores populares (obreros, campesinos, vendedoras de mercados, habitantes de tugurios) sino con la exclusión política de la que hicieron gala los gobiernos del coronel Arturo Armando Molina y el general Carlos Humberto Romero. Estos militares llegaron al poder tras sendos fraudes electorales, en 1972 y 1977, respectivamente.

En estos acontecimientos políticos tuvo un papel protagónico la Unión Nacional Opositora (UNO), coalición integrada por el Partido Demócrata Cristiano (PDC), el Movimiento Nacional Revolucionario (MNR) y la Unión Democrática Nacionalista (UDN). La UNO, sin duda alguna el más importante frente político electoral de la historia contemporánea de El Salvador, expresaba las demandas de democratización y resistencia al militarismo de la sociedad salvadoreña y también representaba una alternativa relativamente pacífica a la espiral de violencia que se apoderaba del país.

En las elecciones presidenciales de 1972 la UNO llevó como candidato al ingeniero José Napoleón Duarte, mientras que el Partido de

El fraude electoral legitimó gobiernos militares a lo largo de toda la década de 1970. En torno a 1978 una nueva hornada de organizaciones se planteó la lucha contra la represión entre sus objetivos prioritarios. En la imagen, de 1978, la lucha urbana como preparación de la guerra de guerrillas.

La lucha por las libertades civiles comportó, entre otras consecuencias, miles de detenidos. Imagen de una manifestación del Bloque Popular Revolucionario (BPR) en San Salvador.

Conciliación Nacional (PCN) consagró al coronel Arturo Armando Molina. En medio de denuncias cada vez más fundadas sobre la existencia de fraude electoral, la Asamblea Legislativa declaró vencedor al candidato del PCN alegando que ninguno de los candidatos había obtenido la mayoría absoluta. El descontento creado por esta resolución se tradujo en distintas expresiones de rechazo popular. A los pocos días, el 25 de marzo de 1972, un alzamiento militar liderado por el coronel Benjamín Mejía obtuvo el apoyo de los comandantes de los principales cuarteles de San Salvador y dio paso a enfrentamientos armados entre los militares rebeldes y los sectores leales del ejército: gracias a la actuación decisiva de éstos, el alzamiento fracasó y, además de muertos y heridos, condujo al exilio del ingeniero Duarte y otros líderes de la oposición.

Algo similar ocurrió en las elecciones de 1977, en las cuales la UNO propuso como candidato al coronel retirado Ernesto Claramout. Nuevamente las aspiraciones de transición a un ordenamiento democrático y civil se vieron frustradas por el fraude electoral que llevó al poder al candidato oficialista, el general Carlos Humberto Romero, postulado por el PCN. Ante este fraude otra vez se registró la explosión de protestas populares y formas de resistencia civil. Los dirigentes de la UNO y varios miles de sus seguidores, entre los que se encontraban vendedoras de los mercados, empleados, obreros, campesinos y estudiantes, «tomaron» la plaza Libertad en el centro de San Salvador. En la madrugada del 28 de febrero de ese año, unidades de los cuerpos de seguridad desalojaron la concentración popular con gases lacrimógenos y ráfagas de ametralladora .

Nacimiento de nuevas organizaciones

Fue en esta coyuntura que nacieron las Ligas Populares 28 de Febrero, una organización que, junto con el Bloque Popular Revolucionario (BPR), el Frente de Acción Popular Unificada (FAPU), el Movimiento de Liberación Popular (MLP) y la UDN pasarían a ocupar un lugar protagónico en el proceso sociopolítico de la década. Asimismo, dentro de dichas organizaciones populares jugaron un papel importante

Enconadas las posiciones del conflicto social salvadoreño, un amplio sector de la Iglesia católica abandonó la tradicional postura mediadora para tomar partido en favor de las clases populares, en especial del campesinado. Imagen de un encierro en una iglesia capitalina.

los sectores campesinos. Víctimas de una secular exclusión socioeconómica que se agudizó tras fracasar en 1976 la iniciativa de transformación agraria auspiciada por Molina, estos sectores se fueron volviendo más sensibles a las iniciativas encaminadas a fomentar la lucha por sus derechos, entre los cuales ocupaba un importante lugar el derecho a organizarse.

Participación de la Iglesia

En estas iniciativas jugó un papel destacado la Iglesia católica y, más concretamente la Compañía de Jesús. Expresión de estos esfuerzos de la Iglesia católica, en 1969 había surgido la Federación Cristiana de Campesinos Salvadoreños (FECCAS) bajo la forma de una asociación de ligas campesinas. Esta organización resurgió en Aguilares a mediados de la década de 1970 como la más fuerte organización campesina. Mientras, en Usulután y Chalatenango se fundó la Unión de Trabajadores del Campo (UTC) que, nacida del trabajo pastoral, pronto

DEL TRABAJO PASTORAL DE LOS JESUITAS EN AGUILARES (PRINCIPIOS DE LOS AÑOS 70)

«Con la misión hubo un cambio. Desde la misión, en los quince días hubo una gran movilización [...] y quedó toda la cosa en orden. Se formaron grupos de delegados [de la palabra] que decían que habían unos explotadores y otros explotados. Se comenzó a descubrir la situación real.

De ahí vimos la necesidad de ir protestando, aunque no nos habíamos organizado ni nada [...] vimos que no era simplemente necesario la organización, sino una verdadera urgencia. Allí comenzó a meterse la organización en la zona.» ■

Relato de un campesino de la FECCAS-UTC

derivó en su actuación hacia el terreno político. Ambas entraron en contacto en 1975 y se articularon en la Federación de Trabajadores del Campo (FTC), la organización campesina más fuerte que ha conocido la historia del país. A lo largo de ese año la Federación estableció nexos con Andes 21 de Junio (nucleamiento de los maestros salvadoreños), organizaciones estudiantiles radicales como las Fuerzas Universitarias Revolucionarias 30 de Julio (FUR-30), Universitarios Revolucionarios 19 de Julio (UR-19), Unión de Pobladores de Tugurios (UPT) y el Movimiento Estudiantil Revolucionario de Secundaria (MERS). El 5 de agosto de 1975 nació el Bloque Popular Revolucionario (BPR) como un frente popular de masas que se proponía asegurar una participación más sólida del movimiento popular en una eventual revolución socialista.

El camino de la lucha armada

FECCAS-UTC se perfiló como organización revolucionaria; ello se tradujo en una combatividad creciente que se sumó a la acción político-reivindicativa que el Bloque Popular Revolucionario (BPR) desarrollaba en diversas zonas del país, sobre todo en la capital. Entre 1975 y 1979 el movimiento popular salvadoreño cobró nuevo impulso y nuevas perspectivas con la coordinación de acciones del BPR con el Frente de Acción Popular Unificada (FAPU), fundado en 1974, las Ligas Populares 28 de Febrero (LP-28), que se crearon en 1977, y el Movimiento de Liberación Popular (MLP), constituido en 1979. A lo largo de este período el movimiento popular organizado se convirtió en un actor fundamental de la dinámica social y política salvadoreña.

A medida que se acrecentaron las movilizaciones y las acciones de hecho de las organizaciones populares —que se expresaron en protestas callejeras, toma de locales públicos, iglesias y propiedades agrícolas— la represión gubernamental se fue tornando cada vez más brutal. De forma paralela al crecimiento y la consolidación del movimiento popular se fortaleció otro grupo de actores presentes en el quehacer sociopolítico de la década de 1970: las organizaciones político-militares. Estos grupos estaban formados por individuos radicalizados de las clases medias, en particular estudiantes y profesores universitarios. Muchos de sus miembros habían participado en diversos movimientos de oposición cívica a la dictadura militar y habían visto frustrados una y otra vez sus deseos de democratización a causa de la intransigencia del estamento militar y de los grupos de poder económico. Eran escépticos respecto a la viabilidad de poner fin a la dictadura militar por medios pacíficos y terminaron optando por la vía de la lucha armada y la revolución socialista. En esos años multiplicaron las acciones militares (secuestros de empresarios, hombres de negocios y diplomáticos, ataques a puestos militares y quema de vehículos automotores) y se inició un proceso de acercamiento a las organizaciones populares, entre las cuales comenzaron a reclutar a nuevos cuadros guerrilleros.

Los grupos político-militares se hicieron eco de las ideas de cambio social difundidas a partir de la revolución cubana de 1959, rompiendo así

Marxistas-leninistas, las organizaciones político-militares mantuvieron una estrategia de lucha mixta: formación de focos insurgentes para crear zonas liberadas en el campo y aproximación a los núcleos revolucionarios organizados en las ciudades. Imagen de 1982: un grupo de las Fuerzas Populares de Liberación en la zona central del país.

con el acomodamiento sociopolítico del PCS, partido que, básicamente, se había resignado a participar en el juego electoral. Justificaron además su irrupción apelando tanto a la pobreza crítica en que vivía la mayor parte de salvadoreños, como a la exclusión política de la que hacían gala los gobiernos militares. Integrados en su mayoría por jóvenes radicalizados de los sectores medios, los grupos político-militares optaron por la lucha revolucionaria como mecanismo idóneo para enfrentar sucesivamente a los regímenes militares del coronel Molina y del general Romero, y ya en la década de 1980 —cuando se aglutinaron en el FMLN— a la Junta Revolucionaria de Gobierno, al gobierno de Napoleón Duarte (1984-1989) y, al cierre de esa década y comienzos de la siguiente, al gobierno de Alfredo Cristiani.

Entre 1970 y 1980 maduraron en El Salvador una serie de condiciones que hicieron factible la vinculación entre el movimiento popular organizado y el movimiento guerrillero. Este último estuvo conformado por cinco organizaciones político-militares: Fuerzas Populares de Liberación (FPL), Ejército Revolucionario del Pueblo (ERP), Fuerzas Armadas de la Resistencia Nacional (FARN), Partido Revolucionario de los Trabajadores Centroamericanos (PRTC) y Fuerzas Armadas de Liberación (FAL). Todas ellas se inspiraban ideológicamente en el marxismo-leninismo y tenían como objetivo fundamental la toma del poder político del Estado a través de la lucha armada.

Al cierre de la década de 1980 cada organización guerrillera había establecido nexos con un frente de masas determinado. Así, las Fuerzas Populares de Liberación (FPL) se vincularon con el BPR, el Ejército Revolucionario del Pueblo (ERP) con las LP-28, las Fuerzas Armadas de la Resistencia Nacional (FARN) con el FAPU y el Partido Revolucionario de los Trabajadores Centroamericanos (PRTC) con el MLP. Por su parte, la organización guerrillera del Partido Comunista, Fuerzas Armadas de Liberación (FAL), redefinieron sus relaciones con la Unión Democrática Nacionalista (UDN).

ORGANIZACIONES POLÍTICO-MILITARES, NACIMIENTO Y LEMAS

1970
Fuerzas Populares de Liberación (FPL)
«Revolución o muerte. El pueblo armado vencerá»

1972
Ejército Revolucionario del Pueblo (ERP)
«Vencer o morir»

1975
Fuerzas Armadas de la Resistencia Nacional (FARN)
«Lucha armada hoy, socialismo mañana»

1975
Partido Revolucionario de los Trabajadores Centroamericanos (PRTC)
«Combatir hasta vencer por Centroamérica, la liberación y el socialismo»

1980
Fuerzas Armadas de Liberación (FAL-PCS)
«Liberación o muerte; unidos hasta la victoria final»
Frente Farabundo Martí para la Liberación Nacional (FMLN)
«Revolución o muerte. Venceremos»

La universidad se convirtió en un foco de agitación permanente que nutrió los cuadros dirigentes de las principales organizaciones revolucionarias, entre las cuales figuran las diversas organizaciones guerrilleras. Imagen tomada en la Universidad de San Salvador en 1980.

PROGRAMA DE EMERGENCIA DE LA JUNTA REVOLUCIONARIA DE GOBIERNO (15 DE OCTUBRE DE 1979)

Un golpe de Estado incruento derrocó al general Carlos Humberto Romero en octubre de 1979. Imagen de la Junta Revolucionaria de Gobierno formada por los militares golpistas: de izquierda a derecha, el coronel Adolfo Arnaldo Majano, el doctor Román Mayorga Quirós, el coronel Jaime Abdul Gutiérrez y los doctores Guillermo Manuel Ungo y Mario Antonio Andino.

1. **Cese de la violencia y la corrupción**

a) Haciendo efectiva la disolución de ORDEN y combatiendo organizaciones extremistas que con sus actuaciones violen los derechos humanos.

b) Erradicando prácticas corruptas en la administración pública y de justicia.

2. **Garantizar la vigencia de los derechos humanos**

a) Creando el ambiente propicio para lograr elecciones verdaderamente libres en un plazo razonable.

b) Permitiendo la constitución de partidos de todas las ideologías de manera que se fortalezca el sistema democrático.

c) Concediendo amnistía general a todos los exiliados y presos políticos.

d) Reconociendo y respetando el derecho de sindicalización de todos los sectores laborales.

e) Estimulando la libre emisión del pensamiento, de acuerdo a normas éticas.

3. **Adoptar medidas que conduzcan a la distribución equitativa de la riqueza nacional, incrementando al mismo tiempo, en forma acelerada, el producto territorial bruto.**

a) Creando bases firmes para iniciar un proceso de reforma agraria.

b) Proporcionando oportunidades económicas para la población mediante reformas en el sector financiero, tributario y comercio exterior del país.

c) Adoptando medidas de protección al consumidor para contrarrestar los efectos de la inflación.

d) Implementando programas sociales de desarrollo que tengan por objetivo aumentar la producción nacional y crear fuentes adicionales de trabajo.

e) Reconociendo y garantizando el derecho a la vivienda, alimentación, educación y salud de todos los habitantes del país.

f) Garantizando la propiedad privada en función social.

4. **Encauzar en forma positiva las relaciones externas del país**

a) Restableciendo las relaciones con el hermano país de Honduras a la mayor brevedad posible.

b) Fortaleciendo vínculos con el hermano pueblo de Nicaragua y su gobierno.

c) Estrechando los vínculos que nos unen con los pueblos y gobiernos de las hermanas repúblicas de Guatemala, Panamá y Costa Rica.

d) Estableciendo relaciones cordiales con todos los países del mundo que estén dispuestos a apoyar las luchas de nuestro pueblo y respetar nuestra soberanía.

e) Garantizando el cumplimiento de los compromisos internacionales adquiridos ■

La incorporación del democristiano José Napoleón Duarte a la Junta dio alas, en 1980, a los «escuadrones de la muerte» y actuó como catalizador del movimiento insurreccional.

Gestación de la guerra civil

La década de 1970 se cerró con una grave crisis política. El gobierno del general Carlos Humberto Romero fue incapaz de controlar el desborde de las organizaciones populares, aun cuando puso en práctica medidas como la Ley de Defensa y Garantía del Orden Público inspirada en la Doctrina de la Seguridad Nacional que los gobiernos militares sudamericanos habían implementado para combatir a los movimientos populares de sus respectivos países. El 15 de octubre de 1979 un grupo de militares progresistas dio un golpe de Estado con pretensiones reformistas. Rápidamente el impulso de este movimiento fue cooptado por militares conservadores partidarios de contener el movimiento popular por la fuerza. Mientras tanto, las organizaciones populares habían radicalizado sus demandas y enfrentaban los embates de una represión estatal cada vez más brutal e indiscriminada.

La Junta Revolucionaria de Gobierno que se formó como resultado del golpe no pudo hacer frente a la crisis política. Tras una serie de relevos de sus integrantes acabó avalando la represión dirigida contra la movilización de las organizaciones populares. Cuando José Napoleón Duarte se incorporó a la Junta en diciembre de 1980 se iniciaron unas reformas económicas y sociales —en especial, reforma agraria y nacionalización de la banca y del comercio exterior—, pero éstas fueron acompañadas con fuertes dosis de violencia estatal. Los líderes de las organizaciones de izquierdas percibieron que no había otro camino que llamar a la insurrección revolucionaria. Esta opción se concretó mediante la creación, en mayo de 1980, de la Dirección Revolucionaria Unificada-Político-Militar (DRU-PM), un mando

La unificación en 1980 de todas las organizaciones guerrilleras en un mando conjunto aumentó la efectividad de sus ataques, obligando al ejército a multiplicarse en sus operativos de contrainsurgencia. Imagen de una ronda militar en las calles de San Salvador.

conjunto que coordinaría las actividades militares de los diferentes núcleos guerrilleros, mientras que la Coordinadora Revolucionaria de Masas (CRM) se encargaría de coordinar el trabajo político de los frentes de masas. En abril del mismo año se constituyó el Frente Democrático Revolucionario (FDR), que aglutinó a la gran mayoría de las organizaciones revolucionarias y a los partidos de oposición, instituciones, gremios y personalidades democráticas del país. En octubre de 1980 la DRU se transformó en el Frente Farabundo Martí para la Liberación Nacional (FMLN).

Los cuerpos de seguridad —Policía Nacional (PN), Guardia Nacional (GN) y Policía de Hacienda (PH)— y los sectores de la extrema derecha apoyados y encubiertos por grupos paramilitares conocidos como «escuadrones de la muerte», emprendieron una campaña de violencia y terror dirigida contra toda organización o persona que se percibiera como remotamente asociada a la izquierda revolucionaria: organizaciones populares y sus miembros, líderes sindicales y campesinos, religiosos que hubiesen apoyado las reivindicaciones populares.

PALABRAS DE MONSEÑOR ÓSCAR ARNULFO ROMERO (11 DE MARZO DE 1979)

«La Iglesia no puede ser conformista. La Iglesia tiene que despertar la conciencia de dignidad. A esto le llaman subversión. Esto no es subversión. La conciencia cristiana que nuestras comunidades van tomando a la luz del Evangelio, ante el pensamiento de que un hombre, aunque sea jornalero, es imagen de Dios, no es comunismo ni subversión, es palabra de Dios que ilumina al hombre y el hombre tiene que promoverse [...] esto no es provocar subversión, sino simplemente decirle a todos los que me escuchan, sean dignos, porque la condición del pueblo de Dios es la dignidad y libertad de los hijos de Dios en cuyos corazones habita el Espíritu Santo como en un templo.» ■

El golpe de mayor resonancia pública e impacto en la conciencia colectiva lo constituyó el asesinato del arzobispo de San Salvador, monseñor Óscar Arnulfo Romero, el 24 en marzo de 1980, mientras oficiaba una misa en la capilla del Hospital La Divina Providencia. Desde su elevación a la dignidad arzobispal, monseñor Romero había sido un agudo crítico de las injusticias sociales del país y había denunciado abiertamente la violencia dirigida contra el pueblo organizado que reivindicaba sus derechos. Siguió a este asesinato la masacre, en noviembre de ese mismo año, de los dirigentes del FDR Juan Chacón, Enrique Álvarez Córdova, Manuel Franco, Enrique Escobar, Humberto Mendoza y Doroteo Hernández, quienes fueron secuestrados durante una reunión de trabajo en un colegio católico capitalino (el externado de San José) y resultaron posteriormente asesinados. Tales crímenes, en un contexto marcado por la muerte cotidiana de decenas de miembros y simpatizantes de las organizaciones populares, de religiosos, estudiantes, obreros y campesinos, alimentaban la idea de que la insurrección armada era inevitable.

■ Defensor acérrimo de los derechos del campesinado, monseñor Óscar Arnulfo Romero, obispo residencial de San Salvador, fue asesinado por un grupo paramilitar en 1980 después de que se alineara con la teología de la liberación.

La guerra civil

A finales de 1980 los grupos organizados de izquierda prepararon la llegada del nuevo año. El 10 de enero de 1981 el FMLN lanzó su ofensiva final (u ofensiva general) destinada a provocar un levantamiento popular que condujese al derrocamiento de la Junta Revolucionaria de Gobierno. Ésta resistió sin embargo la ofensiva guerrillera y lanzó una contraofensiva militar que obligó al FMLN a internarse en las escasas zonas montañosas del país, especialmente al norte de los departamentos de Chalatenango y Morazán, que convirtió en sus bastiones. Se iniciaba así una guerra civil durante la cual los contendientes implementaron las más variadas tácticas de guerra con objeto de lograr una victoria definitiva.

Izquierda: miembros de las fuerzas especiales del ejército evacuan a un compañero herido durante un operativo contrainsurgente en Chalatenango realizado en 1984.

Distrute del rico sabor de los panes, tacos y tamales de Pavo en Don Pavo

TELF.: 24-3923

El mayor robo de efectivo en Gran Bretaña

FUMIGACIO[...] EISI[...] 33 AÑOS D[E] EXPERIENCIA TODO TIPO [...] FUMIGACIO[...] TELEFONO[S] 21-8653 21-8654

AÑO XVII. No. 5145, PRECIO 40 CENTAVOS, San Salvador, Martes 5 de Abril de 1983

HONDURAS DENUNCIA:

NICARAGUA REFUERZA A GUERRILLA SALVADOREÑA

El Mundo

Derecha: titular del diario *El Mundo* de San Salvador del 1 de enero de 1980.

Durante los mandatos de José Napoleón Duarte —primero, en la Junta Revolucionaria de Gobierno y, después, como presidente constitucional de la República (1984-1989)— se implementó la estrategia contrainsurgente denominada Guerra de Baja Intensidad (GBI), que fue auspiciada por el gobierno de Estados Unidos y llevó a una colaboración estrecha entre los ejércitos de ese país y de El Salvador. Financiamiento, pertrechos de guerra y asesoramiento militar sin límites fluyeron desde Estados Unidos hacia el país; se multiplicaron los batallones de infantería de reacción inmediata (Atlacatl, Cobra, Atonal) cuya misión era librar batallas contra las fuerzas del FMLN utilizando sus mismas técnicas y modalidades de guerra. De forma paralela a este esfuerzo militar, se ejecutaban medidas de acción cívica en los lugares de presencia guerrillera para ganar «las mentes y los corazones» de la población potencialmente simpatizante con los insurgentes, quienes terminarían como «el pez fuera del agua». Cuando Duarte dejó la presidencia, legó a Alfredo Cristiani —triunfador, como candidato del partido Alianza Republicana Nacionalista (Arena), en las elecciones presidenciales de marzo de 1989— no sólo un expediente de buenas relaciones con el gobierno de Estados Unidos, sino un ejército bien entrenado y pertrechado, con grandes sumas de dinero concentradas en manos de sus principales jerarcas y con una disposición a combatir infatigablemente a cuantos pudiesen ser considerados comunistas, socialistas o revolucionarios.

Mientras tanto, el FMLN desplegaba todas las potencialidades forjadas durante la década anterior. Innumerables miembros de las organizaciones populares de la ciudad, muchos de ellos sobrevivientes de la represión que se desató en el país entre 1981 y 1983, se incorporaron a sus filas. Lo mismo hicieron un gran número de campesinos procedentes tanto de la FECCAS-UTC como de otras organizaciones campesinas, quienes no sólo pasaron a integrar las filas del ejército guerrillero, sino que se convirtieron en su base social fundamental, su fuente de abastecimiento y garantía de supervivencia material. En estas condiciones, desde el punto de vista militar, el FMLN se convirtió en una guerrilla poderosa, capaz de enfrentarse a un ejército de más de 50,000 hombres, asesorado, entrenado y financiado por Estados Unidos, en un territorio de 21,000 kilómetros cuadrados, sin grandes montañas y rodeado de países con regímenes hostiles a la lucha guerrillera (Honduras y Guatemala).

La elección de Alfredo Cristiani, candidato de la Alianza Republicana Nacionalista en las elecciones presidenciales de 1989, se produjo en un momento álgido de la guerra civil y estuvo orlada, consecuentemente, por un clima de violencia sin precedentes.

De forma progresiva el FMLN emprendió un proceso de reestructuraciones internas que comportaron cambios significativos en sus planteamientos estratégicos, a lo cual no fue ajeno la reestructuración del escenario internacional propiciado por el derrumbe del bloque del Este y la nueva correlación de fuerzas que en el interior del país se impuso entre los bandos en contienda.

En ese escenario el FMLN transitó, no sin dificultades y largos debates ideológico-políticos, de la lucha revolucionaria por el poder político del Estado, a la lucha revolucionaria por la fundación de una nación basada en la democracia social y política como ejes axiales. Por su parte, el partido Arena dejó atrás sus pasadas vinculaciones a los escuadrones de la muerte y, respaldado por su ala más moderada, encaró los

A la izquierda, una unidad de la guerrilla del FMLN durante una parada efectuada en 1984 en Chalatenango. A la derecha, funeral por los jesuitas asesinados en noviembre de 1989 por miembros del ejército.

desafíos que le planteaba la evidente necesidad de negociar el fin de la guerra con el FMLN.

La ofensiva lanzada por los insurgentes en noviembre de 1989 puso de manifiesto no sólo que un triunfo militar definitivo de cualquiera de los bandos no estaba cercano sino que los costos económicos de la guerra hacían inviable cualquier propuesta de desarrollo económico-social. Además, el impacto nacional e internacional del asesinato de los jesuitas Ignacio Ellacuría, Segundo Montes, Amando López, Juan Ramón Moreno, Ignacio Martín-Baró, Joaquín López y López, y de su colaboradora Elba Ramos y su hija Celina Maricet, cometido el 16 de noviembre de 1989 por fuerzas del ejército, creó una presión enorme sobre el gobierno y las fuerzas armadas para conseguir un acuerdo con la guerrilla. El consenso sobre la inviabilidad de la guerra, al igual que la buena voluntad y el empeño puestos por las comisiones negociadoras, impulsó una ronda de negociaciones que culminaron en enero de 1992 con la firma de los Acuerdos de Paz.

Los Acuerdos de Paz de Nueva York (1991) y Chapultepec (1992) constituyeron un punto de partida fundamental para el nuevo proyecto de nación —la república democrática— que el FMLN hizo suyo en el transcurso de los doce años de guerra civil. También se convirtieron en el punto de partida para que el gobierno de Arena pudiera implementar sus planes de desarrollo económico orientados a fortalecer el sistema financiero y a generar un clima de confianza entre los grupos empresariales nacionales e internacionales.

La transición a la democracia

A los dos años de iniciarse la guerra civil, las elecciones para la Asamblea Constituyente de 1982 llevaron a Álvaro Magaña a ocupar provisionalmente la presidencia y se inició otro proceso paralelo: la transición a la democracia. Las elecciones comenzaban a abrirse paso como el mecanismo idóneo para acceder a la gestión del Estado; tras iniciar un lento proceso de ruptura con su pasado de organización paramilitar, Arena comenzaba a dar sus pasos como partido político, pasos particularmente significativos porque con la emergencia de este partido los grupos de poder económico volvían otra vez al escenario político electoral en busca de la reconquista de la hegemonía política en manos de los militares desde 1931. Arena, pues, expresaba la voluntad de los grupos de poder económico de reasumir las riendas del poder político, sin intermediarios y en un escenario de baja conflictividad política y militar sin precedentes en la historia del país.

Símbolo de la esperanza depositada por el país en los Acuerdos de Paz, el Monumento a la Paz en San Salvador.

Los Acuerdos de Paz incluían la desmovilización de algunos de los efectivos empleados en la lucha contra la insurgencia. En la imagen, desmovilización en 1992 del batallón especial Atlacatl.

Aquellas elecciones marcaron el comienzo de una serie de eventos electorales que llegan ininterrumpidamente hasta nuestros días, y a partir de los cuales se ha consolidado la idea, entre los diversos actores sociopolíticos, de que las elecciones y sus resultados deben ser aceptados por todos. Llegar hasta este punto no fue fácil, puesto que ello requería aceptar que cualquiera que quisiera participar en las elecciones podía hacerlo y, si obtenía la victoria, nada impediría que gestionara el poder estatal. A lo largo de la década de 1980 ni los grupos de poder económico ni los sectores políticos afines estaban dispuestos a aceptar la eventualidad de que el FMLN pudiera competir electoralmente o, peor aún, alcanzar una victoria. El FMLN, por su parte, no estaba dispuesto a arriesgar la seguridad de sus miembros o a descartar la posibilidad de tomar el poder por la vía armada.

Los doce años de guerra civil, los triunfos, las derrotas, los asesinatos, las persecuciones, el temor y la inseguridad contribuyeron de forma decisiva a moderar las posturas más extremas y a aceptar que si no se podía exterminar al enemigo al menos había que intentar convivir con él.

Los Acuerdos de Paz

A finales de 1991 tanto el FMLN como el gobierno salvadoreño, a cuya cabeza estaba Alfredo Cristiani, ultimaban detalles para firmar los documentos que terminarían con la guerra civil y que sentarían las bases para una reforma política y económica del país con vistas a superar los desequilibrios estructurales que desencadenaron el conflicto. El 16 de enero de 1992 se firmaron los Acuerdos de Paz, con lo que se inauguró una nueva fase del proceso de transición democrática iniciado a principios de la década de 1980.

Así, desde 1992 la sociedad salvadoreña posee una instancia normativa (los Acuerdos de Paz) orientada a medir los ritmos de su desarrollo sociopolítico, institucional y económico. A partir de aquel momento lo que se hiciera o se dejara de hacer en el país tendría que ser valorado en el contexto de los Acuerdos de Paz, cuyo cumplimiento constituía no sólo una obligación de los principales actores firmantes —la primera administración de Arena y el FMLN— sino también del conjunto de la sociedad.

DEL DISCURSO DEL SECRETARIO GENERAL DE LA ONU EN LA FIRMA DE LOS ACUERDOS DE PAZ (16 DE ENERO DE 1992)

«La larga noche de El Salvador está llegando a su fin. Los acuerdos cuya firma estamos a punto de atestiguar anuncian una nueva era para un país profundamente perturbado, asolado por la violencia y los sufrimientos durante más de diez años. Es ésta una ocasión para alegrarse y para celebrar ya que una nación desgarrada contempla las esperanzas de paz y los retos de la reconciliación y la reconstrucción [...] Saludo al gobierno de El Salvador y de manera particular al presidente Cristiani por su cordura y su clarividencia. Y también rindo homenaje al FMLN por su imaginación política. Un nuevo y mejor El Salvador surgirá de estos acuerdos cuya aplicación pondrá fin al conflicto armado salvadoreño.» ■

Acuerdos de Paz: El líder guerrillero Joaquín Villalobos (a la izquierda) y el representante del gobierno salvadoreño Óscar Santamaría (a la derecha) estampan sus firmas en los Acuerdos de Paz en presencia del secretario general de Naciones Unidas, el diplomático peruano Javier Pérez de Cuéllar (en el centro).

Tres son los temas fundamentales abordados por los Acuerdos de Paz: el político, el económico-social y el judicial. En materia política los acuerdos estipularon una serie de pasos orientados a democratizar el sistema, lo cual suponía la salida de los militares del ejercicio del poder político y la renuncia a las vías autoritarias como mecanismo para disputar y acceder a la gestión estatal. También estipularon la aceptación del pluralismo ideológico y político y el fortalecimiento de los partidos y el parlamento. En el terreno económico y social propusieron una serie de mecanismos orientados hacia la reforma del modelo económico, particularmente en lo que atañe al problema agrario, y la implementación de medidas tendientes a paliar los costos de los programas de ajuste estructural. También se propuso la constitución de una instancia de discusión de los problemas estrictamente sociolaborales, como el Foro de Concertación Económico-Social. Por último, en el ámbito judicial los Acuerdos plantearon una serie de reformas cuyo propósito era fortalecer y hacer más eficaz la administración de justicia en el país.

Cuatro años después de ser firmados, los Acuerdos de Paz fueron declarados oficialmente cumplidos en 1996. No obstante, aspectos sustantivos como la implantación de unas nuevas relaciones entre trabajadores, Estado y empresarios, la depuración del sistema de justicia y la democratización de los partidos políticos quedaron pendientes y constituyen, en la actualidad, temas de debate permanente entre los principales actores de la realidad social y política de El Salvador.

Al firmar los Acuerdos de Paz el FMLN decidía competir electoralmente por una cuota de poder, siempre revocable a través de las urnas, y el sistema político se abrió a las propuestas ideológicas y políticas del Frente convertido en partido político. Éste fue uno de los logros más importantes de los Acuerdos de Paz, gracias al cual la transición a la democracia dio un paso sin precedentes. En la actualidad existe un amplio consenso entre los más diversos grupos sociales y políticos de que es preferible la democracia a un régimen autoritario.

En la década de 1930 el intento de democratización puesto en marcha por Arturo Araujo fue abortado; en la de 1990 aquella iniciativa encuentra su continuación, tras un largo paréntesis de autoritarismo, intolerancia y recurso indiscriminado a la violencia.

Dos procesos electorales vinieron a normalizar la vida política salvadoreña. En 1994 fueron los comicios que dieron la presidencia de la República a Armando Calderón Sol, de la Alianza Republicana Nacionalista (Arena), que obtuvo el 68.2 por ciento de los votos, frente al candidato de la coalición izquierdista Convergencia Democrática, Rubén Zamora, que con el apoyo del FMLN sólo obtuvo el 31.6 de los sufragios. Renovó su triunfo Arena en 1999, al obtener su candidato, Francisco Flores, el 51.96 por ciento de los sufragios, que evitaron dirimir los comicios en una segunda vuelta.

Imagen de papeletas de voto depositadas en una urna durante las elecciones generales.

En la etapa democrática abierta por los Acuerdos de Paz se produjo un acusado descenso de la Democracia Cristiana, que fue relegada a la condición de tercera fuerza política nacional. Los resultados electorales de 1999 introdujeron como dato preocupante para la salud del sistema la elevada abstención registrada, que se situó en torno al 65 por ciento.

GOBERNANTES DE EL SALVADOR (1944-1999)

7 de mayo-21 de octubre de 1944	Junta de Gobierno
21 de octubre de 1944-1 de marzo de1945	Osmín Aguirre y Salinas
1945-1948	Salvador Castaneda Castro
1948-1950	Consejo de Gobierno Revolucionario
1950-1956	Óscar Osorio
1956-1960	José María Lemus
1960-1961	Junta de Gobierno
1961-1962	Directorio Cívico Militar
1962-1967	Julio Adalberto Rivera
1967-1972	Fidel Sánchez Hernández
1972-1977	Arturo Armando Molina
1977-1979	Carlos Humberto Romero
1979-1982	Junta Revolucionaria de Gobierno
1982-1984	Álvaro Magaña
1984-1989	José Napoleón Duarte
1989-1994	Alfredo Cristiani
1994-1999	Armando Calderón Sol
1999	Francisco Flores

■ ■ ■ ■

LAS INSTITUCIONES PÚBLICAS

La Constitución

Las instituciones públicas del Estado salvadoreño se inspiran, en lo primordial, en los modelos de las democracias occidentales. La Constitución, como Ley Suprema del Estado, contiene los fundamentos de dichas instituciones y orienta su actuación. Por ello es adecuado tomarla como punto de arranque, siguiendo la doble división de la carta magna: por un lado, la parte dogmática, en la que se explican los derechos individuales y sociales, y por otro lado la parte orgánica, en la que se exponen la organización y las funciones del gobierno.

Historia de la Constitución

El Salvador ha tenido numerosas constituciones desde su independencia. Este hecho evidencia la inestabilidad política que ha predominado a lo largo de su historia. La primera fue la Constitución del 4 de julio de 1824 y por ella el país se erigió en Estado libre e independiente dentro de la órbita de la Federación Centroamericana que estaba por constituirse. La Constitución Federal se promulgó en noviembre de 1824 y estableció que el gobierno era republicano, representativo y federal. A las provincias de Guatemala, Honduras, Nicaragua, Costa Rica y El Salvador daba el nombre de Estados Federados de Centro América y proclamaba como religión oficial la católica, apostólica, romana, excluyendo del ejercicio público a quien practicara cualquier otra.

La segunda Constitución lleva la fecha del 18 de febrero de 1841, cuando ya había desaparecido la Federación y El Salvador se había constituido en república independiente. Después de esta carta magna siguieron las constituciones de 1864, 1871, 1872, 1880, 1883, 1885, 1886, 1939, 1944, 1945, 1950, 1962, hasta llegar a la de 1983, que es la vigente.

La Constitución de 1841 fue la primera en la que se hizo referencia al *habeas corpus* (recurso de exhibición personal), que consiste en la garantía de protección del derecho constitucional de libertad del ciudadano ante órdenes ilegales de detención. En ella se estableció asimismo un órgano legislativo bicameral, con una cámara de diputados y un senado. Se siguió reconociendo como oficial la religión católica, apostólica y romana, pero se declaró que toda persona era libre para adorar a Dios según su conciencia, sin que se puedan perturbar sus creencias privadas. Además

CONSTITUCION
DE LA REPUBLICA FEDERAL
DE
CENTRO-AMERICA
DADA
POR LA ASAMBLEA NACIONAL CONSTITUYENTE
EN 22 DE NOVIEMBRE DE
1824.

IMPRESA EN GUATEMALA
AÑO DE 1825.

La Constitución del 4 julio de 1824 definió El Salvador como Estado libre e independiente dentro de la Federación de Centro América. Imagen de la portada de la Constitución Federal que, cuatro meses más tarde, daba carta de naturaleza jurídica al proyecto federativo centroamericano.

Las instituciones del Estado se fundamentan en la Constitución, ordenamiento que sirve de base a la legalidad de la República. A la izquierda, entrada del Palacio Nacional, sede histórica de la Asamblea Legislativa, el gobierno y la Corte Suprema de Justicia. Actualmente es sede del Museo Histórico.

se prohibió que los eclesiásticos pudieran optar a cargos de elección popular. Esta Constitución, de corte liberal e individualista, fue la primera que incluyó un título en el cual se exponen los derechos y las garantías del pueblo y de los ciudadanos.

Por una disposición de la Constitución de 1864 El Salvador reconocía la existencia de derechos y deberes anteriores y superiores a las leyes positivas, es decir a las dictadas por las autoridades formales del Estado.

La Constitución de 1871 es la primera que prescribe la tolerancia al culto público de confesiones cristianas no católicas, siempre y cuando no ofendiesen la moral y el orden públicos. La Constitución del año siguiente reproduj básicamente el texto de su antecesora, si bie amplió el período presidencial de dos años cuatro años.

En la Constitución de 1883 se reconoció po vez primera la libertad de culto. Pero será la d 1886 —modelo de carta magna liberal— l más venerada no sólo por su larga vigencia sin por incluir una serie de disposiciones consideradas de avanzada para su época. Además fu la que estableció el sistema unicameral del órgano legislativo, al instituir la Asamblea Nacional de Diputados.

LA CONSTITUCIÓN Y LOS ACUERDOS DE PAZ

Las reformas constitucionales derivadas de los Acuerdos de Paz son las siguientes:

1. Definir con mayor claridad el sometimiento de la Fuerza Armada al poder civil.
2. Creación de la Policía Nacional Civil como institución independiente de la Fuerza Armada encargada de la seguridad pública.
3. Creación del organismo de Inteligencia del Estado con independencia de la Fuerza Armada y bajo la autoridad directa del presidente de la República.
4. Redefinición de la justicia militar en orden a asegurar que sólo sean sometidos a ella aquellos casos que afecten de modo exclusivo un interés jurídico estrictamente militar.
5. Nueva organización de la Corte Suprema de Justicia y nueva forma de elección de sus magistrados. En adelante, para elegir a los magistrados de la Corte Suprema de Justicia se requerirá una mayoría de dos tercios de los diputados electos de la Asamblea Legislativa.
6. Asignación anual al órgano Judicial de una cuota del presupuesto del Estado no inferior al seis por ciento de los ingresos corrientes.
7. Creación de la Procuraduría para la Defensa de los Derechos Humanos.
8. Elección por los dos tercios de los diputados electos de la Asamblea Legislativa del fiscal general de la República, del procurador general de la República y del procurador para la defensa de los derechos humanos.
9. Se conviene redefinir la estructura del Consejo Nacional de la Judicatura para que esté integrado de manera que asegure su independencia de los órganos del Estado y de los partidos políticos, así como la integración al mismo, no sólo de jueces, sino también de los sectores de la sociedad que no estén relacionados con la administración de justicia; será responsabilidad del Consejo Nacional de la Judicatura la organización y el funcionamiento de la Escuela de Capacitación Judicial, cuyo objeto será el de asegurar la continua formación profesional de los jueces y demás funcionarios judiciales, así como de los integrantes de la Fiscalía General de la República.
10. Creación del Tribunal Supremo Electoral en sustitución del Consejo Central de Elecciones.
11. Los partidos políticos tendrán derecho a ejercer la vigilancia sobre la organización, elaboración, publicación y actualización del registro electoral ■

Si bien la Constitución de 1939 contiene fundamentalmente el mismo texto que la de 1886, se comprueban algunos cambios. El más sobresaliente es la disposición por medio de la cual se prescribe que, al momento de sentenciar, los tribunales tienen la facultad de declarar inaplicable cualquier ley o disposición de los órganos del Estado si se considera que los mismos contradicen la Constitución.

En 1950 se promulgó una Constitución teóricamente de avanzada, pues si bien no abandonaba su carácter individualista recogía de forma expresa los derechos sociales en uno de sus títulos. La última Constitución aprobada en el país ha sido la de 1983, aprobada en un momento histórico caracterizado por el conflicto armado interno y en que la Asamblea Constituyente que la redactó estaba conformada por representantes pertenecientes a los partidos de derecha y de la democracia cristiana, mientras que la izquierda, que se había negado a participar en las elecciones para elegir los miembros de dicha asamblea, se encontraba en pleno enfrentamiento político y militar con el gobierno y la Fuerza Armada.

Los Acuerdos de Paz de 1992 por los que se puso fin a la guerra civil contenían una serie de compromisos que implicaban reformas a la Constitución de la República, las cuales se aprobaron e incorporaron al texto de la carta magna en 1994.

La Constitución vigente

La Constitución de 1983 es un cuerpo normativo que nace sobre la base del modelo de la Ley Suprema de 1962; además tiene como fuentes ideológicas algunas constituciones de Latinoamérica, la de España y la de Alemania. Fue promulgada por la Asamblea Constituyente que funcionó con representantes elegidos mediante elecciones populares y directas en las que sólo participaron los partidos políticos que en aquel momento respaldaban políticamente a la Fuerza Armada. Dicha asamblea se convirtió en Legislativa a partir de la fecha de entrada en vigencia de esta carta magna. Sin embargo, gracias a las reformas que se le incorporaron a resultas de los Acuerdos de Paz, la Constitución adquiere un alto grado de aceptación entre los distintos actores políticos de la vida nacional.

La vigente es una Constitución escrita de carácter relativamente flexible. Esto es así porque se adoptó en un documento escrito y porque admite la reforma, aunque sometida a especiales requisitos y procedimientos, con exclusión de determinadas materias: la forma y el sistema de gobierno, el territorio y la alternancia en el ejercicio de la presidencia. Consta de dos grandes apartados: a) la parte dogmática, en la que asume un estilo garantista que pone en primer término los derechos individuales, aunque reconoce los derechos sociales, y b) la parte orgánica, en la que se organiza y ordena el Estado y sus órganos e instituciones.

La Constitución salvadoreña consagra el principio de separación de poderes propio de las democracias occidentales. Imagen de la cámara parlamentaria en la que reside el órgano legislativo, durante la sesión de investidura del presidente Álvaro Magaña, el 23 de abril de 1982.

Los derechos individuales

La Constitución establece la igualdad de las personas ante la ley y les garantiza una serie de derechos individuales definidos entre los artículos 2 y 28 de la Ley Fundamental. Se reconocen como tales el derecho a la vida, a la inte-

La libertad de prensa, consecuencia y garante del derecho a la libertad de expresión reconocido por la Constitución. Cabeceras de la prensa salvadoreña actual.

gridad física y moral, a la libertad, a la seguridad, al trabajo, a la propiedad y posesión, y el derecho de la persona a ser protegida en su conservación y defensa. Se garantiza también el derecho al honor, a la intimidad personal y familiar y a la propia imagen. La carta magna, además, prohíbe expatriar a cualquier salvadoreño o impedirle la entrada en el territorio nacional. También se garantiza el libre ejercicio de todas las religiones.

La libertad de expresión

Todo ciudadano está protegido por la ley para expresar libremente su pensamiento. El ejercicio de este derecho no estará sujeto a previo examen, censura ni caución. Se reconoce también el derecho de respuesta. Ahora bien, esta libertad no exime al sujeto de responsabilidad cuando se atente contra la moral pública y el honor o la vida privada de otros ciudadanos. Sin embargo, se prohíbe secuestrar como instrumentos de delito la imprenta o cualquier medio destinado a la difusión del pensamiento. No pueden ser objeto de estatización o nacionalización las empresas de comunicación o las que se dediquen a actividades de publicación.

CÓMO SE PUEDE REFORMAR LA CONSTITUCIÓN

La Carta Magna contempla en su texto la posibilidad de ser modificada. Para ello se requiere que dicha reforma sea propuesta en la Asamblea Legislativa por no menos de diez diputados. Las reformas podrán aprobarse con el voto de la mitad más uno de los diputados electos, aunque después será necesaria la ratificación de una Asamblea Legislativa distinta a la que acordó las reformas. Esta ratificación requerirá del voto de los dos tercios de los diputados electos. Si ello se consigue, se emite el decreto de reformas correspondiente y se mandará a publicar en el *Diario Oficial*.

Es importante resaltar que, en ningún caso, se podrán reformar los artículos referentes a la forma y el sistema de gobierno, al territorio de la República y a la alternabilidad en el ejercicio de la presidencia de la República ■

Por otra parte los espectáculos públicos podrán ser objeto de censura conforme a lo establecido por la ley.

Otros derechos constitucionales

Son los de asociación y de reunión, pero no podrá limitarse ni impedirse a una persona el ejercicio de cualquier actividad lícita por el hecho de no pertenecer a una asociación. Se prohíbe la existencia de grupos armados de carácter político, religioso o gremial.

Ninguna persona puede ser privada de sus derechos sin ser previamente oída y vencida en juicio de acuerdo a las leyes, ni puede ser enjuiciada dos veces por la misma causa. Toda persona a quien se impute un delito se presumirá inocente mientras no se pruebe su culpabilidad conforme a la ley y en juicio público en el que se le aseguren todas las garantías para su defensa. La persona detenida debe ser informada de

LA LIBERTAD DE EXPRESIÓN EN LA CONSTITUCIÓN

Artículo 6: «Toda persona puede expresar y difundir libremente sus pensamientos siempre que no subvierta el orden público, ni lesione la moral, el honor, ni la vida privada de los demás. El ejercicio de este derecho no estará sujeto a previo examen, censura ni caución; pero los que haciendo uso de él, infrinjan las leyes, responderán por el delito que cometan.

En ningún caso podrá secuestrarse, como instrumentos de delito, la imprenta, sus accesorios o cualquier otro medio destinado a la difusión del pensamiento.

No podrán ser objeto de estatización o nacionalización, ya sea por expropiación o cualquier otro procedimiento, las empresas que se dediquen a la comunicación escrita, radiada o televisada, y demás empresas de publicaciones. Esta prohibición es aplicable a las acciones o cuotas sociales de sus propietarios.

Las empresas mencionadas no podrán establecer tarifas distintas o hacer cualquier otro tipo de discriminación por el carácter político o religioso de lo que se publique.

Se reconoce el derecho de respuesta como una protección y garantías fundamentales de la persona.

Los espectáculos públicos podrán ser sometidos a censura conforme a la ley.» ■

sus derechos y de las razones de su detención, no pudiendo ser obligada a declarar.

Ningún órgano del Estado o funcionario podrá dictar órdenes de detención o de prisión si no es de conformidad con la ley, y estas órdenes deberán ser siempre escritas. Pero cuando una persona sea sorprendida *in fraganti*, es decir en el mismo momento de cometer un delito, puede ser detenida por cualquier otra para ser entregada de inmediato a la autoridad competente.

■ Inauguración del Monumento a la Paz, con la máxima representación de los tres poderes del Estado en 1998: en el centro de la imagen, el presidente Armando Calderón (máxima encarnación del órgano ejecutivo), entre el presidente de la Corte Suprema de Justicia (máxima autoridad del órgano judicial), Eduardo Tenorio, y el presidente de la Asamblea Legislativa, Francisco Flores, a la izquierda (quien en 1999 pasó a acupar el sillón presidencial).

Por razones de defensa social podrán ser sometidos a medidas de seguridad, reeducativas o de readaptación los sujetos que por su actividad antisocial, inmoral o dañosa revelen un estado peligroso y ofrezcan riesgos inminentes para la sociedad o los individuos.

Sólo el órgano judicial puede imponer penas. La autoridad administrativa podrá imponer, previo el debido proceso, multa o arresto hasta por cinco días, por infracción a las leyes, reglamentos u ordenanzas. Toda persona tiene derecho a dirigir sus peticiones por escrito a las autoridades, de manera decorosa, y a que se las resuelvan y le hagan saber lo resuelto.

La morada es inviolable y sólo podrá ingresarse a ella por consentimiento de la persona que la habita, por mandato judicial, por flagrante delito o peligro inminente de su perpetración, o por grave riesgo de las personas. La correspondencia de toda clase es inviolable, e interceptada no hará fe ni podrá figurar en ninguna actuación, salvo en los casos de concurso y quiebra. Se prohíbe la interferencia y la intervención de las comunicaciones telefónicas.

El Salvador concede asilo al extranjero que quiera residir en su territorio, excepto en los casos previstos por las leyes y el derecho internacional. No podrá incluirse en los casos de excepción a quien sea perseguido solamente por razones políticas. La extradición no podrá estipularse respecto de nacionales en ningún caso, ni respecto de extranjeros por delitos políticos, aunque por consecuencia de éstos resultaran delitos comunes.

Asimismo se reconocen como derechos fundamentales aquellos expresados en los tratados internacionales ratificados por El Salvador; en particular los mencionados en la Declaración Universal de Derechos Humanos y en la Convención Americana de Derechos Humanos. Esto es así en virtud de que los tratados celebrados por El Salvador y ratificados por su Asamblea Legislativa son leyes de la República, aunque de inferior grado a la Constitución.

Los derechos políticos, que incluyen el de sufragio, están reconocidos constitucionalmente a partir de los 18 años de edad. Registro de votantes para las elecciones presidenciales de 1994.

Los derechos políticos

Los salvadoreños adquieren su condición de ciudadanos y la facultad de ejercer sus derechos políticos al cumplir los 18 años. Se reconocen como derechos políticos el ejercicio del sufragio, la asociación a partidos políticos ya constituidos o para constituir partidos políticos y el derecho a optar a cargos públicos.

Los derechos del ciudadano se suspenden por auto de prisión formal, enajenación mental, interdicción judicial o por negarse a desempeñar, sin justa causa, un cargo de elección popular. Estos derechos se pierden por: conducta notoriamente viciada, al ser condenado por delito, por comprar o vender votos en las elecciones, por suscribir actas, proclamas o adhesiones para apoyar la reelección o la continuación del presidente de la República y por emplear medios encaminados a ese fin, y por ser funcionario que coarte la libertad del sufragio. En estos casos los derechos de ciudadanía se recuperarán por disposición expresa declarada de la autoridad competente.

El voto es libre, directo, igualitario y secreto y se ejercerá para escoger funcionarios de elección popular: presidente y vicepresidente de la República, diputados a la Asamblea Legislativa y al Parlamento Centroamericano, y miembros de los concejos municipales. Para el ejercicio del sufragio es condición indispensable estar inscrito en el Registro Electoral elaborado por el Tribunal Supremo Electoral.

La propaganda electoral sólo se permitirá cuatro meses antes de la fecha establecida para la elección de presidente y vicepresidente; dos meses antes cuando se trate de diputados, y un mes antes en el caso de los concejos municipales. Los ministros de cualquier culto religioso, los miembros en servicio activo de la Fuerza Armada y los miembros de la Policía Nacional Civil no podrán pertenecer a partidos políticos ni optar a cargos de elección popular.

Los derechos sociales

Los derechos sociales se encuentran en el Capítulo II y están relacionados con la familia, el trabajo y la seguridad social, la educación, la ciencia y la cultura, la salud pública y la asistencia social. Estos derechos tienen carácter de irrenunciable y se consideran contrapeso a los excesos que podrían darse en el ejercicio de los derechos individuales. La doctrina constitucional lo denomina derechos colectivos o derechos de segunda generación por haber surgido históricamente después de los derechos individuales.

El régimen de excepción

Del artículo 29 al 31 se establece el régimen de excepción, el cual posibilita suspender los siguientes derechos: la libertad de tránsito y de permanencia, el ingreso o la salida del territorio nacional, la libertad de expresión, la libertad de asociación y reunión, salvo cuando se trate de fines religiosos, culturales, económicos o deportivos, y el de inviolabilidad de la correspondencia y las comunicaciones telefónicas.

LOS DERECHOS SOCIALES EN LA CONSTITUCIÓN

La familia

Artículo 32: «La familia es la base fundamental de la sociedad y tendrá la protección del Estado, quien dictará la legislación necesaria y creará los organismos y servicios apropiados para su integración, bienestar y desarrollo social, cultural y económico...»

El trabajo

Artículo 37:«El trabajo es una función social, goza de la protección del Estado, y no se considera artículo de comercio...»

Educación, ciencia y cultura

Artículo 53: «El derecho a la educación y a la cultura es inherente a la persona humana; en consecuencia, es obligación y finalidad primordial del Estado su conservación, fomento y difusión...»

Salud pública y asistencia social

Artículo 65:«La salud de los habitantes de la República constituye un bien público. El Estado y las personas están obligados a velar por su conservación y restablecimiento...» ■

La suspensión se hará por medio de decreto del Legislativo mediante el voto de los dos tercios de los diputados electos, o por medio de decreto del Ejecutivo acordado por el Consejo de Ministros si la Asamblea Legislativa no estuviera reunida.

También podrán suspenderse las garantías relativas a que toda persona detenida debe ser informada de sus derechos y de las razones de su detención, no pudiendo ser obligada a declarar; la garantía de contar el detenido con la asistencia de defensor en las diligencias de la policía y en los procesos judiciales, y la que dispone que la detención administrativa —es decir, la policial— no puede exceder de 72 horas, dentro de las cuales el detenido deberá ser consignado al juez competente. En estos casos, los derechos sólo podrán suspenderse por decreto de la Asamblea Legislativa con el voto favorable de las tres cuartas partes de los diputados electos y sin que la detención administrativa exceda de quince días.

El plazo de suspensión de las garantías no podrá exceder de treinta días. Transcurrido este plazo podrá prolongarse la suspensión por igual período y mediante nuevo decreto si continúan las circunstancias que la motivaron ■

Buena parte de las garantías individuales reconocidas en la Constitución podrán ser suspendidas mediante el voto de los representantes del órgano legislativo o, si la cámara no estuviera reunida, por decreto del Ejecutivo. Panorámica del Palacio Nacional, el actual Museo Histórico.

El Estado

En atención a la carta magna, El Salvador es un país muy abierto a conceder la nacionalidad a súbditos extranjeros y, entre éstos, acepta como ciudadanos propios a quienes cumplan algunos de los supuestos contemplados en la ley, incluidos los naturales de los restantes estados integrantes de la República Federal de Centro América que, sin más requisito, lo soliciten.

El Salvador es un Estado soberano y la soberanía reside en el pueblo. La Constitución establece un gobierno republicano, democrático y representativo. El sistema político es pluralista y se expresa por medio de los partidos políticos, que son el único instrumento para el ejercicio de la representación del pueblo ante el gobierno. Consecuentemente, la existencia de un partido único oficial es incompatible con el sistema democrático y con la forma de gobierno consignados en la carta magna.

El poder público emana del pueblo. Los funcionarios del gobierno son delegados del pueblo y no tienen más facultades que las que expresamente les otorga la ley. Los órganos fundamentales son el Legislativo, el Ejecutivo y el Judicial.

La Constitución nacional tiene la particularidad de estipular que El Salvador propiciará la reconstrucción total o parcial de la República de Centro América, en forma unitaria, federal o confederada, con plena garantía de respeto a los principios democráticos y republicanos y a los derechos individuales y sociales de los habitantes. El proyecto y las bases de la unión se someterán a consulta popular.

La nacionalidad

La Constitución determina que son salvadoreños por nacimiento los nacidos en el territorio de El Salvador, los hijos de padre o madre salvadoreño nacidos en el extranjero, y los originarios de los demás estados que constituyeron la República Federal de Centro América que teniendo su domicilio en El Salvador, manifiesten ante la autoridad competente su voluntad de ser salvadoreños, sin que se requiera la renuncia a su nacionalidad de origen.

Los salvadoreños por nacimiento tienen derecho a gozar de la doble o múltiple nacionalidad. También pueden adquirir la calidad de salvadoreño por naturalización los españoles e hispanoamericanos de origen con un año de residencia en el país, los extranjeros de cualquier origen con cinco años de residencia, los que por servicios notables prestados a la República obtengan esa calidad del órgano Legislativo, y el extranjero casado con salvadoreña o la extranjera casada con salvadoreño que acreditaran dos años de residencia en el país, anteriores o posteriores a la celebración del matrimonio.

Los tratados internacionales regularán la forma y las condiciones en que los nacionales de países que no formaron parte de la República Federal de Centro América conserven su nacionalidad, no obstante haber adquirido la salvadoreña, siempre que se respete el principio de reciprocidad.

La calidad de salvadoreño naturalizado se pierde por residir más de dos años consecutivos en el país de origen o por ausencia del territorio de la República por más de cinco años consecutivos, salvo permiso otorgado conforme a la ley, y por sentencia ejecutada, en los casos que la ley determine. Quien pierde así la nacionalidad no podrá recuperarla.

El orden económico

Manifiesta la Constitución que el orden económico debe responder esencialmente a principios de justicia social que tiendan a asegurar a todos los habitantes del país una existencia digna. En este sentido se garantiza la libertad económica y la propiedad privada cuando no se oponga al interés social.

La propiedad de la tierra está sujeta a algunas restricciones. En primer lugar, el subsuelo pertenece al Estado, el cual podrá otorgar concesiones para su explotación. En segundo lugar, la extensión máxima de tierra rústica perteneciente a una misma persona natural o jurídica no podrá exceder de 245 hectáreas. Esta limitación no será aplicable a las asociaciones cooperativas o comunales campesinas.

El Estado puede expropiar la propiedad privada por causa de utilidad pública o interés social legalmente comprobados, y generalmente previa justa indemnización. En consecuencia, el Estado no podrá privar a nadie de sus bienes sin justa retribución.

No podrá autorizarse ningún monopolio sino a favor del Estado o de los municipios. A fin de garantizar la libertad empresarial y proteger al consumidor se prohíben las prácticas monopólicas. El Estado podrá tomar a su cargo los servicios públicos cuando los intereses sociales así lo exijan, prestándolos directamente, por medio de las instituciones oficiales autónomas o de los

El derecho a la propiedad de la tierra por persona natural o jurídica tiene sus limitaciones: la superficie de las fincas no puede exceder las 245 hectáreas de extensión, salvo en los casos de sociedades cooperativas o comunales.

municipios. También le corresponde regular y vigilar los servicios públicos prestados por empresas privadas y la aprobación de sus tarifas, excepto las que se establezcan de conformidad a tratados o convenios internacionales.

El Estado podrá administrar las empresas que presten servicios esenciales a la comunidad con el objeto de mantener la continuidad de los servicios cuando los propietarios o empresarios se resistan a acatar las disposiciones legales sobre organización económica y social.

En toda concesión que otorgue el Estado para la explotación de muelles, ferrocarriles, canales u otras obras materiales de uso público deberán estipularse el plazo y las condiciones de dicha concesión atendiendo a la naturaleza de la obra y al monto de las inversiones requeridas.

La hacienda pública

Por hacienda pública se entiende el conjunto de bienes y derechos de contenido patrimonial que pertenecen al Estado con el objeto de satisfacer sus fines. Según la Constitución salvadoreña forman la hacienda pública sus fondos y valores líquidos, sus créditos activos, sus bienes muebles e inmuebles, los derechos derivados de las leyes relativas a contribuciones, así como los que por cualquier otro título le correspondan.

Son obligaciones a cargo de la hacienda pública las deudas reconocidas y las que tengan origen en los gastos públicos debidamente reconocidos. El órgano ejecutivo en el ramo correspondiente —en la actualidad el Ministerio de Hacienda— tiene la dirección de las finanzas públicas. Para la percepción, custodia y erogación de los fondos públicos existe un Servicio General de Tesorería. No pueden imponerse contribuciones sino en virtud de una ley y para el servicio público.

Ni el Legislativo ni el Ejecutivo podrán dispensar del pago de las cantidades reparadas a los funcionarios y empleados, es decir que se hayan establecido como faltantes a cargo del funcionario o empleado respectivo que maneje fondos fiscales o municipales. Asimismo, tampoco podrán dispensar las deudas a favor del fisco o las municipalidades.

Los bienes inmuebles de la hacienda pública y los de uso público sólo podrán donarse o darse en usufructo, comodato o arrendamiento, con autorización del Legislativo, a entidades de utilidad general. Cuando el Estado o el municipio tengan que celebrar contratos para realizar obras o adquirir bienes muebles en que hayan de comprometerse fondos o bienes públicos, dichas obras o suministros deberán someterse a licitación pública, es decir, en términos generales el procedimiento de llamamiento de carácter abierto y la selección que hace la administración pública entre un número ilimitado de oferentes o licitadores. No se celebrarán contratos en los que, en caso de controversia, la decisión corresponda a tribunales de un Estado extranjero.

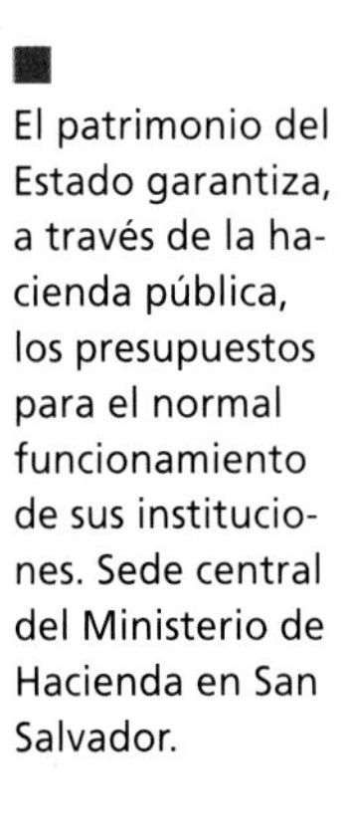

El patrimonio del Estado garantiza, a través de la hacienda pública, los presupuestos para el normal funcionamiento de sus instituciones. Sede central del Ministerio de Hacienda en San Salvador.

Régimen administrativo

Los funcionarios y empleados públicos están al servicio del Estado y no de una fracción política determinada. Por lo tanto no podrán valerse de sus cargos para hacer política partidista. Se ha establecido la carrera administrativa que regula todo lo relativo al servicio civil: las condiciones de ingreso a la administración, las promociones y los ascensos con base en el mérito y la aptitud, los traslados, las suspensiones y cesantías, los deberes de los servidores públicos y los recursos contra las resoluciones que los afecten. Se garantiza a los empleados públicos la estabilidad en el cargo.

No están comprendidos en la ley del servicio civil los funcionarios o empleados que desempeñen cargos políticos o de confianza, y en particular los ministros y viceministros de Estado, el fiscal general de la República, el procurador general de la República, los secretarios de la presidencia de la República, los embajadores, los directores generales, los gobernadores departamentales y los secretarios particulares de dichos funcionarios. También mediante instrumentos legales especiales algunos funcionarios y empleados han sido incluidos en un régimen singular, tal como los que se encuentran determinados por la Ley de la Carrera Judicial y la Ley de la Carrera Docente.

La Constitución expresa que una ley especial regulará lo pertinente al retiro de los funcionarios y empleados públicos y municipales, la cual fijará los porcentajes de jubilación a que éstos tendrán derecho. La misma ley deberá establecer las demás prestaciones a que tendrán derecho los servidores públicos y municipales.

Se prohíbe la huelga de trabajadores públicos y municipales, lo mismo que el abandono colectivo de sus cargos. La militarización de servicios públicos únicamente procederá en casos de emergencia nacional.

Algunos funcionarios de alto nivel, como el presidente y el vicepresidente de la República, los diputados, los designados a la presidencia, los ministros y viceministros de Estado, el presidente y los magistrados de la Corte Suprema de Justicia, responderán ante la Asamblea Legislativa por delitos oficiales —es decir, los relacionados con sus funciones— y por los comunes que cometan.

Los diputados no podrán ser juzgados por los delitos graves que cometan dentro del período para el que fueron elegidos sin que la Asamblea Legislativa declare previamente que hay lugar a formación de causa. Por los delitos menos graves y faltas que cometan durante el mismo período podrán ser juzgados, pero no podrán ser detenidos o presos, ni llamados a declarar, sino después de concluido el período para el que fueron elegidos.

Los jueces de primera instancia, los gobernadores departamentales, los jueces de paz y los demás funcionarios que determine la ley serán juzgados por los tribunales comunes por los delitos oficiales que cometan, previa declaratoria de que hay lugar a formación de causa hecha por la Corte Suprema de Justicia. En cambio, para el cargo de los delitos y faltas comunes que cometan estarán sujetos a los procedimientos ordinarios ■

■ Los ministros son designados directamente por el presidente de la República, quien puede removerlos a discresión. El Consejo de Ministros, que decide sobre determinadas cuestiones de trascendencia, está formado por el presidente y el vicepresidente, además de los titulares de las distintas carteras. En la imagen, la zona de ministerios públicos de San Salvador.

El gobierno

En este apartado se hará referencia al sentido general que tiene el concepto gobierno en tanto autoridad de mando de un Estado. El gobierno se esquematiza a través de órganos principales, el Ministerio Público y los órganos de control. Los primeros son el Ejecutivo, el Legislativo y el Judicial. El Ministerio Público lo ejercen la Fiscalía General de la República, la Procuraduría General de la República y la Procuraduría para la Defensa de los Derechos Humanos. Los órganos de control son la Corte de Cuentas de la República, el Tribunal Supremo Electoral y el Consejo Nacional de la Judicatura. La Procuraduría para la Defensa de los Derechos Humanos y el Consejo Nacional de la Judicatura son dos instituciones que se fundaron como resultado de los Acuerdos de Paz.

Sala oval de la Casa Presidencial, residencia del titular del órgano ejecutivo.

El Poder Ejecutivo

El gobierno en sentido estricto, es decir la autoridad de mando que ejecuta las decisiones del Estado, está representado por el Ejecutivo. Su titular es el presidente de la República. Además desarrolla algunos actos mediante un Consejo de Ministros, del que forma parte junto con todos los representantes de cada Secretaría de Estado y el vicepresidente de la República.

Se expresa que el sistema salvadoreño es presidencialista, pues los actos de dirección de la política interna y externa son atribuciones del presidente de la República, con limitada intervención de la Asamblea Legislativa. Si bien existe un Consejo de Ministros que decide sobre algunas cuestiones trascendentales, éste se encuentra formado por subordinados del jefe del Ejecutivo, a los que este órgano puede remover a discreción. Excepcionalmente, tratándose de ministros a quienes corresponda la seguridad pública o la inteligencia del Estado, y en casos de graves violaciones a los derechos humanos, la Asamblea Legislativa puede recomendar al presidente de la República, con carácter obligatorio, la destitución de dichos funcionarios. El vicepresidente de la República só-lo puede ser removido por la Asamblea Legis-lativa en situaciones expresamente determina-das por la Constitución.

Elección de cargos

El presidente de la República sólo puede llegar al cargo si es designado candidato por un parti-do político legalmente inscrito en el Tribunal Supremo Electoral y vence en las elecciones presidenciales. Para optar a la presidencia se re-quiere ser salvadoreño por nacimiento, hijo de padre o madre salvadoreño, de estado seglar, mayor de treinta años de edad, de moralidad e instrucción notorias, estar en el ejercicio de los derechos de ciudadano y haberlo estado en los seis años anteriores a la elección. El período presidencial es de cinco años y comenzará y terminará el día 1 de junio. No puede haber re-elección en períodos consecutivos. El vicepre-sidente de la República es electo de la misma manera en que lo es el presidente.

Si el presidente de la República muere, re-nuncia, es removido o existe otra causa, lo sus-tituirá el vicepresidente. A falta de éste, uno de los designados a la presidencia por el orden de su nominación, y si todos éstos faltaran por causa legal, la Asamblea designará la persona que habrá de sustituirlo. El presidente y el vi-cepresidente sólo pueden ser destituidos por causas especiales como la incapacidad física o mental, previo dictamen unánime de una co-misión de cinco médicos nombrados por la Asamblea. La destitución le corresponde a la Asamblea Legislativa, y para que sea proceden-te debe alcanzar una votación calificada, es de-cir de un número no menor de dos tercios de los votos de los diputados electos. El presiden-te no podrá salir del territorio nacional sin li-cencia de la Asamblea Legislativa.

Los ministros son elegidos directamente por el presidente de la República. Todos ellos se reúnen con el presidente y el vicepresidente de la República en un Consejo de Ministros. Co-rresponde al presidente nombrar, aceptar re-nuncias y conceder licencias a los ministros, a los viceministros de Estado, al jefe de la Segu-ridad Pública y al jefe de Inteligencia del Esta-do, así como removerlos.

Funciones

Como atribuciones y obligaciones del presi-dente de la república se señalan: procurar la ar-monía social y conservar la paz y tranquilidad del país, celebrar tratados y convenciones inter-nacionales, someterlos a la ratificación de la Asamblea Legislativa y vigilar su cumplimien-to, dirigir las relaciones exteriores, dar a la Asamblea Legislativa los informes que ésta le pida excepto si se tratara de planes secretos de carácter militar. Sanciona, promulga y publica las leyes y las hace ejecutar, proporciona a los funcionarios del orden judicial los auxilios que necesiten para hacer efectivas sus providencias, conmuta penas previo informe y dictamen fa-vorable de la Corte Suprema de Justicia, dirige la guerra y hace la paz, y somete inmedia-tamente a la ratificación de la Asamblea Legis-lativa cualquier tratado que celebre. El presi-dente decreta los reglamentos que fueran necesarios para facilitar y asegurar la aplicación de las leyes cuya ejecución le corresponda.

El presidente de la República es el coman-dante general de la Fuerza Armada, la cual for-

Francisco Flores, presidente de la República electo en los comicios de 1999.

ma parte del órgano Ejecutivo. También los demás órganos fundamentales del Estado, es decir el Legislativo y el Judicial, pueden disponer de la Fuerza Armada para hacer efectivas las disposiciones que hayan adoptado.

En la Constitución se establece que la Fuerza Armada es una institución permanente al servicio de la nación. Debe ser obediente, profesional, apolítica y no deliberante. La Fuerza Armada tiene por misión la defensa de la soberanía del Estado y de la integridad del territorio. El presidente de la República puede disponer excepcionalmente de la Fuerza Armada para el mantenimiento de la paz interna.

La defensa nacional y la seguridad pública estarán adscritas a ministerios diferentes. La seguridad pública estará a cargo de la Policía Nacional Civil, que será un cuerpo profesional, independiente de la Fuerza Armada y ajeno a toda actividad partidista.

Para la gestión de las funciones públicas que corresponden al Ejecutivo habrá las secretarías de Estado que fueran necesarias, entre las cuales se distribuirán los diferentes ramos de la administración. Cada secretaría estará a cargo de un ministro, quien actuará con la colaboración de uno o más viceministros.

Entre otras funciones corresponde al Consejo de Ministros decretar el reglamento interno del órgano Ejecutivo y su propio reglamento, elaborar el plan general del gobierno así como el proyecto de presupuestos de ingresos y egresos y presentarlo a la Asamblea Legislativa, proponer a ésta la suspensión de garantías constitucionales, y suspender y restablecer las garantías constitucionales si la Asamblea Legislativa no estuviera reunida.

El Poder Legislativo

En El Salvador las funciones parlamentarias son desarrolladas por la Asamblea Legislativa compuesta por 84 diputados que han sido elegidos mediante votación popular, directa y secreta. La Asamblea Legislativa es unicameral.

LA FORMACIÓN DE LA LEY

Tienen iniciativa de ley —esto es, capacidad para proponer la creación de una ley— los diputados de la Asamblea Legislativa, el presidente de la República por medio de sus ministros, la Corte Suprema de Justicia en materias relativas al órgano Judicial, al ejercicio del notariado y la abogacía, y a la jurisdicción y competencia de los Tribunales, y los concejos municipales en materia de impuestos municipales.

En El Salvador, para ser leyes de la República, no basta con que los tratados y convenios internacionales hayan sido celebrados o firmados por el órgano Ejecutivo, sino que es necesario, para su validez, someterlos a la ratificación de la Asamblea Legislativa y su publicación oficial ■

Los diputados representan al pueblo de todo e territorio nacional y no a zonas geográficas e particular ni a partidos políticos. No tiene responsabilidad civil o penal en ningún momento por las opiniones o votos que emitan.

Elección de cargos

Para ser diputado se requiere ser mayor de 2 años, salvadoreño por nacimiento, hijo de padre o madre salvadoreño, de notoria honrade e instrucción, y no haber perdido los derecho de ciudadano en los 5 años anteriores a la elección. El mandato se establece en 3 años per pueden ser reelectos.

Funciones

A la Asamblea Legislativa le corresponde fundamentalmente la atribución de legislar. Otra atribuciones son: decretar impuestos, tasas contribuciones, ratificar los tratados o pacto que celebre el Ejecutivo con otros estados u o ganismos internacionales, decretar el presu puesto de ingresos y egresos de la administra ción pública, crear y suprimir plazas y asignar sueldos a los funcionarios y empleados de acuerdo al régimen del servicio civil, establecer y regular el sistema monetario nacional, declarar la guerra y ratificar la paz, y conceder amnistías e indultos. También le corresponde elegir por votación nominal y pública a los siguientes funcionarios: presidente y magistrados de la Corte Suprema de Justicia, presidente y magistrados del Tribunal Supremo Electoral, presidente y magistrados de la Corte de Cuentas de la República, fiscal general de la República, procurador general de la República, procurador para la defensa de los derechos humanos y miembros del Consejo Nacional de la Judicatura.

Las funciones parlamentarias corresponden a una Asamblea Legislativa unicameral compuesta por 84 diputados y elegida por sufragio popular. En la imagen, mesa electoral durante unas votaciones.

El Poder Judicial

Corresponde al Poder Judicial, de manera exclusiva, la potestad de juzgar y hacer ejecutar lo juzgado. Está constituido por la Corte Suprema de Justicia y los diferentes tribunales y juzgados del país. En la Constitución se dispone que los magistrados y jueces en la función jurisdiccional son independientes y sólo están sometidos a la Constitución y las leyes. En las funciones de impartir justicia los tribunales y juzgados son auxiliados por la Policía Nacional Civil bajo la dirección funcional de la Fiscalía General. No existe una policía judicial especial, pues es aquélla la que desempeña los actos de apoyo a los tribunales. Se ha establecido el jurado o tribunal de ciudadanos para el juicio de los delitos comunes que determine la ley.

Organización y elección de cargos

La Corte Suprema de Justicia es el máximo tribunal de justicia del país. Es elegida por la Asamblea Legislativa de las ternas presentadas por el Consejo Nacional de la Judicatura. Los magistrados de la Corte son elegidos para un período de nueve años, pueden ser reelegidos y se renuevan por terceras partes cada tres años. La Asamblea Legislativa puede destituirlos por causas previamente establecidas en la ley. Tanto la elección como la destitución deberán contar con el voto favorable de por lo menos los dos tercios de los diputados electos.

El presidente de la Corte, quien es a su vez el presidente del órgano judicial, será elegido cada tres años y será el presidente de la Sala de lo Constitucional. Asimismo, para esta Sala, la Asamblea Legislativa nombrará directamente a los cuatro magistrados restantes.

La importancia de la Sala de lo Constitucional radica en que le corresponden las funciones de tribunal constitucional: conocer y resolver las demandas de inconstitucionalidad, los procesos de amparo y *habeas corpus*, entre otros.

Sin embargo hay que señalar que dentro de la potestad de administrar justicia, corresponde a cualquier tribunal y juzgado —en los casos en que tengan que pronunciar sentencia— declarar la inaplicabilidad de cualquier ley o disposición de otros órganos contraria a los preceptos constitucionales en los casos concretos. Sólo cuando la Sala de lo Constitucional haya declarado la constitucionalidad o la no conformidad constitucional de una ley o precepto los tribunales están impedidos de controlar la constitucionalidad, pues la Sala decide de un modo general siendo de obligatorio cumplimiento lo dispuesto por ella.

Funciones

Son atribuciones fundamentales de la Corte Suprema de Justicia dirimir conflictos entre tribunales que discuten competencia para decidir quién debe juzgar; ordenar el curso de los suplicatorios o comisiones rogatorias que se libren para practicar diligencias fuera del Estado y mandar a cumplir las que procedan de otros países, conceder la extradición, autorizar el cumplimiento de sentencias dictadas en el extranjero, vigilar que todos los magistrados y jueces administren pronta y cumplida justicia, conocer en antejuicio de las responsabilidades de los jueces de primera instancia, jueces de paz y otros que le señale la ley, emitir informe y dictamen en las solicitudes de indulto y conmutación de pena. Nombra además a los magistrados de cámara, jueces de primera instancia y jueces de paz de las ternas que propone el Consejo Nacional de la Judicatura, a los médicos forenses y a los empleados de las dependencias de la Corte Suprema; puede removerlos, conocer de sus renuncias y concederles licencias; practica recibimientos de abogados y autoriza para el ejercicio de su profesión, y puede suspenderlos e inhabilitarlos; elabora el proyecto de presupuesto de los sueldos y gastos de la administración de justicia, y los remite al Ejecutivo para su inclusión, pero no puede modificar el proyecto del presupuesto general del Estado, el cual deberá aprobar la Asamblea Legislativa, debiendo ésta hacer consultas con la Corte Suprema de Justicia en caso de ajustes al presupuesto.

La Corte Suprema de Justicia desempeña tareas administrativas y jurisdiccionales, es decir aquellas relativas al funcionamiento de sus oficinas, y las actividades que estrictamente se refieren a impartir justicia.

Los magistrados y jueces de tribunales y juzgados desempeñan fundamentalmente funciones jurisdiccionales y, de manera limitada, tareas administrativas como la gestión de los recursos económicos que le son proporcionados por la Corte Suprema de Justicia y el control de su personal.

Pieza fundamental del Ministerio Público es el fiscal general de la República, a quien, entre otras funciones, le corresponde en primer lugar la defensa de los intereses del Estado y de la sociedad. En la imagen, la sede de la Fiscalía General de la República.

El Ministerio Público

El Ministerio Público tiene a su cargo funciones de apoyo y vigilancia al gobierno, y es ejercido por el fiscal general de la República, el procurador general de la República y el procurador para la defensa de los derechos humanos. Estos funcionarios permanecerán tres años en el ejercicio de sus cargos, podrán ser reelegidos y deberán ser electos con el voto favorable de una mayoría calificada de los dos tercios de los diputados electos.

Al fiscal general de la República corresponde, entre otras atribuciones, defender los intereses del Estado y de la sociedad, promover de oficio o a petición de parte la acción de la justicia en defensa de la legalidad, dirigir la investigación del delito con la colaboración de la Policía Nacional Civil, promover la acción penal de oficio o, a petición de parte, defender los intereses fiscales y representar al Estado en toda clase de juicios y en los contratos sobre adquisición de bienes inmuebles en general y de los muebles sujetos a licitación. Le compete asimismo velar porque en las concesiones de cualquier clase, otorgadas por el Estado, se cumplan los requisitos, las condiciones y las finalidades establecidas en las mismas.

Al procurador general de la República corresponde velar por la defensa de la familia, los menores y demás personas incapaces, dar asistencia económica a las personas de escasos recursos económicos y representarlas judicialmente en defensa de su libertad y de sus derechos laborales, y nombrar, remover, conceder licencias y aceptar renuncias de su personal.

El procurador para la defensa de los derechos humanos debe cumplir con las siguientes atribuciones: velar por el cumplimiento de los derechos humanos, investigar de oficio o mediante denuncia casos de violaciones de derechos humanos, promover recursos judiciales o administrativos para la protección de los derechos humanos, vigilar la situación de las personas privadas de su libertad, supervisar la actuación de la administración pública frente a las personas, promover reformas ante los órganos del Estado para el progreso de los derechos humanos, formular conclusiones y recomendaciones públicas y privadamente, elaborar y publicar informes, etc.

Los órganos de control

Son órganos de control la Corte de Cuentas, el Consejo Nacional de la Judicatura y el Tribunal Supremo Electoral. A la Corte de Cuentas de la República corresponde la fiscalización de la hacienda pública y de la ejecución del presupuesto.

Al Consejo Nacional de la Judicatura corresponde proponer candidatos para los cargos de magistrados de la Corte Suprema de Justicia, magistrados de las cámaras de segunda instancia, jueces de primera instancia y jueces de paz. Los miembros de dicho consejo serán elegidos y destituidos por la Asamblea Legislativa con el voto calificado de las dos terceras partes de los diputados electos.

El Tribunal Supremo Electoral es la autoridad máxima en materia electoral, sin perjuicio de los recursos que establece la Constitución por violación de la misma, tal como el amparo constitucional. Está formada por cinco magistrados, nombrados por la Asamblea Legislativa, que permanecen cinco años en el cargo. Tres de ellos son elegidos de las ternas propuestas por los tres partidos políticos o coaliciones legales que hayan obtenido mayor número de votos en la última elección presidencial. Los dos restantes, que no deben tener afiliación política, son nombrados con el voto favorable de los dos tercios de los diputados electos, de dos ternas propuestas por la Corte Suprema de Justicia.

Sede de la Corte Suprema de Justicia, órgano máximo del sistema judicial.

El gobierno local: los gobernadores...

Los gobernadores son nombrados uno por cada departamento del país. Carecen de independencia, pues los elige el Ejecutivo: sus funciones se han limitado a tareas asignadas a otras instituciones. De ahí que hayan perdido eficacia.

El gobierno local se basa en los concejos municipales, integrados por un alcalde, un síndico y un número de regidores que varía con el tamaño de la población. Imagen del Palacio Municipal de Santa Tecla o Nueva San Salvador, sede de la alcaldía de esta localidad.

Sede del ayuntamiento de San Salvador.

... y los concejos

Los concejos municipales constituyen la autoridad al frente de las alcaldías o ayuntamientos. Son elegidos por un período de tres años a través de elecciones directas, populares y secretas.

Los concejos son autónomos en lo económico, en lo técnico y en lo administrativo. Están formados por un alcalde, un síndico y dos o más regidores según el tamaño de la población. Tienen la facultad de crear, modificar y suprimir las tasas y las contribuciones públicas. La separación entre los conceptos impuestos, tasas y contribuciones públicas es de suma importancia para delimitar los ámbitos de poder del municipio en materia tributaria. Los tres vocablos derivan del concepto genérico de contribución o tributo. El impuesto es una contribución exenta de contraprestación concreta para el obligado al pago. Este tipo de tributo no puede ser decretado por las alcaldías, las cuales sólo pueden proponer sus tarifas a la Asamblea Legislativa. Las tasas son contribuciones en las que existe una contraprestación directa para el obligado. Las contribuciones públicas o especiales son aquellas en las que existe un grupo de ciudadanos que obtiene un beneficio determinado por la realización de una obra concreta.

También el concejo puede establecer su presupuesto, nombrar y remover funcionarios y empleados de sus dependencias, decretar las ordenanzas y los reglamentos locales, elaborar sus tarifas de impuestos y reformarlas proponiéndolas a la Asamblea Legislativa, y gestionar libremente en materias de su competencia.

Ninguna ley ni autoridad puede dispensar el pago de las tasas y contribuciones municipales. Los fondos municipales no se podrán centralizar en el Fondo General del Estado, ni emplearse sino en servicios y para provecho de los municipios. Los concejos administran el patrimonio de sus municipios y rinden cuenta de su administración a la Corte de Cuentas. La ejecución del presupuesto se fiscaliza una vez ejecutado el gasto.

■ ■ ■ ■

LA SOCIEDAD

Dinámica social: juventud y campesinado

El análisis de la sociedad salvadoreña pone de relieve aquellos dinamismos que expresan las principales tendencias del cambio social. No se puede emprender el examen de la década de 1990 sin reconocer que, como en el pasado, la sociedad salvadoreña se encuentra segmentada. Al igual que en otros países latinoamericanos, la liberalización de los mercados, la apertura del comercio exterior, la reducción del gasto fiscal y la privatización de las empresas públicas están provocando una drástica desestructuración de la vida social. Se suma a ello la globalización de los circuitos comerciales y financieros, que se yuxtapone a la diversificación de estilos de vida y ámbitos culturales, y su impacto en la estructura social.

En la actualidad existe en el país un grave problema de desintegración social que se expresa, entre otros indicadores, a través de la segregación educativa y sociolaboral de importantes sectores de la población, entre los cuales la juventud ocupa un lugar de primera magnitud. Justamente uno de los rasgos más sobresalientes en la posguerra salvadoreña lo constituye la juventud marginal, forzada a sobrevivir violentando el orden social del cual ha sido excluida con no menos violencia.

El problema de la juventud

Al problema de la juventud se suman problemas más estructurales, como las transformaciones en la vida campesina, el deterioro de la vida urbana, la aguda contraposición de clases, la crisis del sistema educativo y la irrupción sociolaboral de la mujer. El conjunto de estos aspectos hace de El Salvador de comienzos del siglo XXI una sociedad sumamente dinámica, compleja y conflictiva, en la cual se entrecruzan fenómenos de una relativa novedad con otros más tradicionales, como la concentración del poder económico en un grupo minoritario y la existencia de un amplio grupo social con apenas lo necesario para subsistir.

Sin duda ni la juventud marginal ni la marginalización de la juventud constituyen fenómenos nuevos, ya que hunden sus raíces en el pasado lejano del país. La historia muestra que las

Los efectos de la desintegración social en la posguerra salvadoreña se hacen sentir especialmente en la marginación de los jóvenes y en la exclusión del campesinado. Página anterior: inadecuación del transporte en el medio rural. Arriba, un grupo de jóvenes.

Lejos de la politización experimentada por los jóvenes de décadas anteriores, la marginalización de la juventud actual ha dado paso al fenómeno urbano de las «maras», grupos de pandilleros que hacen gala de un estilo de vida marginal basado en las señas de identidad grupal y vecinal.

EL FENÓMENO DE LAS «MARAS»

Aquí puede haber otra línea de interpretación hipotética para el fenómeno de las «maras». Desde este punto de vista, estas asociaciones permanentes o contingenciales de jóvenes, y hasta de adultos de ambos sexos, vendrían a ser un intento desesperado de cada uno por hacerse valer, por hacerse notar, por hacerse valorar entre los demás miembros de la sociedad, aun cuando sea por el ejercicio de una reprobable agresividad destructiva ■

Francisco Andrés Escobar,
«Por mi madre vivo y por mi barrio vivo.
Una aproximación al fenómeno
de masas».

estructuras sociolaborales salvadoreñas se han caracterizado por excluir estructuralmente a la juventud de las oportunidades y los bienes que le permitirían insertarse sin traumatismos de ninguna especie en el orden social. Ello explica en buena medida por qué los jóvenes han estado en el centro de los principales movimientos sociopolíticos que se han suscitado a lo largo del siglo XX. El «inconformismo juvenil» tuvo que ver bastante en esos movimientos, pero se vio alentado y justificado por la exclusión de que eran objeto muchos de los inconformes.

Así pues, El Salvador de la posguerra está edificado sobre unas estructuras socioeconómicas que generan dinamismos marginalizadores de la juventud, pero esa juventud —obviamente— no sólo no es la misma de las últimas dos o tres décadas, sino que el horizonte de sus demandas es, desde un criterio meramente cualitativo, distinto al que enmarcó las protestas de los jóvenes de veinte años antes. En efecto, si la juventud marginal de la preguerra canalizó preferentemente sus demandas a través de la organización político-revolucionaria —porque creía en la posibilidad de un futuro mejor en el socialismo y el comunismo—, la juventud marginal de la posguerra lo hace a través de la organización en «maras», las cuales están integradas por jóvenes que no creen ni en la revolución ni el socialismo, ni en un futuro mejor.

De ese modo, las «maras» no sólo constituyen una manifestación de un grave e irresuelto problema de integración social, sino que son expresión de una importante y novedosa mutación cultural que se está operando en la juventud marginal. Esta juventud no demanda una cuota de poder político sino un espacio territorial propio en el cual poder reivindicar su identidad individual y grupal. Para los jóvenes que integran las «maras» no se trata de comprometerse con cambios políticos o económicos de gran escala, sino de exigir (o imponer) su propio estilo de vida, situado en los márgenes de la sociedad.

El campesinado

El campesinado está formado por todos aquellos salvadoreños que viven en la zona rural del país y se dedican a las tareas agrícolas —ya sea en pequeñas propiedades familiares, como jor-

El campesinado sigue sufriendo la misma exclusión social y económica que lo condicionó en el pasado, aunque agravada por el fenómeno de *descampesinización* provocado por la migración a las ciudades. En la imagen, una escena propia del transporte rural en provincias.

naleros asalariados en medianas y grandes propiedades agrícolas o como cooperativistas— para sobrevivir ellos y su grupo familiar. A principios del siglo XXI, aproximadamente un 42 por ciento del total de la población de El Salvador se ubicaba en este sector, viviendo y reproduciendo su vida en condiciones de suma dificultad. Y es que en el campesinado del año 2000 siguen perviviendo los mismos dinamismos de exclusión social y económica vigentes antes del estallido del conflicto militar de la década de 1980: ingresos reducidos, falta de acceso a los servicios básicos de salud, educación, agua potable y vivienda, elementales niveles de tecnificación y carencia de créditos. A ello se suma la crítica situación del medio ambiente, la cual obedece tanto a fenómenos climatológicos (El Niño) como a la deforestación producida por las talas indiscriminadas de árboles y por la utilización de técnicas de cultivo inadecuadas que degradan los suelos.

A principios del siglo XXI los campesinos salvadoreños continúan viviendo en la exclusión social y económica al igual que hace treinta años. En términos socioeconómicos, para ese 42 por ciento de la población vale lo que tantas veces los sociólogos señalaron para el campesinado salvadoreño de la década de 1970 y que se resume en la siguiente frase: marginación económica y social.

La «descampesinización»

Sin embargo, no todo es igual al pasado en la vida campesina. En primer lugar ha aparecido el fenómeno de la *descampesinización* en El Salvador, que se inició con las migraciones campo-ciudad forzadas por la conflictividad en el campo de la década de 1980. Este fenómeno se había verificado antes, aunque no con el carácter ascendente que tuvo desde principios de los ochenta, continuó con las migraciones hacia Centroamérica (principalmente Honduras) durante los primeros momentos de la guerra civil y encontró su apogeo en las migraciones a Estados Unidos de la década de 1980, que aún persisten.

El conjunto de estos desplazamientos de población cambiaron la fisonomía del campo salvadoreño. Su resultado más notorio fue la reducción del porcentaje de campesinos respecto de la población total: según datos oficiales (tomando en consideración únicamente los cantones), en 1971 la población rural era del 60.4 por ciento; según el sociólogo Segundo Montes, al considerar los criterios de dependencia de las actividades agrícolas, para ese año excedía la cifra oficial, pues habían quedado de lado los municipios en los que residía una parte importante de la población con patrones de vida campesinos. De ser el 60 por ciento o más de la población a principios de la década de 1970, el campesinado pasó a representar el 48 por ciento a finales del siglo XX. Y ello sólo se explica por la dinámica de las migraciones antes señaladas.

En fin, algo importante ha sucedido en el agro en los últimos veinte años; sus repercusiones en términos de oferta de granos básicos y escasez de mano de obra agrícola se hacen sentir ya en la economía nacional, pues se añaden a la crisis generalizada del agro que tiene en jaque a las autoridades del país.

«Urbanización» de la vida campesina

Pero la *descampesinización*, además de la dimensión apuntada, tiene un segundo rasgo: la *urbanización* de la vida campesina. El campo no sólo se ha despoblado de manera significativa, sino que muchas de las familias que hoy lo habitan han mezclado sus patrones de vida campesinos —costumbres religiosas, falta de energía eléctrica y agua potable, viviendas de adobe— con patrones de vida urbanos, alentados estos últimos por los bienes (aparatos estéreos, refrigeradoras, vídeos), los ingresos en dólares provenientes de las remesas de familiares residentes en Estados Unidos (con la modificación de los patrones de consumo que ello hace posible) y los valores surgidos de la interacción de las familias campesinas con sus parientes en el extranjero (modas, aspiraciones de viajar, desapego de la tierra).

En definitiva, en zonas importantes del agro salvadoreño —especialmente en el oriente del país— se está ante un complejo fenómeno sociocultural en el cual patrones de vida campesinos se mezclan con patrones de vida urbanos dando lugar a situaciones inverosímiles, como el que haya familias que, ante la falta de energía eléctrica, utilicen refrigeradoras y congeladores para guardar granos, ropa o dinero. Menos inverosímil es, sin embargo, el impacto de este entrecruzamiento de estilos de vida en la actitud de las familias que los llevan hacia las actividades agrícolas. El desapego por la tierra y la resistencia a la agricultura son hechos notorios en comunidades tradicionalmente volcadas a la producción de bienes agrícolas, pero que en los últimos veinte años han sido focos de intensas migraciones hacia Estados Unidos, Canadá y Australia. Pobladores rurales de Usulután, San Miguel, La Unión y Morazán (sólo para mencionar a los tres departamentos con más flujo migratorio hacia el exterior) o bien han dejado de trabajar la tierra porque dependen de las remesas, o bien han utilizado una parte de ellas para dedicarse a actividades comerciales y de servicios ■

LA DEPAUPERIZACIÓN CAMPESINA

[El] fenómeno de la depauperización en los estratos o en las capas inferiores de la población rural ha sido real en los últimos años, y [...] se ha agudizado al final de los mismos. Por otro lado, conviene no olvidar que estas capas constituyen la inmensa mayoría de la población, por lo que se ve que la profundización del modo de producción capitalista en el agro salvadoreño ha traído consigo, como primera consecuencia, un deterioro de las condiciones de vida del campesinado ■

Segundo Montes
El agro salvadoreño (1973-1980),
San Salvador, Universidad Centroamericana
José Simeón Cañas.

La vida urbana y las clases

La urbanización de los estilos de vida campesinos se inscribe dentro de un amplio y complejo proceso urbanizador que afecta a todo el país.

El proceso de urbanización

Tiene un sinfín de ejes principales. En primer lugar, el crecimiento físico de las ciudades, con los problemas de hacinamiento, contaminación, criminalidad, saturación de los espacios públicos, aumento del tráfico vehicular y generalizado deterioro ambiental.

En segundo lugar, la expansión de actividades económicas vinculadas a la industria y los servicios, con el impacto que esas ocupaciones tienen tanto en la configuración del espacio urbano —zonas francas, centros financieros, complejos comerciales— como en la dinámica intrafamiliar, al generar fuentes de empleo para mujeres que, en virtud de su lugar en el mundo del trabajo, rompen —o mantienen una tensión difícil con— los patrones tradicionales de comportamiento atribuidos a la mujer (esposa y ama de casa).

En tercer lugar, la proliferación de las actividades económicas *informales* (limpiabotas, tenderos, vendedoras del mercado, vendedores ambulantes) que acompañan al crecimiento económico *formal,* ofreciendo una ocupación a todos aquellos salvadoreños que por su educación o edad, o por la saturación de los puestos de trabajo, les es imposible ubicarse en la industria o los servicios. En cuarto lugar, la agudización de la *marginalidad urbana*, soportada por todos aquellos salvadoreños —muchos de ellos inmigrantes del campo a la ciudad o miembros de familias urbanas pobres— que no logran ubicarse ni siquiera en el sector informal o que formando parte del mismo ocupan sus peldaños inferiores.

El proceso de urbanización se acelera especialmente en los arrabales de las ciudades, donde son evidentes el hacinamiento y la degradación ambiental, que condicionan en sus habitantes la adopción de nuevos estilos de vida. Imagen de un barrio popular de San Salvador.

Los estilos de vida

Los cambios en el estilo de vida de los habitantes urbanos son perceptibles a través de numerosos parámetros de su vida cotidiana: el tiempo (de los negocios y los compromisos laborales), la alimentación (mediante comida rápida), la comunicación (por teléfono portátil o cable), el

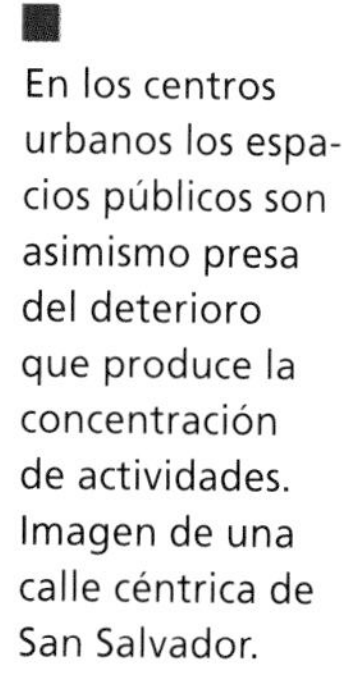

En los centros urbanos los espacios públicos son asimismo presa del deterioro que produce la concentración de actividades. Imagen de una calle céntrica de San Salvador.

vestir (al dictado de las modas europeas y norteamericanas), las aspiraciones (al éxito profesional y económico), las enfermedades (nerviosas, estrés), la diversión (como paréntesis entre los compromisos laborales).

El proceso de urbanización vivido en la década de 1990 ha cambiado no sólo el entorno físico y ecológico del país sino también el estilo de vida de sus habitantes, especialmente el de aquellos que viven en las urbes. En las ciudades más importantes —el caso más emblemático lo constituye San Salvador— los efectos del proceso de urbanización sobre el entorno físico y ecológico (contaminación, inseguridad ciudadana, deterioro del espacio público) alcanzan niveles alarmantes y amenazan tanto la viabilidad económica de las ciudades (inversiones, comercios) como su viabilidad social (espacio de convivencia pacífica entre sus habitantes).

Las reivindicaciones urbanas

A ello se suman las demandas, siempre crecientes, que plantean los salvadoreños que habitan las ciudades: servicios de alumbrado público, agua potable, recolección de basura y vigilancia en barrios y colonias.

Las autoridades municipales no están en condiciones de responder ni a los problemas físicos y ecológicos generados por el actual proceso de urbanización, ni a las demandas de los ciudadanos. Fuertes limitaciones presupuestarias obstaculizan el trabajo de las alcaldías; ese trabajo también se ve limitado por esquemas administrativos que no les permiten a éstas usar de modo eficiente los escasos recursos con que cuentan. De ahí que la situación de las ciudades de El Salvador sea tan alarmante: el deterioro físico y la contaminación no dan muestras de detenerse, la inseguridad ciudadana se ve cada día más agudizada, nuevas colonias y barrios van expandiéndose en las zonas verdes, el agua potable se torna cada vez más escasa, las tarifas de los servicios públicos se encarecen... Y los gobiernos locales, con presupuestos escasos y con esquemas administrativos inadecuados, es poco lo que hacen y pueden hacer para buscar soluciones a los problemas de la vida urbana salvadoreña de finales del siglo XX.

VIVIR EN SAN SALVADOR

«La ciudad de San Salvador es en la actualidad cotidianamente invivible. El caos vehicular, el hacinamiento peatonal, la basura, la contaminación, la inseguridad como resultado de la delincuencia, la ausencia de zonas verdes [...] El conjunto de estos males hacen de las visitas al centro de la ciudad —forzadas por las obligaciones laborales— una experiencia de supervivencia que pone en evidencia la destreza de los habitantes de la capital, o de quienes desde el interior del país se aventuran a transitar por sus calles y avenidas, para sortear las diferentes amenazas que los acechan a cada paso. Son tan graves los problemas que abaten a la capital del país que su solución no puede seguir siendo postergada durante más tiempo. Y, sin lugar a dudas, esa solución es competencia de todos los salvadoreños; de ahí que la toma de consciencia acerca de la necesidad de recuperar San Salvador —de hacer de la capital un lugar donde sea posible convivir humanamente, en un ambiente limpio y seguro— deba ser una meta inicial, en cuyo logro todos —medios de comunicación, universidades, escuelas, iglesias, partidos políticos y empresarios— debemos poner un gran empeño.» ■

Francisco Andrés Escobar,
«Por mi madre vivo y por mi barrio vivo. Una aproximación al fenómeno de masas».

Las clases sociales

La estructura de clases en El Salvador de finales del siglo XX ha experimentado algunos cambios importantes respecto a lo que era su composición apenas tres décadas antes. Hasta finales de la década de 1970 las diferentes clases sociales salvadoreñas se articulaban en torno a diversos grupos: una *élite económica* (0.76% de la población) formada por los grandes propietarios agrarios, industriales y financieros (0.28%), la alta gerencia (0.06%) y los medianos propietarios (0.42%); los *grupos sociales subordinados* (81.15% de la población) lo formaban el proletariado agrícola e industrial (25.6%), el semiproletariado (31.2%) y los desempleados (14.4%); las *capas medias* (26.7% de la población) la constituían los intelectuales (3.4%), los empleados (10.7%) y los pequeños propietarios (12.6%), y la *capa ínfima* (menos del 2% de la población) que estaba integrada por el lumpemproletariado.

■ La expansión urbana a costa del entorno presenta menores problemas cuando se produce de forma ordenada. En la imagen, uno de los barrios nuevos nacidos en la periferia de San Salvador.

En la década de 1980 esa estructura de clases sufrió modificaciones muy significativas. Por una parte, sigue presente la contraposición entre la élite dominante —propietaria de los principales centros de producción— y los grupos subordinados, es decir los trabajadores, subempleados y desempleados. Pero también siguen presentes las capas medias y la capa ínfima con sus especificidades propias. Ahora bien, dentro de cada uno de estos agrupamientos sociales se han producido una serie de modificaciones, muchas de ellas no cuantificadas todavía, que brindan al panorama de las clases en El Salvador matices dignos de resaltar.

La élite económica

En primer lugar, aunque porcentualmente se mantenga quizás en los niveles de 1979-1980, la élite económica ya no está regida por los intereses de la fracción agraria, que durante la década de 1980 abandonó (si no de forma total al menos parcial) las actividades productivas que en el pasado la sostuvieron en el poder económico. Es decir, la burguesía agraria formada por los grandes productores agrícolas de café, algodón y caña de azúcar no sólo ha disminuido en número (de las grandes familias cafetaleras, por ejemplo, sólo algunas continúan en la actividad), sino que su peso económico en el seno de los grupos de poder económico ha sufrido una fuerte merma. La fracción industrial, con un peso creciente desde la década de 1960, ha logrado una cuota significativa de influencia en dicho bloque; a los industriales tradicionales en los rubros del cemento, metales, químicos, vestuario y calzado se han sumado industriales en la construcción, la electrónica y la maquila. La burguesía industrial, además de engrosar sus filas con nuevos miembros, ha ganado protagonismo económico. Sin embargo, la gran novedad de las décadas de 1980 y 1990 la constituye el protagonismo de la fracción financiera —y la clase gerencial que la representa—, la cual, desde el control del sistema financiero y bancario ejerce un poder decisivo en el rumbo de la economía y, además, concentra en sus manos un elevado porcentaje de la riqueza nacional. En el marco del predominio del sector financiero se ha generado un proceso de «terciarización» de la economía, es decir un proceso que hace del predominio de los servicios (comercio, finanzas y comunicaciones) lo más característico de la vida económica.

Las mansiones señoriales, cada vez más escasas, siguen jugando su papel de símbolo de las clases adineradas. En la imagen, antigua vivienda en la calle Arce de la capital.

Los grupos subordinados

Los grupos sociales subordinados han dejado de representar el 81.15 por ciento de finales de la década de 1970, a pesar de que aún ahora aglutinan a la mayor parte de la población. Según cálculos recientes, los grupos subordinados representan en la actualidad alrededor de un 60-65 por ciento del total de la población. Y no sólo eso: dentro de ellos se han producido una serie de cambios entre los que sobresalen: a) la reducción del proletariado agrícola (fenómeno que acompaña a la descampesinización) y el aumento del proletariado industrial (conforme se ha expandido el sector industrial); b) el desarrollo y la proliferación de los trabajadores informales, los cuales no pueden ser adscritos a las categorías de semiproletarios, subempleados o desempleados, y c) el incremento del subempleo y el desempleo como resultado de las migraciones campo-ciudad que no logran ser absorbidas por el mercado de trabajo formal e informal.

En las capas medias también se han operado importantes cambios. Ante todo, en el subgrupo de empleados se han producido modificaciones dignas de consideración: a) a los empleados tradicionales en el sector público, oficinas y almacenes se suman los cajeros de bancos, ejecutivos de ventas, empleados de gasolineras, despachadores de comercios y restaurantes de comida rápida... que son ocupados en las diferentes actividades y servicios que se han propagado desde la década de 1980, y b) los empleos generados por la terciarización de la economía pueden (y suelen) ser ocupados en su mayor parte por mujeres, lo cual les permite a éstas salir del hogar e insertarse en el mundo laboral.

Por otra parte, el ámbito de los pequeños propietarios se ha ampliado como resultado de dos factores: a) los cambios en la tenencia de la tierra (reforma agraria de 1980 y programa de transferencia de tierra a los ex combatientes de la Fuerza Armada y del Frente Farabundo Martí para la Liberación Nacional planteados en los Acuerdos de Paz) han permitido la proliferación de un número significativo de pequeños propietarios agrícolas, y b) la utilización de remesas para el establecimiento de pequeños negocios comerciales.

Como resultado de los fenómenos descritos —expansión de los servicios, cambios en la tenencia de la tierra, inserción laboral de las mujeres, influjo de las remesas—, en la década de 1990 los sectores medios del país no sólo han aumentado porcentualmente sino que han dado a la sociedad salvadoreña un nuevo dinamismo de clases: el antagonismo fundamental entre la élite dominante y los grupos subordinados persiste, pero entre ambos se sitúan unas capas medias en expansión, con opciones y valores anclados en el éxito y el progreso económico.

Al margen de la dinámica descrita están los sectores marginados de todo beneficio: el mundo del lumpemproletariado, en el cual dominan cada vez más los niños de la calle y los jóvenes pandilleros y, sumados a ellos, las prostitutas, los alcohólicos, los mendigos y los delincuentes comunes ■

LAS CLASES SOCIALES

De acuerdo a la teoría marxista de las clases sociales, en todo modo de producción existen dos clases fundamentales, antagónicas entre sí: propietarios de los medios de producción y propietarios exclusivamente de su fuerza de trabajo. Además, hay otras agrupaciones sociales, residuo de modos de producción previos, o en formación para un modo de producción distinto, o en despojo y resto desclasado de todo lo anterior —como sería el caso del «lumpen»—, a todas las que se atribuye el apelativo de «capas» ■

Segundo Montes
Estructura de clases y comportamiento de las fuerzas sociales.

■ Los trabajadores informales se multiplican como consecuencia de la *descampesinización* y la necesidad de ganarse el sustento de una población recién llegada a las ciudades. Imagen de una vendedora ambulante en San Salvador.

OPTICA
ALMACENES
MD
LIBRERIA
CUSCATLAN
NUEVO
MUNDO

La congestión del tráfico rodado en las principales arterias metropolitanas ha sido reconocida, desde mediados del siglo XX, como uno de los males axiomáticos de la civilización urbana, en especial por las consecuencias económicas que derivan de su ineficiencia. Sólo en los comienzos del siglo XXI se admiten ya de forma general y sin paliativos los efectos negativos que la contaminación debida a aquel fenómeno causa en la salud humana, aquejada de patologías como el estrés, la hipertensión y enfermedades coronarias y pulmonares. Panorámica del centro de San Salvador.

La educación

La situación de la educación en El Salvador se deterioró gravemente durante la década de 1980. En la educación básica, tercer ciclo y bachillerato la calidad no alcanzó a cumplir siquiera el objetivo mínimo de alfabetizar a la población, por no hablar de exigencias más complejas como las orientadas a hacer de los alumnos personas reflexivas y conscientes de sus deberes y derechos. Ni siquiera pudieron ser cumplidos los requisitos de la educación bancaria tradicional, que ponía el énfasis en la memorización de los contenidos ofrecidos por los profesores en las clases.

Crisis del sistema educativo

El deterioro y la crisis del sistema educativo era casi total; la formación de los maestros había decaído, pero más lo había hecho su interés y su compromiso con la sociedad. En las zonas conflictivas la infraestructura de las escuelas había quedado destruida por la guerra, o debido al abandono, la mala administración o la corrupción existente en las zonas no conflictivas; no había libros de texto adecuados ni, en caso de ser elaborados, quien los pudiera desarrollar en el marco de un programa escolar consistente. Las familias más pobres no podían enviar a sus hijos a la escuela por falta de medios —transporte, ropa, cuadernos—, ya que los niños son fuente de ingresos familiares o por los peligros que ocasionaban los enfrentamientos armados.

LA REFORMA EDUCATIVA

«Se parte, entonces, de conceptualizar que la educación, la ciencia y la cultura son, al mismo tiempo, un derecho y un requerimiento para el desarrollo humano, que es, a su vez, condición para el crecimiento y el desarrollo económico y base del bienestar social. También se la considera una exigencia para la cohesión, la estabilidad y la integración social y política, teniendo la convicción de que transformar el sistema educativo es una exigencia para posibilitar el cambio de mentalidad de los salvadoreños, para superar la mentalidad improductiva, para asumir los desafíos y aprovechar las oportunidades de desarrollo.» ■

Propuesta de la Comisión Nacional
de Educación, Ciencia y Desarrollo.

Al deterioro del sistema de educación preuniversitaria se añadía la proliferación sin ningún criterio de calidad académica de universidades privadas a lo largo y ancho del país, aunque su concentración se daba en San Salvador. No sólo se devaluaron los títulos universitarios sino que, más grave aún, se devaluó la calidad de los profesionales graduados en la mayor parte de las universidades privadas, cuyo aporte a la superación de la crisis del sistema educativo era nulo.

La reforma educativa

■
Arriba, edificio de la Universidad Tecnológica de San Salvador. Abajo, aula de una escuela privada de la capital.

En fin, el sistema educativo estaba sumido en una crisis de la cual no daba señales de poder salir en el corto o mediano plazo, habida cuenta que las autoridades no parecían entender las dimensiones del problema. No fue sino en 1995 cuando la crisis del sistema educativo encontró una respuesta desde las esferas oficiales. En efecto, el 22 de junio de ese año la Comisión Nacional de Educación, Ciencia y Desarrollo, creada por mandato presidencial, entregó al presidente Armando Calderón Sol una propuesta de reforma de la educación nacional de amplio alcance. La Propuesta de la Comisión Nacional de Educación, Ciencia y Desarrollo contemplaba cambios cualitativos y tenía como propósito, además, preparar a la sociedad salvadoreña para los desafíos del siglo XXI. Para responder a este reto la propuesta pretendía sentar las bases de una profunda reforma moral y cultural de la sociedad salvadoreña, lo cual daría paso a la formación de ciudadanos cabales, conscientes de sus derechos y deberes, portadores de un *ethos* cultural cívico y democrático.

Su implementación —en lo que lleva de ejecución— no ha sido fácil, pues ha tenido que sortear diversos obstáculos materiales y humanos. Entre los primeros destacan las dificultades para acceder, por lo remoto de su ubicación o por el estado de las carreteras, a todos los centros educativos del país, el deterioro casi total de muchos de ellos y la precariedad de los servicios básicos (electricidad, agua potable y transporte) de la mayor parte de escuelas rurales del país. Entre los segundos, los más importantes han sido el no contar con una planta de personal mínimamente calificado para dar inicio a la reforma educativa, la pervivencia en los maestros de esquemas educativos obsoletos, extremadamente memorísticos y bancarios, y las dificultades halladas por los profesores y los estudiantes para entender de forma cabal las exigencias que plantea tal propuesta. A estas dificultades, más estrechamente vinculadas a la implementación de la reforma educativa, se suman las derivadas del contexto socioeconómico en el que se la quiere sacar adelante: un contexto en el cual un buen porcentaje de familias (más del 50%) vive en la pobreza es poco propicio para desarrollar un proceso educativo que pretende formar a una niñez que, en los hogares más pobres, aporta su contribución para la supervivencia familiar.

Pese a las dificultades, la reforma educativa continúa y comienzan a verse sus primeros logros, entre ellos la elaboración de nuevos programas para los niveles básicos y la secundaria, nuevos libros de texto y la formación de una planta de personal docente capacitado. Queda pendiente resolver los problemas que afectan a la educación superior ■

Papel de la mujer y los grupos indígenas

En las tres últimas décadas del siglo XX el papel de la mujer salvadoreña, al menos en algunos ámbitos de la vida social, ha sufrido cambios notables en relación a lo que fue en el pasado. Hasta la década de 1970 lo más normal era que las mujeres de los sectores populares se dedicaran a trabajos domésticos, ventas en el mercado o dependientes en almacenes. Las mujeres de los sectores medios, por su parte, asumían el papel de madres y esposas ejemplares, y las mujeres de los grupos de poder económico ejercían funciones matriarcales como cabezas de familia, compartiendo responsabilidades con los jefes de los clanes familiares, o los reemplazaban cuando fallecían.

La fuerza de trabajo femenina se emplea en unas pocas actividades escasamente cualificadas y mal retribuidas, siendo excepcional en las que le disputan al hombre puestos de responsabilidad. La maquila es, entre las nuevas actividades, la que emplea más mujeres. Maquila en una Zona Franca.

Los nuevos roles femeninos

En las décadas de 1980 y 1990 la transformación más novedosa se ha dado en la esfera laboral, pues la expansión de la industria maquilera y la proliferación de los servicios se han alimentado de la capacidad de trabajo femenina. No es que se trate, desde luego, de trabajos exclusivamente femeninos —pues, aunque en una proporción reducida, en la gran mayoría de ellos trabajan hombres—, sino de trabajos en los cuales predomina la mano de obra femenina. En virtud de esta dinámica laboral, la mujer deja de lado o redefine sus funciones tradicionales como ama de casa, trabajadora doméstica, esposa y madre; la mujer se convierte en trabajadora de jornadas de ocho horas o más, con lo cual sus compromisos laborales van predominando sobre —o entran en una tensión difícil de sostener con— sus compromisos en el hogar, con los hijos y el esposo. Las mujeres adquieren independencia económica, mayor libertad y autonomía al salir del hogar y relacionarse con compañeros y compañeras de trabajo.

La mujer, pues, ha pasado a desempeñar un papel importante en el mundo laboral como partícipe activa en el mismo. Con ello el ámbito de sus opciones y aspiraciones se ha ampliado, llegando incluso a disputarle al hombre espacios profesionales que tradicionalmente han sido patrimonio de éste: los puestos ejecutivos y gerenciales en la empresa privada y la gestión pública a partir del rango de jefaturas intermedias o superiores. En las industrias maquiladoras la mujer se convierte en obrera; en las empresas de servicios —de restaurantes de comida rápida a bancos— ocupa posiciones que van desde la atención al cliente hasta las gerenciales. En el mundo de la política va más allá de ser animadora de los intereses del hombre: aspira a disputarle —y le disputa de hecho, no sin tensiones— el protagonismo.

Protección de la mujer

Esta drástica transformación en el papel de la mujer salvadoreña de finales del siglo XX se ve acompañada de un toma de conciencia por parte de ésta de sus derechos y deberes, así como de la obligación que tiene el Estado de salvaguardarlos y garantizarlos. Agrupaciones como Cemujer, Mujeres por la Dignidad y la Vida (Las Dignas), el Instituto de la Mujer (IMU), han asumido un papel activo en la defensa y promoción de la mujer, asesoran legalmente a las víctimas de maltrato y agresiones sexuales en el hogar y el trabajo, y asisten a las madres (divorciadas o separadas) demandantes de la ayuda económica para sus hijos que los padres se resisten a brindar o que pretenden reducir al mínimo.

En el seno de la Fiscalía General de la República existe una unidad de protección de la mujer y el niño cuyo trabajo es atender casos de violencia sexual contra éstos y proceder penalmente contra los responsables. El gobierno de Armando Calderón Sol ha propiciado la creación del Instituto Salvadoreño del Desarrollo de la Mujer (Isdemu) con el fin de atender y asesorar legalmente en los casos de violencia intrafamiliar que se registran.

En definitiva, todos estos esfuerzos organizativos —alentados básicamente por las mujeres mismas— y de adecuación de las instituciones del Estado a las demandas planteadas por

Población económicamente activa (PEA) masculina y femenina. 1961-1999

Año	Número	% hombres	% mujeres
1961	807,092	82.2	7.8
1971	1,166.579	78.4	21.6
1980	1,593.352	65.2	33.5
1985	1,653.409	62.2	37.8
1995	2,113.296	62.03	37.97
1999	2,354.478	63.01	36.99

Fuente: Encuestas de Hogares para propósitos múltiples

Doble rasero de situación social precaria: la de la condición femenina entre la población indígena. En la imagen, mujer indígena de Panchimalco.

ellas expresan el importante cambio que se está operando en dos frentes: en el mundo del trabajo y las profesiones, y en el de las ansias reivindicativas de un grupo que tradicionalmente no ha podido decir su palabra ante la sociedad. Las mujeres salvadoreñas de la década de 1990 van cobrando progresiva conciencia de dos de sus derechos fundamentales: a) el derecho a desempeñarse en cualquier trabajo o profesión, siempre y cuando tengan las capacidades y aptitudes para ello, y b) el derecho a ser respetadas en su dignidad e integridad. Y no sólo eso: las mujeres salvadoreñas van cayendo en la cuenta de que para que esos derechos sean reconocidos y salvaguardados tienen que trabajar duro, asumiendo muchas veces posiciones abiertamente militantes y contestatarias respecto a infinidad de valores tradicionales que legitiman su sujeción al hombre.

LA MUJER SALVADOREÑA EN EL TRABAJO

«En un estudio realizado y publicado en 1995 por la organización no gubernamental de Mujeres por la Dignidad y la Vida (Las Dignas), se entrevistó a 13 mujeres que ocupaban importantes cargos en la política nacional. Ellas relataron su experiencia dentro de ese campo y aquello que más ensombrecía su camino y expectativas. Describieron las situaciones de discriminación más comunes en que se veían envueltas, entre las cuales cabe mencionar [...] que la presión laboral es mucho más fuerte para las mujeres que para los hombres; que los "errores, las insuficiencias y las deficiencias" son más condenables en ellas; que hay rechazo y aislamiento para las embarazadas, y que aquellas que están casadas o con hijos no son meritorias de beca o viajes al exterior...» ■

«Las mujeres en los espacios políticos».
en *El Salvador Proceso*.

Los grupos indígenas

Durante la Colonia en El Salvador se generó un proceso, prácticamente irreversible, de mestizaje y ladinización de la mayor parte de los grupos indígenas. Sin embargo, hubo comunidades ubicadas en el occidente y el oriente del país que continuaron dando vida a sus tradiciones ancestrales. El factor que aglutinaba a esas comunidades era la propiedad comunal y ejidal, base a partir de la cual se reafirmaban tanto los lazos de parentesco como las propias tradiciones.

Desde finales del siglo XIX se inició un proceso de proletarización de los grupos indígenas sobrevivientes que, en el marco de la propiedad comunal y ejidal de la tierra, reproducían sus redes de parentesco y sus costumbres y tradiciones prehispánicas. Las leyes de reforma de la tenencia de la tierra —leyes de abolición de las propiedades comunales y ejidales— rompieron ese marco de reproducción vital que hacía posible la existencia de grupos sociales con una identidad étnico-cultural propiamente indígena.

La ley contra la vagancia, mediante la cual se obligaba a los que habían perdido sus tierras a trabajar en las fincas y haciendas privatizadas, fue el mecanismo utilizado por el Estado para someter a los indígenas a los esquemas laborales exigidos por la particular inserción de la economía salvadoreña —una economía agroexportadora— en el sistema capitalista internacional. Comenzaba el lento pero irreversible proceso que convertiría a los indígenas en campesinos asalariados.

Desde las reformas de Rafael Zaldívar los grupos indígenas despojados de la tierra —que era el centro desde el que ancestralmente nutrieron su identidad cultural— se vieron ante la obligación y la necesidad de trabajar por un salario para subsistir. Roto su vínculo con la tierra, las comunidades indígenas tuvieron que asumir esquemas de comportamiento y valores ladinos para poder adaptarse a un medio que

LOS INDÍGENAS Y LAS TIERRAS COMUNALES

«Los sistemas y mecanismos de «resocialización», transculturación y de ladinización, implementados por los españoles durante el período colonial, hicieron su efecto, pero no fueron suficientes como para hacer que desaparecieran las comunidades indígenas y muchos de sus elementos de identificación étnico-cultural. Las Leyes de Indias —en la medida que se cumplieron— significaron una preservación contra la extinción de la población indígena. Pero sería principalmente el medio económico de sustentación el que mantendría las comunidades en supervivencia: la conservación de las tierras comunales...» ■

Segundo Montes «Los indígenas en El Salvador», *Boletín de Ciencias Económicas y Sociales.*

■ Emergencia del movimiento indigenista: una asociación indígena lleva su protesta a la celebración del Día de la Hispanidad (12 de octubre) ante los monumentos de Cristóbal Colón y la reina Isabel que flanquean la entrada del Palacio Nacional.

s era hostil. Este proceso de ladinización, pe- a lo abrupto de las reformas de Zaldívar, no oncluyó sino hasta bien entrado el siglo XX. 'radiciones, costumbres y ritos continuaron limentando la identidad de los grupos indíge- as, pero al mismo tiempo se mezclaban cada ez más con patrones culturales no indígenas.

a inflexión de 1932

n 1932 la identidad indígena sufrió un fuerte evés, pues ante la revuelta campesina de ese ño —localizada en el occidente del país (Izal- o y Nahuizalco)— la embestida de las tropas ubernamentales se dirigió con particular fuer- a contra todos aquellos que hablaran, vistieran convivieran como indígenas. La matanza de 932 tuvo un indudable contenido de violencia tnica; su efecto, además de los asesinatos, fue nmediato sobre las costumbres y los hábitos nás visibles de los indígenas sobrevivientes: la ran mayoría de ellos renunciaron a los usos y a las costumbres que los identificaban como tales, con lo cual la pérdida de su identidad étnica se hizo más fácil.

Desde 1932 en adelante los salvadoreños con una identidad indígena casi desaparecieron. No así los salvadoreños con rasgos físicos marcadamente indígenas, que se encuentran, aun en la actualidad, en Santiago Nonualco, Nahuizalco, Izalco y Panchimalco. En la década de 1970, pese a la emergencia de fuertes organizaciones campesinas, los pobladores indígenas sobrevivientes no plantearon sus propias demandas ni tampoco las canalizaron a través de aquéllas.

El movimiento indigenista

No fue sino hacia mediados de la década de 1980 cuando emergió un débil movimiento indígena denominado Asociación Nacional Indígena Salvadoreña (ANIS) integrada por unos 1,800 miembros, la cual insertó sus reivindicaciones propiamente indígenas en el proyecto de la organización campesina Unidad Popular Democrática (UPD), base social del Partido Demócrata Cristiano (PDC) en las elecciones de 1984-1985. Como resultado de su afiliación política, el 22 de febrero de 1983, en la finca Las Hojas, ubicada en la zona de los izalcos, fueron asesinados por fuerzas militares no menos de 74 indígenas pertenecientes a una cooperativa afiliada a ANIS.

Imagen tomada en la protesta indigenista contra la celebración del Día de la Hispanidad.

La masacre de Las Hojas constituyó una de las últimas agresiones colectivas —desde el ámbito estatal— contra la escasa población indígena existente que reivindicaba su identidad cultural. Durante los doce años de guerra civil otros muchos miembros de ANIS fueron asesinados, perseguidos o desaparecidos. También fueron asesinados, perseguidos o desaparecidos indígenas vinculados a organizaciones campesinas en las cuales la defensa de las tradiciones indígenas no era un eje de lucha. En su conjunto, la década de 1980 arrojó un saldo negativo para los grupos indígenas que, pese a ser minoritarios, pretendían lograr reconocimiento social y político. Sus miembros más conscientes murieron o desaparecieron a manos de los grupos paramilitares de extrema derecha que operaban en las zonas rurales. Otros dejaron de lado la reivindicación de su identidad y se sumaron a organizaciones que defendían derechos específicamente campesinos. Una década más tarde ambos fenómenos se tradujeron en una disminución de la población indígena y, en lo que es más importante, en un abandono de la lucha por el reconocimiento de sus tradiciones, costumbres y valores.

La sociedad salvadoreña de la década de 1990 —al igual que otras sociedades latinoamericanas— acusa un enorme déficit de democracia social, el cual se expresa a través de graves desigualdades socioeconómicas y mediante un serio proceso de desintegración social y cultural. El problema estriba en fortalecer el aparato productivo y hacer que los logros económicos se traduzcan en mayores niveles de justicia y de equidad. Se trata de conciliar economía y política, democracia política y democracia social, sabiendo que una y otra no marchan siempre de la mano. Si se quiere una sociedad más estable y menos conflictiva, a la par que menos excluyente, es preciso lograr el fortalecimiento recíproco de aquéllas. Ése es el reto de El Salvador de fines del siglo XX.

■ ■ ■ ■

LA CULTURA POPULAR

Las toponimias y el habla popular

Las culturas indígenas que poblaban el continente americano antes de la llegada de los españoles hicieron un uso intensivo de la tradición oral. Existía la escritura jeroglífica (conservada en códices, vasijas y murales), pero estaba destinada a las clases superiores y, aun entonces, los signos servían muchas veces como apoyatura mnemotécnica para la explicación oral. Pipiles (toltecas llegados en sucesivas migraciones desde México central y del sur), mayas (chortís y pokomames), lencas (extendidos por Honduras y el oriente de El Salvador), ulúas y apay fueron dejando huellas escritas de su estadía o de su paso por la región. En efecto, aún en nuestros días el país entero está plagado de topónimos (nombres dados a lugares específicos) de neta raíz indígena.

El mestizaje cultural implicó la desaparición de muchos de aquellos nombres y la deformación fónica de otros, pero, en todo caso, incluso con ropaje de santos cristianos, muchísimos topónimos aún sobreviven. Aquí nos proponemos un breve recorrido por esa topografía sonora de cuño indígena con objeto de mostrar la voluntad colorística y eufónico-poética de los antiguos pobladores de El Salvador.

La toponimia pipil

Conviene comenzar por el nombre con el que asimismo se conoce al país: Cuscatlán. Algunos lo traducen como «tierra de premios, tesoros o preseas», otros por «lugar junto a la joya». Joya por antonomasia era, para los pipiles, el jade, el *chalchihuite*. Debido a su color verde intenso, también algunas lagunas eran consideradas joyas, de modo que Cuscatlán hace referencia a un lugar ubicado cerca de un lago o de una laguna especialmente hermosa. Allí, junto a una laguna de color verde jade y rodeada de vegetación exuberante, fundaron los pipiles la capital de su reino.

Otros nombres de raíz pipil especialmente significativos son: Cojutepeque (cerro de las pavas o faisanes), Acelhuate (río de ninfas y lilas), Soyapango (lugar amurallado de palmeras), Chalchuapa (laguna de los jades o *chalchihuites*), Guazapa (río del guas o halcón reidor), Apopa (lugar de vapores de agua), Usulután (tierra de ocelotes o tigrillos), Suchinango (lugar defendido por flores), Zacamil (lugar sembrado de hierbas), Suchitoto (lugar del pájaro-flor)... Y así, centenares y centenares de topónimos pipiles resuenan incluso debajo de la advocación de santos cristianos: Santiago Texacuangos (valle de altas piedras), San Juan Tepezontes (en lo estrecho del cerro), San Pedro Masahuat (donde abundan los venados), San Pedro Nonualco (los de la lengua extraña).

Muñecos de Ilobasco (en la página anterior), artesanía típica de esta localidad del departamento de Cabañas, que reproduce figuritas de la vida cotidiana.

Suchitoto, en Cuscatlán, es un ejemplo de toponimia pipil: su nombre significa «lugar del pájaro-flor». Abajo, iglesia de Santa Lucía, en Suchitoto.

Los pipiles, lencas, pokomames, chortís, ulúas o apay que habitaron El Salvador precolombino no fueron portadores ni representantes de una alta cultura. Ocuparon más bien un lugar periférico y marginal respecto de los grandes centros y metrópolis de Mesoamérica. Sin embargo, esos hombres y mujeres sencillos lograron impregnar de color y poesía los cerros, ríos, valles y quebradas por donde pasaban o en los que se establecían.

Tecomate, calabaza empleada de antiguo y que mantiene viva en el mundo campesino la presencia de su denominación pipil.

Topónimos lencas, apay y pokomames

Algunos nombres procedentes de la toponimia lenca son los siguientes: Jocoaitique (cerro poblado de mimbres), Guascatique (cerro de piedras y manantiales), Chilanguera (ciudad de las nostalgias), Gualococti (cerro de palmeras y ríos). Los ulúas, por su parte, han dejado los siguientes topónimos: Jocoro (bosque de los pinos orientales), Cacaopera (cerro de los cacaos), Mililihua (vertiente de los *zenzontles*), Jucuarán (cerro de las hormigas guerreras), Carranpinga (cerro de las flores de ilusión), Monleo (casa en los cañales calientes), Goascorán (cerro de los sapos). Los apay no se quedaron atrás en eso de ponerle nombres hermosos a los lugares: Anguiatú (cerca del cerro de las arañas), Güija (laguna rodeada de cerros), Poy (espanto o animal nocturno). Finalmente, de los pokomames ha quedado alguna toponimia: Pampe (lugar de flores de jardín).

Otras presencias indígenas en la lengua

Ahora bien, en El Salvador el sustrato indígena no se limitó a invadir el ámbito toponímico de la lengua. También la botánica, la zoología y aun la vida cotidiana y doméstica quedaron desde entonces enriquecidas. Aparecieron para quedarse animales como el *quetzal* (ave de hermosísimo plumaje), el *tacuacín* (zarigüeya u *opossum*), la *masacuata* (culebra con cuernos como de venados, culebra que come venaditos o culebra que corre como venado), el *guas* (halcón que se ríe), el *tecolote* (búho de mala suerte), el *chapulín* (langosta o saltamontes que se convierte en plaga), el *tenguereche* (lagarto o dragoncillo), la *chachalaca* (gallina montesa muy alborotadora), el *coyote* (lobo americano), la *chiltota* (oropéndola), el *azacuán* (halcón peregrino) y muchos animales más.

Al idioma español le crecieron plantas y árboles de variadas características y utilidades: el *chilamate* (árbol mezcla de chile y amate), el *quequeishque* (planta de hojas grandes acorazonadas), el *jiote* (árbol que se despelleja), el *amate* (árbol de cuya corteza se hacía papel), el *achiote* (árbol cuyo fruto produce un tinte rojo), el *pashte* (enredadera cuyo fruto es como una esponja). Se multiplicaron frutos a cual más sabroso: el *zapote*, el *guayabo*, el *aguacate*, la *zunza*, el *cacao*, la *guanaba*, el *güisquil*, la *jícama*, el *jocote*, el *ujushte*, el *chile*, el *cuchampere*, el *ayote*, el *tomat*e y muchos otros dignos de figurar en una larguísima cornucopia.

En las casas y vidas cotidianas de los salvadoreños más cercanos al campo o a la vida sencilla aún se hace uso de objetos y productos de raigambre indígena. Así, el *comal* (laja redonda para cocer, sobre todo, productos derivados del maíz), el *metate* (piedra para moler), el *yagual* (trapo enrollado sobre la cabeza para sostener el canasto o cesta), el *tapexco* (armazón para guardar alimentos, utensilios o ropa), el *tecomate* (calabaza en forma de pera grande para llevar agua), los *caites* (sandalias rústicas), el *petate* (estera para dormir), amén de los alimentos y productos para la cocina conocidos por todos los salvadoreños.

Curioso es el repertorio de nahuatismos que comienzan con «ch» o «sh» usados por todos los salvadoreños indistintamente: *chirimol* (picadillo de tomate y cebolla para echarle a la carne asada), *chingaste* (residuos del polvo de café ya cocido), *shuco* (*atol* de maíz oscuro), *chipuste* (pedazo pequeño de excremento; por extensión, persona pequeña), *chichón* (o *chindondo*: inflamación debida a golpe), *chiche* (pecho femenino), *chagüite* (lodazal), *chilate* (*atol*, insípido o simple), etcétera.

Y siempre en lo referente al español que se habla en El Salvador, es de notar el uso de arcaísmos de las gentes del campo: «Aloye» por ¿oye?, «agora» por ahora, «lo vide» por lo vi, «fierro» por hierro, «alzar» por guardar, «apiar» por bajar.

Ciertas palabras son, por lo demás, tan típicas de la jerga salvadoreña que prácticamente funcionan como señas de identidad. Dondequiera que se oigan, ahí está un salvadoreño. La lista es larga, por lo que a continuación se citan las más típicas. «Guanaco» es el apelativo con que en Centroamérica se conoce al salvadoreño, así como al guatemalteco se le dio el mote de «chapín»; «catracho» es para el hondureño, «chocho» se le dice al nicaragüense y «tico» al costarricense. Guanaco es término originalmente despectivo, porque el guanaco es un animal sudamericano reputado como lerdo y tonto; sin embargo, el apelativo guanaco ha sido tomado por los salvadoreños mismos como grito de batalla: «¡Soy guanaco, a mucha honra!».

En segundo lugar se sitúan las palabras para designar a un niño: «cipote», «bicho», «mono». Aunque ahora se oyen también palabras de origen mexicano (*chavo, chamaco*), también sigue escuchándose «chero» para referirse al amigo o a cualquier persona que se mencione. «Maishtro» (maestro) es un apelativo para referirse a determinado señor o para llamar la atención de alguien que no se conoce. «Bayunco» es aquel que se viste o se comporta con mal gusto.

El comal es una laja redonda de origen indígena que se sigue usando como instrumento para cocer, en especial preparados de maíz. Imagen de un puesto de venta de comales en un mercado rural.

«Chabelear» parece ser el verbo preferido de los salvadoreños porque con él se indican todas aquellas operaciones destinadas a fabricar imitaciones o reconstrucciones de objetos originales provenientes del exterior. Lo *chabeleado* puede quedar, la mayoría de las veces, «chambón», «chueco» (chapucero, mal hecho), pero es lo más buscado porque resulta más barato que el original. *Chabelear* es una forma salvadoreña de la piratería, porque se *chabelea* desde ropa a máquinas y vehículos automotores, pasando por *cassettes* y hasta tesis de graduación.

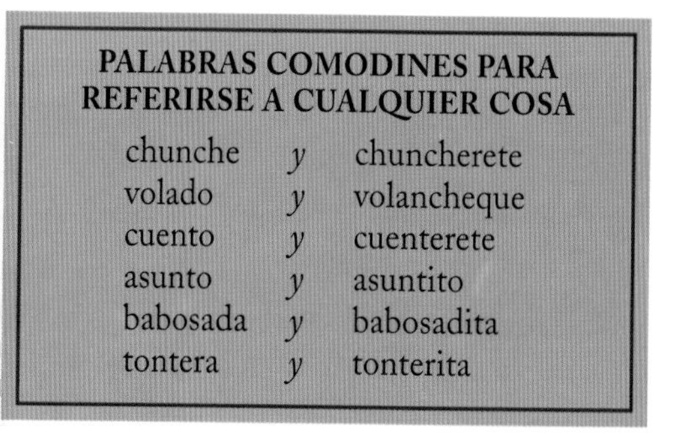

PALABRAS COMODINES PARA REFERIRSE A CUALQUIER COSA

chunche	*y*	chuncherete
volado	*y*	volancheque
cuento	*y*	cuenterete
asunto	*y*	asuntito
babosada	*y*	babosadita
tontera	*y*	tonterita

La adopción de las modas difundidas desde Estados Unidos ha comportado importantes cambios en el estilo de vida de los salvadoreños, una influencia que se traduce asimismo en la incorporación de numerosos anglicismos al lenguaje. Imagen de un *fast-food* en la capital.

La presión del inglés

En años recientes, la masiva migración de salvadoreños a Estados Unidos y el consiguiente contacto más estrecho entre las dos culturas ha dado lugar a significativos cambios en la conducta y en el lenguaje de los salvadoreños. Siempre ha habido una fascinación por lo «gringo», pero ahora el fenómeno es más que evidente. La bandera estadounidense se exhibe por todas partes: en camisetas, en buses, en lápices y cuadernos. El lenguaje se va agringando cada vez más: ya no sólo es que se usen palabras como *show*, *corner* (tiro de esquina, en fútbol), ahora una joven saluda *Hi* a sus amigas, agradece con un *thank you* un favor y se despide con un efusivo *bye*. Esa misma muchacha habla de un *party* para el domingo y de *shopping* para comprar una *t-shirt*.

Sin embargo hay aún un reservorio de originalidad que fluye a través del español hablado en El Salvador y que representa una especie de dique, de «contra» para detener, siquiera en parte, la avalancha de expresiones culturales e idiomáticas «extranjeras» (¿hay algo que sea realmente extranjero ahora en el mundo?).

Dichos, transgresiones y versatilidad del habla popular

Algunos dichos populares en El Salvador son: «Machete, estate en tu vaina» (No te metas en lo que no te importa, porque te puede ir mal), «El comal le dijo a la olla...» (versión a la salvadoreña de ver la paja en el ojo ajeno y no la viga en el propio), «Un indio menos, una tortilla más» (si alguien no asiste a una reunión, ¡no importa!, igual nos vamos a divertir).

La lotería de Atiquizaya es el culmen de esa socarronería de sabor entre lumpen y popular. Atiquizaya, en el departamento de Ahuachapán, es famosa porque ahí viven las personas más «malhabladas» de El Salvador; de modo que la lotería que ahí se canta es un epítome de todas las «leperadas» que circulan en el país. El juego de la lotería es de procedencia netamente mexicana y tiene objetos muy comunes en aquel país: el nopal, la chalupa (barca pequeña), la bandera mexicana, etcétera. Sin embargo, ya es plenamente «guanaca» la forma en que algunas veces —como es el caso de la de Atiquizaya— se canta: «¡Un viejo amor no se olvida ni se deja!: ¡La mano!» (referencia a la masturbación). Y así expresiones a cuál más atrevida y hasta chocantes. La lotería de Atiquizaya es otra manifestación del gusto y de la inclinación irrefrenable que tienen los salvadoreños a *chabelear*.

El español hablado en El Salvador está en cambio permanente, está vivo. Se puede usar el «vos» («¡Callate, vos!») para el trato cotidiano, el «tú» (la maestra habla de «tú» a sus alumnos en la escuela rural) y el «usted» (como tratamiento de respeto). Lo más curioso es que puede cambiarse el tratamiento ante la misma persona y en el transcurso de la misma jornada: «¡Usted se está portando mal hoy!», le puede decir la maestra rural al mismo alumno al que hace poco trató de «vos» al saludarlo («¿Cómo estás, vos?») y a quien se dirigió así en calidad de alumno: «¿Me podrías decir tú cuántas partes tiene este aparato?» ■

Mitos precolombinos y personajes de la tradición popular

Un ámbito en el que se siente la presencia de aquel sustrato indígena es el de las consejas y los mitos populares. Muchos de ellos han llegado hasta nosotros ya mestizados y otros están desapareciendo debido al fuerte influjo de los modernos medios masivos de comunicación y la nueva cultura «popular» de ellos derivada.

Principales mitos

Los tres mitos más profusamente difundidos en todos los estratos de la población son el del «cadejo» y sus afines, el de la Cihuanaba y el del Cipitío.

El cadejo

El cadejo es un perro misterioso que se aparece en los caminos solitarios a los trasnochadores. Se dice que cuando su silbido se oye cerca, es que el duende está lejos. Pero se habla también de dos cadejos: de uno blanco, el de las mujeres, y de otro negro, el de los hombres. O de que el blanco es bueno y el negro es malo. El hecho es que, al acercársele al desdichado, los ojos del cadejo brillan como brasas y, a consecuencia del susto, el pobre «tunante» puede acabar loco, «jugado» o, al menos, enfermar con fuertes fiebres y calenturas.

La Cihuanaba

El segundo mito es el de la Cihuanaba. *Cihuat* significa mujer en nahuat pipil y *naba* está relacionado con llorar, de modo que la Cihuanaba

EL CADEJO Y EL NAHUALISMO

El mito del cadejo se conecta con la antigua creencia indígena en el nahualismo; según ésta cada individuo recibe al nacer una especie de animal guardián, en realidad un *alter ego* (otro yo) muy peculiar, y por ello lo que le acontezca a uno le ocurrirá también al *nahual* y viceversa. En el caso del cadejo parece que el *nahual* opera más por género (uno para los hombres y otro para las mujeres) y que ya ha sido anatematizado o demonizado por la religión cristiana: el cadejo es prácticamente una personificación del demonio ■

■ Los antiguos mitos de la Cihuanaba y el Cipitío siguen presentes a través de innumerables vías en la sociedad salvadoreña. En la ilustración, pintura del artista salvadoreño Alex Sánchez *El Aleph,* sobre el tema.

es la versión salvadoreña de la llorona mexicana: aquella a quien se oye llorar en los caminos oscuros. La Cihuanaba se aparece generalmente también a los tunantes o trasnochadores; se la ve en los ríos lavando ropa a la luz de la luna o de las estrellas. Características suyas son el pelo larguísimo y las dos chiches o pechos que le cuelgan hasta la cintura. Parece que el susto mayor de quienes se topan con ella se produce cuando oyen su risa estentórea y burlona, al mismo tiempo que el ¡plash!... ¡plash! de las chiches azotadas contra el agua.

El mito de la Cihuanaba tiene su origen en un antiguo relato pipil según el cual una bella princesa indígena cometió el delito de adulterio; por ese delito los dioses la castigaron a sufrir eternamente tan horrible transformación. Algunos ven en el mito más bien resonancias de una antigua costumbre pipil: las prostitutas no podían ejercer su oficio dentro de los poblados, por eso lo ejercían en las afueras del pueblo, en las quebradas y sitios enmontados. Su metamorfosis en ese ser horrible sería una expresión del repudio moral con que la Iglesia católica condena la prostitución.

El Cipitío

El tercer mito es el del Cipitío. A este duende se lo hace hijo de la Cihuanaba, aunque posee un carácter festivo e inocente del que carece la madre. El Cipitío, por otra parte, es bajito, barrigón y tiene los pies vueltos al revés, de modo que sus huellas engañan: uno cree que va en una dirección cuando en realidad lo hace exactamente en la contraria. El Cipitío usa una *charra* enorme y tiene por costumbre alimentarse de la ceniza que queda en los trapiches: después que se ha cocido la melaza (o jugo de la caña) en grandes peroles se forman cerros enormes de ceniza caliente en los cuales camina y de los cuales se alimenta el Cipitío durante la noche, cuando los trabajadores están durmiendo. A la mañana siguiente, las huellas de sus pies torcidos aparecen por todas partes.

El personaje Cipitío puede estar emparentado con una deidad precolombina: el Xipe-Totec. Este dios era el patrono de la regeneración vegetal, por consiguiente tendrían que ver también con él los frutos y las flores. Por este aspecto, y no por su carácter patético, el Xipe-Totec sería un antecesor del Cipitío. Además,

COPLAS A ANASTASIO AQUINO

El indio Anastasio Aquino
Le mandó decir a Prado,
Que no peleara jamás
Contra el pueblo de Santiago.

Aquino lo dijo así,
Tan feo el indio pero vení.

También le mandó decir
Que los indios mandarían
Porque este país era de ellos,
Como él mismo lo sabía.

Aquino lo dijo así,
Tan feo el indio pero vení.

Yo seré el rey poderoso
Que matará a los ladinos
A españoles y extranjeros
En venganza de mis indios.

Aquino lo dijo así,
Tan feo el indio pero vení.

Devastaré las ciudades
Que los blancos hoy gobiernan,
A quienes maltrataré
Quitándoles cuanto tengan.

Aquino lo dijo así,
Tan feo el indio pero vení.

Porque todo lo que existe
En la extensión de estas tierras,
Pertenece a mis hermanos
Que se hallan en la miseria.

Aquino lo dijo así,
Tan feo el indio pero vení.

Perdonaría yo a Prado
Y a San Martín yo le diera
Una parte de estas tierras
Si no me hicieran la guerra.

Aquino lo dijo así,
Tan feo el indio pero vení.

Mas no hay que esperar cuartel
Del ladino y español,
Por tanto es mejor morir
En el campo del honor.

Aquino lo dijo así,
Tan feo el indio pero vení ■

De J. Antonio Ceballos, *Recuerdos salvadoreños*.

relacionada con la floración está la edad de las muchachas, objeto de la atención del Cipitío: ellas están entrando en la adolescencia, es decir, están empezando a abrirse como flores.

Personajes populares

En la historia de El Salvador ha habido personajes que han gozado de gran popularidad debido a sus acciones en favor de —o en todo caso, del agrado de— las clases subalternas.

Anastasio Aquino

El indio Anastasio Aquino es uno de los más populares. Indignado al ver cómo trataban los patrones a sus peones indios, Aquino comandó una peligrosa insurrección en la región de los nonualcos (zona paracentral del país) durante el año 1833. Tanta fuerza cobró el levantamiento que Aquino pudo penetrar con sus tropas en la ciudad de San Vicente y tuvo, además, la osadía de coronarse, él mismo, Rey de los nonualcos, utilizando para ello la corona que ostentaba uno de los santos del templo donde se coronó. Aquino dictó leyes draconianas («Al que robe una vez se le cortará una mano; al que robe de nuevo se lo fusilará») y sólo fue vencido a causa de la traición de uno de sus lugartenientes. Pues bien, sobre el indio Anastasio Aquino circulan entre el pueblo coplas y canciones; una de las más conocidas reza en su estribillo: «Aquino lo dijo así, / tan feo el indio pero vení».

El Partideño

El Robin Hood salvadoreño —si es que realmente existió— vivió a finales del siglo XIX y se lo conoció como El Partideño. Su mote deriva de su primer oficio: conducir partidas de ganado de un lado a otro de Centroamérica. Pero El Partideño se convirtió en un bandido singular cuando un hombre rico le raptó su novia el mismo día de la boda. La venganza fue terrible: el bandido acuchilló al padre del ofensor y se dedicó, además, a asaltar y a matar a cuanto rico y noble se le cruzaba en el camino. Se cuenta que al final logró acabar también con el raptor de su novia, a pesar de que hacía tiempo que ésta había sido violada y asesinada por el indigno noble.

Ilustración de Salvador Llort sobre el mito de El Partideño del libro *Tradición oral de El Salvador*, publicado por Concultura.

A pesar de lo terrible de sus acciones El Partideño tenía un alto sentido de la justicia porque no permitía que se le robara o hiciera daño a los pobres. El pueblo, la gente sencilla, mitificó al bandido; se llegó a decir que podía convertirse en un racimo de guineos (bananos) o en cualquier animal con tal de escapar de sus perseguidores. Todavía hoy algunos buscan el tesoro que El Partideño dejó escondido en alguna cueva (curiosamente, en varios lugares de la República hay cuevas en las que, se asegura, está escondido ese tesoro).

El Partideño fue capturado y ahorcado en la ciudad de Santa Ana, pero los ecos de su azarosa vida calaron incluso en obras de arte culto, como es el caso de *Ursino*, pieza teatral del escritor Francisco Gavidia. Ahí se presenta al singular bandido casi como a un mesías que se entrega a la muerte para salvar a sus amigos.

Pedro Urdimales

La tradición popular consagró también a un personaje enteramente ficticio. Se trata de Pedro Urdimales, una especie de pícaro traído a América en los relatos y cuentos chuscos de los conquistadores y colonizadores españoles, más tarde incorporado como propio por la tradición oral. El personaje es conocido en casi todo el continente, llevando a cabo casi las mismas bromas y protagonizando parecidas «pasadas» aunque, claro está, con rasgos que han ido variando de una región a otra. Pedro Urdimales se ríe de todo el mundo y, al que se deja, lo embroma. Se ríe de la autoridad eclesiástica. Por ejemplo, una de las anécdotas cuenta que Pedro convenció a un cura de que había capturado a la paloma del Espíritu Santo y que la tenía debajo del sombrero que había colocado en el suelo. Con cuidado, el cura metió la mano debajo del sombrero y, en vez de la sagrada paloma, fue a dar... con los excrementos del irreverente bromista!

En la actualidad, aunque con menos frecuencia que en épocas anteriores, aún se oye en velas o en reuniones sociales alguna que otra «pasada» de Pedro Urdimales; a veces se lo asocia con Quevedo: ¡el Quevedo real, el glorioso y jocoso escritor español del siglo XVII, deambula por aquí como pícaro, codo a codo, con Pedro Urdimales!

■ El asesinato de monseñor Romero propició su exaltación a la categoría de mito. En la fotografía de abajo, procesión en la que sus seguidores muestran la imagen del obispo con la aureola de la santidad.

■ En la imagen de la derecha, el cura belga Rogelio Ponceele, seguidor de la teología de la liberación, durante una conferencia presidida en 1987 por el retrato de monseñor Romero, en Perquin, departamento de Morazán.

Monseñor Arnulfo Romero

Un personaje histórico que ha trascendido las fronteras del país es el obispo asesinado en 1980, monseñor Arnulfo Romero, quien ha penetrado muy hondo en el sentir de los sectores populares más golpeados por la problemática económica y social. En lo que respecta a las expresiones del arte y la cultura populares «Monseñor» pertenece a un fenómeno muy peculiar de El Salvador que cabría denominar la «efervescente cultura popular de guerra». Sobre «Monseñor» circularon *posters*, canciones populares, se compusieron corridos y baladas y fue tema de innumerables murales en paredes de pueblos y ciudades ■

Magia y fiestas populares

Un campo donde se ha manifestado profusamente el espíritu y la creatividad populares es en el de las supersticiones que alientan todo tipo de prácticas curativas, embrujos y oraciones. Ciertamente, ahí campean en grandes dosis la simplicidad e ingenuidad, el burdo sincretismo y la charlatanería. Sin embargo, no es difícil encontrar también, en buena medida, sapiencia y poesía.

Entre los sectores populares hay muchas personas que aún acuden a brujos, curanderos y sobadores en busca de remedio o de una curación que la medicina occidental oficial no les puede dar por cara o por incompetente. O hay quienes llevan a cabo prácticas que lindan con la magia y aun la superstición. Se hará un rápido bosquejo de ese campo, a sabiendas de que muchas de esas manifestaciones no son privativas de El Salvador sino comunes a varias regiones del continente americano.

En las sociedades precolombinas, las prácticas festivas y la magia estaban indisolublemente unidas. La cultura popular conserva vivas algunas de aquellas tradiciones. Imagen del cacique Adrián Esquino Lisco durante un rito ceremonial en Sonsonate.

La brujería

Se puede acudir a un brujo (generalmente los brujos de Izalco son los más solicitados, aunque los hay en otros pueblos y aun en barrios populares de las ciudades) para que cure alguna enfermedad, pero también con el propósito de que haga algún «mal» o que cure el «mal» provocado por otro brujo o curandero: se dice que hay brujos capaces de meter sapos o culebras en el estómago de una persona. Ésta puede desvanecerse en medio de grandes dolores o, peor aún, darse cuenta aterrorizada de cómo se mueve o crece el animal en el interior de su propio cuerpo. Para expulsar ese «mal» se requiere de un «arte» tan efectivo y poderoso como el que se necesitó para introducirlo. La «cura» incluye sobadas con alguna pomada especial y el recitado de ciertas fórmulas u oraciones.

Del «mal de ojo» al «mal de amores»

Hay otras dolencias, quizás no tan dramáticas como la anterior, pero que requieren de curas efectivas para que no se agraven. El «mal de ojo», por ejemplo, es algo de lo que puede padecer un niño tierno debido a que estuvo expuesto a la mirada demasiado intensa de una persona mayor. El mal tiene cura, aunque también puede preverse con una «contra», por eso es común ver en niños recién nacidos una pulserita de pequeñas cuentas rojas (simulando corales) y de la cual cuelga un ojo de venado, semilla grande y dura a la que se le atribuyen poderes mágico-curativos.

El «empacho» es otra dolencia de los niños tiernos y consiste en vómitos y diarreas; cuando es grave se les puede incluso hundir la «mollera» (un huesito del cráneo que en los primeros meses es aún muy blando) y se requiere de alguien que pueda sobar o «soplar» al enfermito para curarlo. Al niño se lo debe colgar de los pies y darle unas palmaditas en las plantas: así se conseguirá que la mollera vuelva a su lugar.

Interesante es la cura del padecimiento que puede llamarse «mal de amores». El hombre despechado que no puede quitarse de la mente a la muchacha que lo despreció, la mujer núbil que sueña con atraer —pero sin decírselo directamente— al compañero de trabajo o de estudios, la prostituta que desea aumentar su clientela... Todos los que padecen de cualquier mal amoroso pueden acudir a algún o a alguna «entendida» que les dé una receta eficaz para conseguir lo apetecido. «A las doce de la noche, en una cruz calle, se va a enrollar un listón largo de color rojo en una pierna, al mismo tiempo que recita la oración... Ya va a ver cómo ella va llegar a usted como si fuera un mansito animal doméstico.» Ésa es una fórmula; la más conocida, sin embargo, en estos casos, es la famosa Oración del Puro: «A las doce de la noche se fuma usted un puro previamente curado, al tiempo que recita la oración...» La eficacia de esos remedios —dicen los entendidos— depende de la fe que se le ponga al sortilegio.

La cultura popular, reticente ante las limitaciones de la medicina, conserva buena parte de las prácticas ancestrales utilizadas por los indígenas para la sanación y para los diversos ritos de la magia. Imagen de un herbolario en Sonsonate.

ORACIÓN AL ENCANTADO DUENDE

Oh poderoso duende que vives en lo invisible. Deseo tu poderosa protección para que me concedas lo que te pido de rodillas con toda devoción; que mi petición sea escuchada.

Diego, Diego, Diego, quiero que con tu infinito poder me des el encanto para poder vencer a mis enemigos y que no les sirvan mis armas para atentar contra mi vida. Diego, te pido que mis negocios sean resueltos con prontitud y que con tu gran poder y fortaleza me unas a (NN) y venga a mí, mansa y humilde a mis pies rendida.

Oh encantador Diego, rey de los tesoros, dame dinero y a la joven que yo quiero.

Si esto que te pido me lo concedes, yo seré toda la vida vuestro amante y sincero devoto.

Explicación

Esta oración se ejecutará los días domingos, lunes y martes a las siete de la noche en un lugar solitario. Advirtiendo que el día en que lo haga debe de ayunar y meditar sobre lo que desea para que sean satisfechos sus deseos.

Si desea la yerba puede cortar el cohoyo de la ruda y rezar alrededor de la mata tres días consecutivos a las doce de la noche ■

Saberes populares

La nómina de los males es grande, como enorme es también la lista de plantas y productos que manejan brujos, curanderos y curanderas para inducirlos o para curarlos. Cabe insistir en que puede influir en todo ello un oportunismo y una charlatanería capaces de manipular hábilmente a espíritus sugestionables, por simples e ignorantes. Pero también puede existir en la base un arte y un saber populares (auténticos patrimonios acumulados y transmitidos de generación en generación) que son «buenos» o «malos» según el uso debido o indebido que de él hagan sus depositarios.

Es un hecho también que muchas de esas creencias están en franca decadencia frente a los saberes y mitos que la sociedad moderna ha creado y popularizado, un proceso positivo en muchos aspectos, pero negativo en cuanto se está llevando de encuentro todo un saber popular implicado en aquellas prácticas y creencias. Así las cosas, es cada vez más difícil encontrar al anciano sabio capaz de «leer» e interpretar el comportamiento de los animales o de los meteoros: «Ya están subiendo las aguas; se siente la humedad en el ambiente», «La luna trae agua» o «Este invierno va a ser copioso; las hormigas o *zompopos* han hecho grandes volcanes de tierra», «Habrá tormentas y huracanes, porque las *chiltotas* han construido bien bajito sus nidos». Éstas son algunas de las expresiones que aún se escuchan entre quienes pueden anunciar con bastante acierto el tipo de invierno que se tendrá. Pero de ahí a predecir el tiempo con muchos meses de anticipación, hay mucho trecho.

Fiestas populares

Numerosas son las manifestaciones de la cultura popular que todavía conservan el sabor de los tiempos pasados. En algunos casos ese sabor es harto evidente. Las fiestas de los pueblos y aun de algunos barrios populares de las ciudades de El Salvador —Semana Santa, el Día de la Cruz, el Día de Difuntos, la Navidad, pero sobre todo las fiestas patronales— brindan

Las procesiones de Semana Santa conservan el sabor de las prácticas importadas por los españoles, que en medio del calor de las cofradías y el colorido de las flores y los pasos del viacrucis remedan el esplendor pagano de la Semana Santa andaluza. Imagen de un paso en la procesión del Viernes Santo capitalina.

la ocasión al pueblo de vestir sus mejores galas. En las cofradías (instituciones que datan de la época colonial y aún se conservan en los pueblos con fuerte presencia de la tradición indígena, como en Izalco o en Ataco) recae parte de la organización del jolgorio.

Desde muy temprano en la mañana comienzan las celebraciones. Los cohetes de vara se elevan muy alto en el cielo y llenan de estampidos la madrugada, despertando a todos los habitantes del pueblo. Es la invitación a la alborada. La música de la banda municipal o la de los «piteros» (generalmente un músico con un pito de caña y otro con un tambor de regular tamaño) compite con el doblar de las campanas de la iglesia. De ahí en adelante se oirán loas al santo patrono y sermones alusivos al evento; incluso puede que el santo patrono del lugar esté recibiendo de visita a un colega de algún pueblo vecino: ése es el sentido de la celebración de Los Cumpas —compadres— entre Jayaque y San Pedro Puxtla.

Los actos religiosos se alternan con las actividades de corte profano: ferias donde se venden artesanías y confituras, exposiciones, competencias de todo tipo (en algunos lugares hay jaripeos, monta de potros o toros, al estilo estadounidense, y toreo de novillos y vacas, al estilo mexicano). Hay aún pueblos donde en plazas, parques o atrios de las iglesias se llevan a cabo una especie de justas musicales que se conocen como «guasas», «ensaladas» y «bombas». Con versos improvisados compiten bandos o personas individuales, tratando de decir las bombas más ingeniosas acerca de las personas conocidas del pueblo.

La presencia precolombina y colonizadora

Algunas de las representaciones y bailes de esas fiestas se remontan a épocas precolombinas. Son los casos del baile del tunco de monte y el baile del tigre y del venado, que dan fe del gusto ancestral por las representaciones dramáti-

BOMBAS

Por aquí pasó una pava
tan chiquita y voladora
jeu...
en el pico lleva flores
y en las alas mis amores
jeu...

Arriba de aquel cerrito
está un palito de higuero
jeu...
taba echando hojitas verdes
para el triste miguelero.
jeu...

Adiós chiltotita hermosa
alas de cristal dorado
jeu...
ay me estás entreteniendo
y otro tenés a tu lado.
jeu...

Las muchachas de este tiempo
son como la tortolita
jeu...
apenas les dicen mi alma
luego paran la colita
jeu...

Ya la luna ya salió
y el lucero no aparece
jeu...
ya los pajaritos cantan
ya me voy porque amanece
jeu...

Ayer pasé por tu casa
me tiraste un limón
el limón cayó en el suelo
y el zumo en mi corazón.

Yo te quisiera querer
y tu madre no me deja
maldita sea esa vieja
que en todo se ha de meter.

Ella
Tris... tras, me viste por delante
tris... tras, me verás por detrás.

Él
Bomba me echas
bomba te echo
rabadilla ancha
nalgas estrechas.

Él
Las piñas en el piñal
de maduras se pasan
así te va a pasar a vos
si tu madre no te casa.

Ella
Mi madre no me ha casado
porque no me ha convenido
que me case o no me case
no es tu cuenta metido ■

co-musicales, medio serias y medio jocosas, de las gentes del pueblo, ya desde épocas precolombinas. En el área de Cacaopera, por ejemplo (al oriente del país), hay un baile llamado de los emplumados: varios danzantes con tocados de vistosas plumas bailan en círculo mientras suenan pequeñas maracas y cascabeles (que llevan atados a los tobillos). La música y el ritmo, entre festivo y guerrero, posee el embrujo de transportar a siglos atrás.

En algunos pueblos, y como parte de las fiestas patronales (o navideñas, agostinas o de Semana Santa), se llevan a cabo las representaciones llamadas «historias», «historias de moros y cristianos» o simplemente «historiantes». Traídas por los ibéricos a casi toda América, siguen aún representándose, paradójicamente, en poblaciones de fuerte raigambre indígena. Tienen títulos tan coloridos como «Historia de Carlos V y el Renegado Corinto», «El Gran Taborlán de Persia» o «Los Doce Pares de Francia». Y todas hablan de la victoria de los cristianos europeos sobre los musulmanes (árabes, turcos o persas). Sin embargo, los indígenas salvadoreños, o los mestizos vinculados con tradiciones indígenas, son quienes más se empeñan y aun se empecinan en seguir representándolas. La razón, un tanto compleja, podría ser la siguiente: aunque en ellas se hable de derrotas del indígena (simbólicamente se remarca el hundimiento de las culturas autóctonas nativas) a manos del ibérico o europeo cristiano, muy en el fondo la parafernalia del espectáculo musical ayuda al indígena a seguir manteniendo viva la memoria de aquellas tradiciones muy antiguas.

En otras palabras, bajo ropaje, parlamentos y máscaras de las historias de moros y cristianos, aceptados y bendecidos por la religión cristiana, se mantienen formas de recitación y estilos de danza que conectan con tradiciones ancestrales. Pero hay más: en los mismos textos de las historias se cuelan sutilmente (y se podría decir que subliminalmente) explicaciones sobre la cristianización de los indígenas, porque los moros, persas o turcos acaban diciendo que ellos se hacen cristianos por conveniencia, para conseguir prebendas o para que sus enemigos no los fastidien más. Más claro, el agua...

Herencia de las prácticas festivas de los conquistadores, la fiesta de Moros y Cristianos (en la fotografía, a su paso frente al Teatro Nacional) hunde sus raíces inmemoriales en la Reconquista de los reinos musulmanes del sur de España por los monarcas cristianos.

Pero es notable también el afán por mantener vivos todos los actos y actividades relacionados con las historias mismas, como la fabricación de máscaras de madera representando a moros y a cristianos, las escuelas en las que viejos actores transmiten y hacen ensayar los textos a las nuevas generaciones (por cierto, hay muchos pueblos donde la tradición ha muerto porque ya no hay jóvenes que quieran continuarla), la ceremoniosa conservación del vestuario y utilerías, «actas de entriega» de mantos, coronas, espadas, etcétera, al mayordomo de la cofradía, por ejemplo.

Un lugar para el fuego

En algunas localidades las fiestas patronales u otras festividades importantes culminan con la quema de pólvora. Nunca faltan los cohetes de vara, y hasta puede haber un castillo que se quema y arde mientras lanza al aire cohetes de colores y anuncia, con letras fugazmente luminosas, quién fue el patrocinador del evento: «Alcaldía de Antiguo Cuscatlán», por ejemplo.

La alegría de los jóvenes («cipotes» y «cipotas») llega a su máxima expresión cuando aparece el «torito», estructura de varas y papel simulando un torito y cargada por un hombre joven. El torito o «torito pinto» lleva en su lomo una gran cantidad de cohetes llamados «buscaniguas» (porque salen dando vueltas a ras del suelo, mientras tiran luces y explotan con fuertes detonaciones). Algunos atrevidos y valientes hacen pases de torero, pero los más corren en desbandada cuando el torito los persigue. Terminada la pólvora, culminan casi siempre las celebraciones patronales, y a esperar hasta el año próximo...

Desde las sociedades precolombinas, las posibilidades expresivas del rostro y de la representación se potenciaron mediante el uso de máscaras, dando lugar a algunas de las más bellas piezas del arte popular. Imagen de una de las máscaras usadas en la fiesta de Moros y Cristianos.

Fiestas varias

Dentro de la nómina de las coloridas fiestas patronales no puede pasarse por alto la Fiesta de las Palmas, en la ciudad de Panchimalco. Palmas de coco se adornan con miles de flores de colores, de modo que la procesión en honor de la patrona se convierte en un inmenso jardín en movimiento, al mismo tiempo que se entonan alabados y loas a la virgen patrona de Panchimalco. Otra fiesta patronal importante es la de la Virgen de la Paz, segunda patrona del país.

Pero la fiesta patronal por excelencia es la del Divino Salvador del Mundo, patrono de la República, el 6 de agosto. El 5 de agosto por la tarde se celebra la transfiguración de Jesucristo (el cual aparece radiante a sus apóstoles, rodeado de dos patriarcas bíblicos), que da ocasión para el espectáculo mayor de la fiesta patronal. Se trata de «la bajada»: la imagen, que hasta cierto momento iba vestida con traje talar de color oscuro, «baja», se oculta en el mundo de madera que la sostiene; después de unos minutos asciende ya vestida de blanco radiante. Entonces, los concurrentes prorrumpen en efusivos aplausos. El decir popular sostiene que si, al subir o bajar la imagen, el Salvador del Mundo se cae, ello es señal de que será un mal año para el país o que le esperan acontecimientos graves. Ya la «caída» del santo patrono ha anunciado algún golpe de Estado o incluso terremotos.

Otra fiesta singular es la del Día de la Cruz, el 3 de mayo. Ante una cruz de madera o palo se amontonan frutas de todas clases: mangos, coyoles, guineos, cocos, etcétera, y alrededor se cuelgan cadenas o cortinas de papel de china. En algunos lugares la adoración de la cruz incluye rezos y, al final, el degustar de las frutas bendecidas. Ahora bien, bajo esa fiesta cristiana se esconde otra pagana, precolombina; el nexo entre una y otra reside en la cruz del 3 de mayo, que debe estar hecha, preferentemente, con ramas de árbol de *jiote* o árbol que se despelleja. Así recuerda al Xipe-Totec o «nuestro señor desollado», patrono de la regeneración vegetal. En épocas precolombinas el sacerdote tolteca o azteca sacrificaba a un cautivo, lo desollaba y se ponía, como un abrigo o manto, la piel del sacrificado. De modo que, por magia imitativa o simpática, el sacerdote impetraba al Xipe-Totec para que revistiera con una nueva piel a la madre tierra: plantas, cereales y frutas serían la piel verde renovada. El árbol de *jiote*, pues, es como el *alter ego* del dios de la fertilidad precolombina y, crípticamente, ese dios es venerado aún bajo la piel, en la adoración de la Cruz de Mayo.

El 2 de noviembre se celebra el Día de los Difuntos. Ese día hay prácticamente feria en todos los cementerios; desde tempranas horas llegan gentes a arreglar las tumbas: hay quienes las mandan a pintar o cambian la cruz, deshierban y siembran flores a su alrededor, el mismo día o el anterior. Lo cierto es que, en dicha festividad, familias enteras se trasladan con mantas para improvisar sombras; llevan sillas haraganas y mecedoras. En fin, se llega a acampar masivamente en el cementerio. Vendedoras de coronas de ciprés, de flores de papel, de comidas típicas, pululan en los alrededores y las entradas del cementerio. Entonces es la ocasión para comer «hojuelas»: tostadas de harina adobadas con miel.

Procesiones y alfombras

La Semana Santa brinda la ocasión, entre otras cosas, para las procesiones. En ciudades como Sonsonate desfilan las cofradías con vestiduras moradas y las imágenes a cuestas, y hasta aparecen penitentes, cubiertos los rostros con capirotes. Sobre todo durante la procesión del Santo Entierro, la noche del Viernes Santo, suenan las matracas (tablas de madera con aditamentos de hierro) en lugar de las campanas, y se oyen los rezos y cantos de los concurrentes, siguiendo la tradición de las procesiones de Sevilla o de Antigua Guatemala, aunque, claro está en una escala más modesta. Típicas del Viernes Santo son las alfombras que se hacen en algunas calles por donde pasa la procesión del Santo Entierro; para su confección se utilizan aserrines de colores y otros materiales como sal y flores. Los motivos son, por lo general, alusivos a la ocasión: cálices sangrantes y escenas tomadas del calvario, aunque en los últimos tiempos

El tradicional desfile de la Fiesta de los Viejos, que se celebra en agosto, se caracteriza, entre otros elementos, por un colorido al que contribuye el uso de máscaras. En la imagen, el desfile a su paso frente a la catedral metropolitana de San Salvador.

Cumplimentando el rito ancestral de la Resurrección, el pueblo muestra su júbilo acompañando con palmas ornamentadas al Cristo de Panchimalco en la festividad del Domingo de Ramos, que corona las celebraciones de la Semana Santa salvadoreña.

han empezado a verse algunos motivos relacionados con la televisión o el cine, como las tortugas ninja.

La costumbre de las alfombras aún persiste con fuerza en Sonsonate, Izalco, Santa Ana y aun en barrios de pueblos y ciudades del país. Hay veces que hasta compiten barrios, cofradías o grupos de jóvenes en la elaboración de las mejores alfombras. Arte efímero, como las esculturas en hielo de chinos y japoneses, el arte de las alfombras de Semana Santa supone un derroche de pericia y delicadeza porque, a pesar de sus grandes dimensiones (algunas pueden abarcar una cuadra entera), muestran verdaderas filigranas, haciendo honor a su nombre, alfombras, como si fueran tejidos en hilo y tela, al estilo de los tapices árabes y persas.

Posadas, pastorelas y nacimientos

Durante los días previos a Navidad resuenan las «posadas» y las «pastorelas», peregrinación de casa en casa mientras se entonan cantos navideños. Una posada culmina cuando a las imágenes de San José y la Virgen María montada en un burrito, se les da posada en una casa del vecindario y los anfitriones ofrecen marquesote (pan dulce muy compacto), horchata (bebida típica) u otros refrescos. Aunque se estaba perdiendo la tradición de las posadas y pastorelas, sobre todo durante la guerra civil de la década de 1980, últimamente ha habido un repunte, incluso en barrios de la clase media y alta.

Los que sí ya se ven menos son los «nacimientos», esos «belenes» en miniatura erigidos con casitas de cartón, muñecos de barro, callecitas trazadas con aserrines de colores, ríos o lagunas simulados con espejos o con agua real. El nacimiento es un mundo abigarrado, construido en pequeño alrededor del «misterio» (las imágenes de San José, la Virgen, el Niño Dios, el buey y la mula); un mundo que aún puede atraer la atención de propios y extraños porque la familia entera debe colaborar en su construcción y mantenimiento, en particular de aquellos que tienen movimiento: ruedas de caballitos, «ruedas de Chicago», trenes y otros aparatos, luces y variados efectos especiales precisan de quienes controlen (enciendan y apaguen) su funcionamiento ■

Gastronomía y artesanías

Dos aspectos fundamentales de la cultura popular: el que se refiere a la preparación de los alimentos básicos necesarios para la subsistencia y las formas de aliño usadas en las sociedades preindustriales para hacerlos más apetecibles; también el de la producción de los objetos usados en determinadas actividades de la vida cotidiana, desde los juguetes a la vestimenta, el culto o enseres domésticos empleados en la cocina.

La cultura del maíz: el grano sagrado

La dieta básica del campesino salvadoreño consistía hasta fechas recientes en «tortillas» (ruedas de masa de maíz, de unos quince centímetros de diámetro y uno de ancho, cocidas sobre el *comal*), la sal y los frijoles «parados» o frijoles sancochados. En la actualidad, la dieta se ha ampliado con arroz, verduras y algunas carnes. Durante los cortes de café aún se suelen dar las *chengas*, tortillas mucho más grandes y gruesas que las anteriores, hechas de maíz muy oscuro o de maicillo (gramínea de granos pequeños en haces), sobre las que se ponen frijoles y sal; algunas veces también llevan queso y otro aditamento. Estos últimos forman parte del «conqué» o acompañamiento de las tortillas.

Sería impensable una comida típica salvadoreña sin las famosas *pupusas*, tortillas rellenas con queso, chicharrón molido o frijoles, las más

Indisociable de la cultura popular, la gastronomía es una de sus manifestaciones más tradicionales y variadas. En la imagen, preparación de las típicas *pupusas*.

Elemento básico de la dieta campesina tradicional, la tortilla va siendo, sin embargo, progresivamente desplazada por otros alimentos. En la imagen, mujeres campesinas preparando tortillas.

comunes («revueltas» son las que tienen más de un ingrediente). Otras, menos comunes, llevan *chipilín* (pequeñas hojas comestibles), *pepescas* (pescaditos fritos), *ayotes* (especie de calabaza). El plato está completo cuando a las *pupusas* se les echa «curtido», picadillo de repollo preparado en vinagre en un gran bote de vidrio; se le suelen agregar también rodajas de cebolla y zanahoria. Algunos curtidos son especialmente picantes, al gusto del cliente.

Ahora bien, las *pupusas* constituyen sólo uno de los muchísimos derivados del maíz. Este cereal nativo americano sigue siendo el grano sagrado, el que nutre con su savia y jugo la vida y la sangre de los salvadoreños, sobre todo del pueblo. Se lo prepara de múltiples maneras. A la mazorca se la llama *elote* y se puede comer asada a las brasas, con limón y sal; cocida, se suele preparar con mayonesa y *chile*: son los *elotes* locos que se venden en las ferias populares, con un palito que atraviesa la mazorca para poder agarrarlo.

Bebidas de maíz

En épocas prehispánicas se hacían los *totopostes*, bolas endurecidas de masa de maíz que llevaban los campesinos cuando se trasladaban a trabajar en su *milpa* (cultivo de maíz); a la hora del almuerzo sumergían los *totopostes* en agua y de esta manera se formaba una especie de sopa fría, muy rica en calorías. En la actualidad, los *totopostes* son como panes de maíz, pero simples (insípidos).

Viene luego la especie de los *atoles*. El más conocido es el *atol de elote*, líquido pastoso preparado a veces con leche; se suele acompañar con *elotes* cocidos o con *riguas* (tortas dulces de maíz). El *shuco* es un *atol* de maíz oscuro al que se le agrega un poco de *alhuashte* (pasta a base de semillas de ayote), unos cuantos frijoles negros y *chile*. El *shuco* suele venderse durante las madrugadas o al atardecer en las plazas de los pueblos; se dice que sirve para entonar y dar ánimos a los trasnochadores y a los que sufren de «goma» (consecuencias de la borrachera). El *chilate* con *nuégados* consiste en un *atol* simple (insípido), que se sirve en un *huacal* (tazón grande) *de morro*, y que suele acompañarse con panecillos de yuca o yema de huevo, bañados en miel (*nuégados*).

La *chicha* es otra bebida derivada del maíz a la que se pone a fermentar en vasijas que se entierran durante varias semanas. Dependiendo del tiempo que haya estado bajo tierra, la *chicha* puede ser sólo un refresco algo dulce o bien una bebida con un alto grado de alcohol. Por eso, y por fabricarse clandestinamente para no pagar impuestos, las «sacaderas de chicha» fueron muy perseguidas. Hasta una policía especial, la policía de Hacienda, recibió el mote de «La chichera» por especializarse en controlar a los expendedores de la típica bebida.

Continúa el desfile de los derivados del maíz con los *tamales*. Los clásicos son los de gallina y consisten en unos rectángulos de masa de maíz de unos quince centímetros de largo por cinco de ancho envueltos en hoja de huerta (plátano o guineo) y rellenos con carne de gallina; algunas veces, hasta con papas, ciruelas, alcaparras y *recaudo* (salsa). Los *tamales* se cuecen en peroles grandes y constituyen el plato favorito en las fiestas de Navidad y Año Nuevo, aunque también, junto con las *pupusas*, forman parte de la dieta casi obligada de los fines de semana de las familias salvadoreñas.

Los *tamales* de *elote* son elaborados con una masa compacta de maíz tierno, aunque algunas veces se tornan blanditos porque llevan leche. Se preparan en *tusas* (piel de la mazorca) y se comen acompañados con crema. Un miembro ahora poco común de la familia es el conocido como *tamal* de viaje, *tamal pisque, tamal* de ceniza o *nixtamal.* Es mucho más grande que el de gallina y se supone que se preparaba para comerlo durante el viaje en carreta o tren por varios días. Dada su sólida consistencia, el *nixtamal* se puede partir en pequeñas rodajas; algunas veces lleva frijoles negros molidos en su interior.

Adobes de ave, de flor, de cerdo...

Otra ricura de la cocina popular salvadoreña es el gallo en *chicha*, plato singular en cuanto que consiste en carne adobada con frutas y caldo de sabor dulce. Hasta hace poco tiempo era un plato típico de la cena de Nochebuena; después de la misa de medianoche (misa del gallo), las familias se trasladaban a sus respectivas casas a degustar *tamales* y gallo en *chicha*. En la actualidad es común para las fiestas de Navidad y Año Nuevo el pavo o *chompipe*. Por otra parte, los panes con *chumpe* atraen permanentemente la atención de los paladares salvadoreños; se los adoba con salsas y ensaladas, y hay puestos de ventas que funcionan todo el año, aunque su venta prolifera, claro está, durante fiestas como Las Julias, en Santa Ana, por ejemplo.

Curiosa es la costumbre de comer la flor de *izote*, una estructura de flores blancas que parece un arbolito de navidad. Con ellas se hace sopa, se envuelve con huevo, y hasta las yemas y los capullos son preparados en curtido para degustarlos luego con bastante limón y sal. Por el sabor amargo de la flor y por el carácter emblemático que tiene los guatemaltecos hacen broma de los salvadoreños: «¡Ustedes se comen hasta la flor nacional!».

La *yuca* con chicharrones o con *pepesca* sigue siendo un platillo bastante común en las fiestas populares; se sirve en hojas de huerta y consiste en trozos de *yuca* cocida, acompañados de curtido y de chicharrones (gordura asada del cerdo) y/o *pepesca* (pescaditas de río).

■ Por la mayor complejidad del proceso de elaboración que necesitan y por su mayor coste, algunos platos especiales de la cocina popular sólo suelen cocinarse en determinadas festividades. En la imagen, platos de gallo en chicha, especialidad tradicional de Nochebuena.

EL NIXTAMALERO

A propósito del *nixtamal* conviene rememorar algo: al planeta Venus se lo conoció en tiempos precolombinos como Quetzalcóatl —porque desaparece durante algún tiempo, de la misma manera que aquel dios descendía a los infiernos— o como el *nixtamalero*, porque cuando sale a las cuatro o cinco de la madrugada anunciaba a la mujer indígena que era la hora de levantarse para preparar el maíz, que se dejaba la noche anterior en agua de ceniza para ablandarlo. *Neshti* (ceniza) derivó entonces en el *nixtamalero*: lucero-dios que resurge de las cenizas o lucero que anuncia la hora de sacar el maíz de la ceniza ■

Refrescos

Entre los refrescos populares pueden citarse la horchata (hecha con semillas de *ayote* —pepitoria—, cacao y arroz; a veces se le agrega leche), la cual suele ir acompañada con marquesote (pan dulce muy compacto) en fiestas infantiles o en rezos (novenarios); el fresco de chan (de semillitas carnosas), el de marañón, de mango, de tamarindo (semillas ácidas de color café), de melón, de piña; el *fresco de ensalada* es muy singular porque lleva rodajas de marañón y trozos de lechuga. A pocos les gustan ya los refrescos de *carao* (fruta que se da en largas vainas y que tiene un olor y un sabor muy penetrantes) o de *achiote* (de color rojo intenso y de sabor algo urticante).

Dulces

El pan de dulce es obligado cuando se toma el café del desayuno o de las cuatro de la tarde. Dentro de la categoría de pan de dulce entran: la semita (placas largas, rectangulares de harina, rellenas con jalea de piña), llamadas asimismo semita mieluda, dependiendo de la cantidad de jalea que lleve; la quesadilla (un pan de arroz preparado en moldes rectangulares); el ya mencionado marquesote; las «peperechas» (nombre popular dado a las prostitutas; a esos pequeños panes planos se los llama así porque vienen adornados con azúcar teñida de varios colores, como el maquillaje de las peperechas); la maríaluisa (torta de harina con mucho huevo); la torta de yema (algunas veces lleva semillas de ajonjolí) y otros panes de variadas formas, como los cachos, o panes insípidos, a pesar de entrar en la categoría de pan de dulce.

En cuanto a dulces y confituras habría que empezar por el dulce de atado, el cual resulta de la melaza o jugo de la caña, cocida y envuelta, «atada», en *tusas*. Con él endulzan aún algunos campesinos su cafecito de la madrugada o de la tarde. Famosos son los dulces de masapán, presentados a veces como *delicatessen*, en forma de frutas pequeñas de todas clases: gui-

La repostería salvadoreña tradicional tiene en el pan de dulce su elemento básico, que comprende una gran variedad de piezas. En la imagen, tienda de pan de dulce y francés en un mercado de San Salvador.

neos, manzanas, peras colocados en canastitas o en cajas decoradas. Por tradición, hay familias que fabrican esta clase de dulces, junto con otros como los dulces de leche, de toronja, conservas de coco, etcétera. Las hay de estas familias en Santa Ana y en San Vicente, ciudad especializada en los dulces de camote (tortitas o volcancitos hechos de azúcar y rellenos con jalea de camote).

En las ferias aparecen profusamente los dulces pintados, elaborados a base de moldes con forma de hojas, flores y aun rostros y figuras humanas. Son de consistencia dura pero quebradiza, de color blanco, y sobre ellos se trazan rayas de colores, recalcando los rasgos del objeto representado.

La canasta no estaría completa sin otros dulces comunes en las fiestas, como los de tamarindo, de *nance*, de *zapote*. A todo ello hay que añadir la preparación casera que aún se estila: mangos, *jocotes* e higos en miel; dulce de cáscara de naranja o de limón; dulce de *ayote* o de *chilacayote* (otra especie de calabaza) y de sandía. En fin, uno puede acabar empalagado si además prueba algunos postres caseros como el arroz con leche o el manjar blanco (dulce de leche, de consistencia pastosa, adornado con polvo de canela).

Las artesanías

De los salvadoreños se ha dicho que son los mejores artesanos del mundo. La observación es, a todas luces, una exageración: en otros lugares del mundo hay artesanías mejor elaboradas que las de El Salvador. Además, el hecho de que gente sin escuela y casi sin recursos sean capaces de elaborar juguetes, instrumentos o adornos de cierta originalidad, implica a menudo una simple respuesta al impulso de supervivencia. Las condiciones difíciles obligan a ingeniárselas para sobrevivir, para «irla pasando». De todas maneras, es un hecho cierto que en El Salvador hay artesanías... «¡y las hay al por mayor!»

Los juguetes

Los juguetes tradicionales del país son el capirucho, el trompo, la *piscucha*. El capirucho se ha hecho hasta no hace mucho tiempo con la bobina de madera en que vienen enrollados algunos hilos. Con un *huishte* (pedazo de vidrio) se le hace un embudo en uno de los extremos; luego, con un cordel se unen el extremo superior, la «campana», y un palito de unos diez

La artesanía del juguete salvadoreño tiene en el capirucho una de sus muestras más representativas.

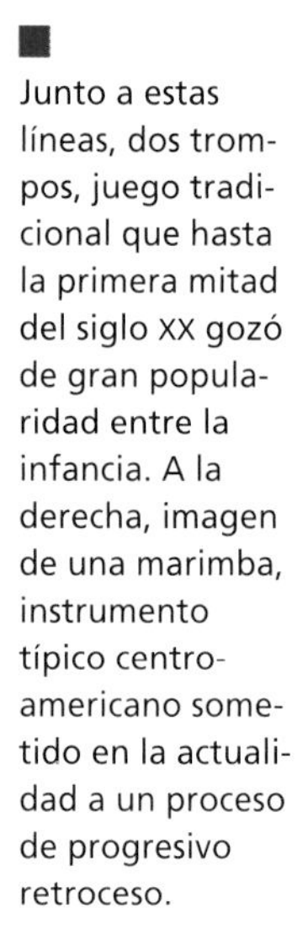

Junto a estas líneas, dos trompos, juego tradicional que hasta la primera mitad del siglo XX gozó de gran popularidad entre la infancia. A la derecha, imagen de una marimba, instrumento típico centroamericano sometido en la actualidad a un proceso de progresivo retroceso.

centímetros de largo. El juego consiste en ensartar el mayor número de veces la campana en el palito; *huimbas* son las series ininterrumpidas de aciertos con el capirucho.

El trompo es una especie de pera de madera con una punta de hierro; mediante un cordel que se enrolla alrededor de la pera se hace girar el trompo al lanzarlo al suelo. Las competencias incluyen golpear y astillar los trompos contrarios. La *piscucha* es un rombo formado por una estructura de varitas y papel de colores a la que se añaden colas y flecos para que luzcan sus piruetas cuando se eleve en el aire.

De gran popularidad gozan las piñatas, figuras huecas hechas de papel crespón representando animales, héroes y personajes de la televisión y de las tiras cómicas. En ella se introducen dulces y sorpresas (a veces hasta cangrejos). Con los ojos vendados, un niño debe pegarle con un palo (se hace subir y bajar la piñata mediante una cuerda); luego uno tras otro pasan los chiquillos hasta que la piñata se rompe desparramando su contenido, y todos se abalanzan para agarrar los dulces y las sorpresas.

De las cárceles y centros penales salen las *chintas* o muñecas esculpidas y pintadas muy rudamente, usando como base un trozo redondo de madera; las dimensiones pueden ir desde dos hasta veinte centímetros o más. A veces se puede comprar la familia entera de *chintas* agrupadas de mayor a menor. Algunas presentan brazos móviles. Las *chintas* son encantadoras por su rústico acabado y por su inocente expresión. Igualmente llamativos por el simplismo de sus líneas y por la economía de recursos son los camioncitos y carritos de madera, fabricados también en los centros penales. Son típicos «juguetes de niño pobre», como lo son también las guitarritas y marimbitas (teclados de madera sostenidos por una estructura igualmente de madera).

Pero las marimbas son instrumentos musicales fabricados todavía con todas las de la ley por expertos artesanos. Sus dimensiones normales son, de manera aproximada, las siguientes: un metro de altura, unos dos metros de largo, y teclas de unos veinte centímetros de largo. Se tocan con bolillos especiales hechos de madera de mangle. Hace algún tiempo las bodas y otras fiestas sociales se amenizaban obligatoriamente con la marimba; en la actualidad pocos son los grupos musicales que la incluyen entre sus instrumentos, aunque todavía suenan la Marimba Cuscatleca y la de algún que otro cuartel. Otros instrumentos musicales de fabricación artesanal son las guitarras, los violines y los guitarrones.

Entre los juguetes y adornos están los muñecos de Ilobasco (departamento de Cabañas). Los hay de barro, pensados para los nacimientos; miden entre diez y quince centímetros de alto y representan bodas, conjuntos de marimba, parejas de policías con su respectivo preso y personajes típicos como la Cihuanaba. En general se trata de muñecos toscos pero simpáticos.

Trabajos en barro

Una artesanía salvadoreña son las sorpresas. Bajo tapaderas que simulan frutas, huevos o gallinas (de unos cinco centímetros de alto por tres de ancho) se esconden muñecos de barro en miniatura que representan vendedoras de velas, de frutas, de tortillas, de shuco, de pupusas, parejas casándose, nacimientos y hasta «picardías» de temas eróticos. Ha habido familias en Ilobasco especializadas en la fabricación de sorpresas realmente exquisitas. Lástima que la desaparición de los ancianos de la familia (caso de doña Dominga Herrera) y la urgencia de hacer grandes cantidades de sorpresas derivara en un descenso generalizado de su calidad artística.

Siempre dentro del género de trabajos de barro hay quienes se dedican a la fabricación de *comales*, ollas, cántaros, los cuales cumplen primariamente con una labor práctica (como es en su origen todo arte popular): sirven para cocinar o para guardar alimentos y bebidas en las casas de campesinos o de gentes sencillas, pero secundariamente pueden ser comercializadas como adornos exóticos o típicos para las casas de salvadoreños de las clases media o alta. Es el caso de la cerámica de Guatajiagua, en el departamento de Morazán: desde hace unos pocos años se han puesto de moda los *comales*, tarros y ollas enormes de color negro azabache para decorar la cocina o el salón del comedor de alguna casa elegante.

La tradición alfarera sigue viva en diversos sitios del país, y muy especialmente en Guatajiagua. Se está produciendo una reorientación de sus productos, que cumplen cada vez más una función ornamental frente a su antiguo papel de enseres para la cocina.

Tallado de la madera

En La Palma, departamento de Chalatenango, además del barro para elaborar jarros y animalitos de todo tipo, desde hace un tiempo se trabaja también la madera en talleres artesanales que hacen toda clase de adornos: cofrecitos, cuelga-llaves, servilleteros, nacimientos... También trabajan la semilla de *copinol* (de unos dos centímetros de largo por uno de ancho), sobre la que se pintan escenas religiosas o campestres. El hecho es que proyectos artesanales como el de La Semilla de Dios, iniciado por Fernando Llort, han dado a conocer las artesanías de la región a escala internacional.

Por lo que respecta a la madera, también hay que señalar la existencia de lugares donde se fabrican imágenes para las iglesias. Tradición que viene desde la época colonial, aún ahora encuentra continuadores: cristos e imágenes de santos se elaboran por encargo en Izalco, Sonsonate y Ataco, departamento de Ahuachapán. También las máscaras para historiantes se elaboran en esos talleres de larga tradición. Los *cayucos* o lanchas son típicos de zonas lacustres o costeras, como en Puerto El Triunfo, departamento de Usulután; se hacen del tronco del árbol de *conacaste* e implican una larga y paciente labor de tallado.

Tejidos y cestería

Respecto a los tejidos merecen destacarse los de hilo y los de fibra. Entre los primeros debe distinguirse entre tejidos elaborados con el telar de cintura y los hechos con el telar de palanca. El de cintura es de neta procedencia indígena; manipulado por las mujeres servía y

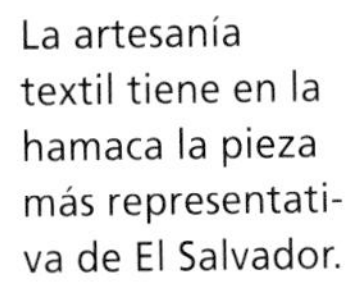

La artesanía textil tiene en la hamaca la pieza más representativa de El Salvador.

irve aún para elaborar superficies más bien es-
rechas: tapados (mantas pequeñas para cubrir-
e la cabeza) y fajas delgadas para atarse a la
intura. Todavía en Panchimalco, departamen-
o de San Salvador, queda alguna tradición en
se sentido. El telar de palanca fue introducido
or los europeos y sirve para hacer tejidos más
nchos, como las colchas que se fabrican en
San Sebastián, departamento de San Vicente,
como las hamacas (de nailon, henequén o al-
godón) salidas de talleres de Cacaopera, departamento de Morazán. Los tejidos de fibra comprenden muchos productos y objetos. Los sombreros se hacen de palma y presentan gran variedad de formas y colores. La fabricación del sombrero sigue siendo importante porque esa prenda es parte indispensable del atuendo campesino; el sombrero sirve para librarse del sol y de la lluvia, y hasta de «contra» para los malos espíritus. En Tenancingo, departamento de Cuscatlán, hay familias especializadas en su elaboración.

El sombrero, hecho tradicionalmente de palma, sigue siendo una pieza de la indumentaria muy usada en el medio campesino. En la imagen, un puesto de venta de sombreros en Chalatenango.

TÉCNICAS Y MATERIALES DE LA ARTESANÍA TEXTIL

Tradicional productor de materias primas como el algodón, el maguey y la lana, El Salvador tiene en la industria textil una de sus principales artesanías. Sus principales centros textiles son Nahuizalco (Sonsonate), Santiago Texacuangos (San Salvador) y San Francisco Chinameca (La Paz), aunque es la ciudad de San Sebastián, a cincuenta kilómetros de la capital, la que ha adquirido más fama porque basa su economía en una tradición de arte textil centenaria. En sus calles se ven hamacas, cubrecamas, manteles, paños y otros hilados que se tejen en grandes telares de madera, y ovillos de tela de vivos colores secándose frente a las casas. La evolución tecnológica ha sido escasa y la complejidad de las técnicas depende de la calidad del tejido y de su grado de sofisticación. Como en otras zonas de Centroamérica, ha habido una apropiación de las tecnologías traídas por los conquistadores españoles: el telar de pie de pedal (que data del siglo XVIII), el punto o el ganchillo practicados por los hombres, mientras que el tejido en el telar de cintura (o «de palitos») sigue siendo una actividad femenina que perpetúa aquella técnica prehispánica.

Debe ésta el nombre a un ingenioso sistema de tensiones: los dos enjulios que tensan los hilos verticales de la urdimbre se fijan uno arriba, a un árbol, y otro abajo, el cual se ata a un cinturón que la mujer, arrodillada en el suelo, se ciñe por la espalda a la altura de los riñones.

Entre la gran variedad de productos elaborados en el país (cubrecamas, colchas, perrajes, nahuillas...), la hamaca es la artesanía popular por excelencia. En los hogares salvadoreños es empleada habitualmente para descansar o dormir, pero existe una amplia oferta: de la más funcional y barata, a otras de gran calidad artística y, como es natural, de precios elevados. Antiguamente, la hamaca se tejía en punto suelto y se fabricaba con pita o hilo de maguey, pero cada vez se confecciona más con hilo de algodón o fibra de nailon. A partir de una cadeneta, el tejedor la adorna con motivos de predominio azul y rojo: jaspeado, franjas, figuras zoomorfas, vegetales... También son muy atractivas las ropas y fundas bordadas en colores brillantes, con figuras humanas y de animales ■

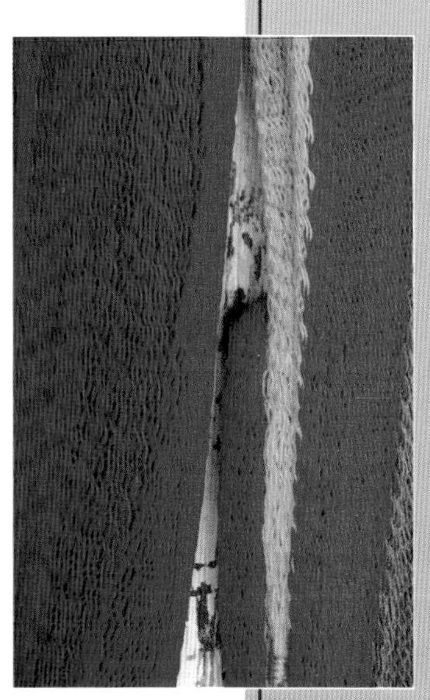

■ El azul y el rojo (imagen de la izquierda) son los colores más frecuentemente utilizados en la confección de hamacas. Las tonalidades han adoptado cada vez más las gamas cromáticas propias de las fibras sintéticas empleadas, aunque el peso de la tradición sigue reservando un lugar al añil (imagen del centro). Los vendedores de hamacas proporcionan la nota colorista en los lugares turísticos, como, por ejemplo, en San Francisco Gotera (imagen de la derecha).

Sobre estas líneas, tienda de cestería en Nahuizalco, departamento de Sonsonate. A la izquierda, tejido con telar manual en Panchimalco, departamento de San Salvador.

Las escobas se fabrican con fibra de sorgo. Candelaria de la Frontera, en el departamento de Santa Ana, es un lugar con vocación de ayudar a la limpieza de los hogares salvadoreños y aun guatemaltecos, ya que de ahí parte una regular cantidad de escobas. Las tombillas de barril y las tombillas cuadradas están hechas a base de vara de bambú y de carrizo y tienen múltiples usos, pues al ser como barriles de casi un metro de alto y unos sesenta centímetros de ancho, sirven para guardar ropa, juguetes y hasta papeles. Nahuizalco, en el departamento de Sonsonate, se caracteriza, entre otras cosas, por sus tombillas.

Los canastos son cestos grandes hechos con vara de castilla ó de bambú. Tienen múltiples usos: desde portadores de fruta y verduras hasta acompañantes obligados para los cortadores y cortadoras, quienes se afanan en llenarlos hasta el tope, con los granos rojos y mieludos del café. En Zacatecoluca, departamento de La Paz, se fabrican canastos baratos y resistentes.

El mimbre se utiliza también en la fabricación de canastas, paneras y adornos en forma de animales. Con mimbre se hacen asimismo unos muebles muy elegantes en Nahuizalco, departamento de Sonsonate. Termina el recorrido por los tejidos de fibra con la mención de los petates (esteras) y las alfombras a base de fibra de yute. De la fibra de henequén salen redes y costales o sacos que sirven para transportar cerámica, frutas y granos.

Objetos de metal y otros materiales

El hierro y otros metales sirven para la fabricación de armas y adornos. El corvo o machete largo y delgado ha sido otro amigo y compañero fiel del campesino salvadoreño. Hecho de hierro y profusamente decorado, tanto en la parte metálica como en la vaina, es ahora un *souvenir* muy codiciado en El Salvador. Sin embargo la historia del corvo está teñida también de sangre, y todavía se recuerda a los «indios machetudos» que intentaron botar al gobierno en 1932, o a los «macheteros» que resuelven sus querellas de juego de azar volándole la cabeza al oponente. La cuma (machete corto, ancho y de punta curvada) sirve para cortar *zacate* y grama; más que un arma es un instrumento de labranza que se han llevado consigo los campesinos que llegan buscando suerte a las ciudades. Corvos y cumas se fabrican a escala industrial en fabricas especializadas y casi muy poco tienen que ver ya con las verdaderas artesanías.

Con hierro se elaboran candelabros, lámparas y balcones en talleres que conservan aún el sabor artesanal. Pero el trabajo que ha captado la atención de nacionales y extranjeros por su originalidad ha sido la forja de la chatarra o fibras metálicas de desecho. En Atiquizaya, departamento de Ahuachapán, surgió hace algunos años un taller en el que se hicieron figuras y adornos con hierros viejos retorcidos. Famoso el Don Quijote, capaz de retar con sus atrevidos trazos, a las magistrales líneas del Quijote y Sancho de Picasso.

Lejos de su pasado esplendor, la artesanía del hierro mantiene sin embargo algunas de sus antiguas aplicaciones, gracias a la pervivencia de talleres que conservan las viejas técnicas. Imagen de un balcón en la plaza Libertad de San Salvador.

Termina este recorrido por las artesanías con la mención de algunas otras expresiones: del morro se hacen cucharas, cucharones y *guacales*. Santiago de María, en el departamento de Usulután, se pinta para eso. Aunque en cuanto al morro pintado, propiamente, queda algún que otro taller en Izalco, departamento de Sonsonate. Todavía salen de ahí maracas y animalitos como tuncos de monte, recordándonos que esa tradición artesanal viene desde épocas precolombinas. En San Alejo, departamento de La Unión, se fabrican *metates* o piedras de moler; las formas de esos implementos caseros muy poco han cambiado desde las remotas épocas en que se habitó Joya de Cerén, en el departamento de La Libertad. Flores de papel, puros (tabaco) y toda la gama de dulces y aun comidas que se citaron constituyen la expresión de un pueblo diestro en manejar las manos, hábil para hacer cualquier «tontera»: un muñeco o un adorno bonito.

■ ■ ■ ■

LA LITERATURA

EL PVNTERO
APVNTADO CON APVNTES BREVES.

Para que no sea corto en la fabrica de la Tinta Añil, ô Tinta Anuel.

DANSE

Instruciones, y advertencias muy vtiles, y necessarias para que el Puntero con algun acierto exercite su oficio.

Trabajado por vn Religioso del orden de N.S.P.S. Francisco, de la Provincia de Guathemala.

Con permisso de los Superiores.
Año de 1641.

Orígenes de la literatura salvadoreña

En sentido estricto sólo cabe hablar de literatura salvadoreña a partir de la segunda mitad del siglo XIX. Con anterioridad a esa fecha, el actual territorio nacional formaba parte de otras entidades políticas, razón por la que carece de sentido hablar de una identidad propia que aspirara a expresarse literariamente. No será sino a partir del triunfo liberal que una élite de intelectuales asumirá la función de conciencia nacional y, con ello, fundará el espacio de una cultura nacional donde la literatura tendrá una participación protagónica.

La labor literaria en El Salvador se ha visto afectada por el precario desarrollo de una infraestructura cultural moderna, es decir, por la debilidad o virtual ausencia de un público lector amplio y anónimo, de un mercado editorial y de una red de instituciones oficiales de fomento y difusión estatal encargado de promover la cultura nacional. Pese a estas dificultades, El Salvador ha conformado, a lo largo de un período relativamente corto, un patrimonio literario, considerable en volumen y calidad, susceptible de ser considerado una vía de acceso privilegiado a una historia nacional llena de vicisitudes.

Estas peculiares condiciones restan capacidad explicativa a los criterios de periodización habituales en la historiografía literaria. Si bien es necesario considerar el diálogo que los escritores locales mantienen con las principales corrientes estéticas de Occidente, también se requiere idear una periodización que recoja las circunstancias propias del proceso literario salvadoreño. Este capítulo trata de articular una propuesta que responda a esas demandas. Y aunque dedica mayor atención al período que arranca de la década de 1880, no por ello omite un breve recuento de la actividad literaria de épocas anteriores.

Vestigios precolombinos

Antes de la Conquista radicaron en el actual territorio salvadoreño diversas poblaciones amerindias: pipiles, lencas, ulúas, chortíes, etcétera. Algunas estaban directamente relacionadas con las grandes civilizaciones mesoamericanas, aunque su desarrollo tecnológico y cultural fue considerablemente menor.

Pocos de los vestigios de la era precolombina nos pueden ayudar a reconstruir con fidelidad las prácticas literarias de esos pueblos. En la primera mitad del siglo XX estudiosos como Leonhard Schultze-Jena y María de Baratta compilaron muestras de literatura oral indígena. Pese a su inestimable valor, este material constituye no tanto un monumento de literatura precolombina, como una evidencia de la condición contemporánea de comunidades asediadas por la marginalidad y la aculturación. A fin de evitar especulaciones estériles y sin base real, lo más prudente a los efectos de una historia de la literatura en El Salvador es dejar este período en un vacío que delata la pérdida irrecuperable de esa tradición ancestral.

■ Lejos de cualquier pretensión literaria, el primer libro impreso en El Salvador fue *El puntero apuntado con apuntes breves,* manual de Juan de Dios del Cid sobre la manufactura del añil. La edición príncipe del libro data de 1641, aunque algunas referencias históricas del texto delatan que fue escrito en el siglo XVIII y que aquella fecha es una mera errata tipográfica. Facsímil de la primera página del libro.

La literatura en la Colonia

En los siglos correspondientes a la Colonia hay un florecimiento literario considerable en la metrópoli ibérica. También en las posesiones americanas se verifica un notable cultivo de las artes, especialmente la arquitectura, la plástica y la música. Existen, empero, obstáculos importantes para un despuntar comparable en la literatura. Entre ellos resalta el celo con que la autoridad religiosa controlaba las almas de sus feligreses recién convertidos al cristianismo. El cultivo de la palabra debía estar al servicio de la fe y bajo el cuidadoso escrutinio de sus guardianes. A pesar de ello tiene lugar una vida literaria secular de importancia en las cortes virreinales de México y Lima. Esta literatura cortesana tiende a reproducir de forma mimética los cánones metropolitanos, aunque ocasionalmente nutra una voz original y memorable como la de sor Juana Inés de la Cruz, la poeta mexicana.

El actual territorio salvadoreño se hallaba lejos de los centros de cultura. Se puede conjeturar que la literatura habría gozado de adeptos entre reducidos círculos de criollos cultos, pero de ello apenas existe evidencia, y cuando la hay, confirma que su cultivo habría tenido un carácter esporádico, efímero y hasta accidental. Ejemplo de lo último es el caso del andaluz Juan de Mestanza, quien ocupara la Alcaldía Mayor de Sonsonate entre 1585 y 1589, mencionado en *El viaje al Parnaso* de Miguel de Cervantes. Algunas de sus obras habrían sido escritas durante su estancia centroamericana.

Mayor suerte habría tenido la literatura dramática. Las investigaciones de Pedro Escalante y Carlos Velis revelan que en los años de la Colonia hubo una considerable actividad teatral, parte central del entretenimiento popular en las festividades de los asentamientos de regular importancia. Durante estas fiestas se representaban piezas de tema religioso o comedias de propósito edificante, la mayor parte de autores españoles, aunque de vez en cuando se representase la creación de alguno de origen americano.

La jerónima mexicana sor Juana Inés de la Cruz (1651-1695) abrió la literatura latinoamericana a unas maneras de sorprendente originalidad que transgredían los cánones barrocos establecidos en la metrópoli. Retrato de Juana Inés de la Cruz que se conserva en el Museo de América de Madrid.

La literatura religiosa

La importancia de la literatura religiosa no es en absoluto despreciable. La fe católica y sus ritos eran el verdadero cemento de una sociedad heterogénea y fuertemente estratificada. Había una literatura ligada a las representaciones dramáticas de tema religioso, escenificadas durante las festividades religiosas de pueblos y barrios. Pero también se encuentra una literatura dirigida a un público lector mucho más reducido y selecto. Allí hay obras de carácter piadoso, hagiografías —vidas de santos y beatos— y tratados teológicos, escritos por religiosos nacidos en el país, pero publicadas muchas veces en Europa.

FIESTAS REALES EN SANTÍSIMA TRINIDAD DE SONSONATE (1762)

«Las Fiestas Reales duraron dieciséis días, en los que se realizaron representaciones de todas las formas apuntadas en este trabajo. Se sucedieron desfiles militares, encamisadas, corridas de toros, cantos, danzas, carrozas, fuegos artificiales y teatro. Las páginas del libro, escrito "en un estilo de plena vigencia en el siglo de la ilustración, con tono enconfitado y amanerado", abundan en minuciosas descripciones de los espectáculos, las escenografías, vestuarios, atrezos, e inclusive, estilos de actuación, danza y canto. Contiene, además, los textos de las obras escritas en América, como las Historias de Moros y Cristianos. Las comedias, sainetes y entremeses traídos de España, sólo se les menciona por el título. Éstos son: *La mayor hazaña de Carlos V, Tercero de la afrenta, El Eneas de la Virgen y el primer rey de Navarra, Las armas de la hermosura, Los barberos mudos, El caballero don Therencio, No hay ser padre siendo rey, El casado por fuerza, El crítico necio, Envidias vencen fortunas, Entre dos estudiantes molondrios, El de los dones, El desdén con el desdén, No hay contra lealtad cautelas, La del gigante Goliath y triunfo de David, No hay vida como la honra, La ladrona, Los apodos*. Olavarría y Ferrari, en su *Historia del teatro en México*, menciona algunos de éstos, como salidos de la pluma de los españoles del Siglo de Oro y dramaturgos mexicanos. Algunos autores advertidos son: Agustín Moreto y Cabaña, Lope, Calderón, Tirso de Molina, Juan Ruiz de Alarcón.» ■

Carlos Velis, «La historia escribe lo que el tiempo desenvuelve», *Cultura 82*, enero-abril 1998, San Salvador.

Dentro de esta última literatura sobresale Juan Antonio Arias, jesuita nacido en Santa Ana, autor del tratado *Misteriosa sombra de las primeras luces del divino Osiris, Jesús recién nacido*. Otro jesuita, el padre Bartolomé Cañas, asilado en Italia a raíz de la expulsión de su orden de los territorios españoles, escribe en Bolonia una *Disertación apologética* que llegó a imprimirse. Fray Diego José Fuente, franciscano oriundo de San Salvador, publicó varias obras religiosas en España. Fray Juan Díaz, originario de Sonsonate, es autor de la biografía de un cristiano ejemplar, *Vida y virtudes del venerable fray Andrés del Valle*.

Una obra de carácter profano pero de discutible índole literaria es el manual para la manufactura del añil, *El puntero apuntado con apuntes breves*, de Juan de Dios del Cid, quien fabricara por cuenta propia una rudimentaria imprenta

■ Durante el siglo XVII, los comediógrafos españoles pudieron ver representadas sus obras en las ciudades salvadoreñas. El prolífico Agustín Moreto (1618-1669), émulo de Lope de Vega y Calderón, muy representado a ambos lados del Atlántico, tuvo en *El desdén con el desdén* (1654) una de sus obras de mayor éxito. Boceto de Manuel de la Cruz para el *Desdén*...

—la primera de El Salvador— para publicar su obra. El documento lleva por data el año de 1641, pero Luis Gallegos Valdés sostiene que esta fecha se debe a un error tipográfico, pues algunas referencias históricas lo sitúan inconfundiblemente en el siglo siguiente.

No se puede hablar de este período sin hacer mención de la *Carta de Relación* escrita por el conquistador extremeño Pedro de Alvarado con fines eminentemente prácticos; en ella, haciendo gala de sus escasas letras, narra episodios importantes de la conquista de estas tierras.

La Independencia

En las últimas décadas del dominio ibérico ya existe en Centroamérica una considerable actividad cultural de carácter secular. Su centro es la ciudad de Guatemala de la Asunción, sede de la Universidad de San Carlos Borromeo. Allí, y en poblaciones de regular tamaño, algunos criollos educados se congregaban para debatir e intercambiar las ideas de la Ilustración. Esto animaría el nacimiento de una literatura de orientación más política que estética, manifiesta principalmente en la oratoria y la prosa argumentativa, polémica y doctrinal, donde los autores hacían gala de su ingenio y de su formación retórica clásica.

En este clima destacan personalidades de origen salvadoreño, algunas de ellas protagonistas de las posteriores gestas independentistas. Cabe recordar aquí la célebre homilía del padre Manuel Aguilar (1750-1819) en la que proclama el derecho a la insurrección de los pueblos oprimidos. Ello provocaría escándalo y censura entre las autoridades. También dentro de esta modalidad de literatura oratoria se sitúa la —aún más famosa— intervención del sacerdote José Simeón Cañas (1767-1838) en la Asamblea Constituyente de 1823. En una pieza oratoria de gran pasión y elocuencia reclama la liberación de los esclavos. También gozó de gran reputación la oratoria y la prosa forense del presbítero y doctor Isidro Menéndez (1795-1858), oriundo de Metapán, autor de buena parte de la legislación salvadoreña.

La Universidad de San Carlos Borromeo (en la imagen, junto a estas líneas) fue una de las instituciones pioneras en la difusión de las ideas ilustradas en Centroamérica.

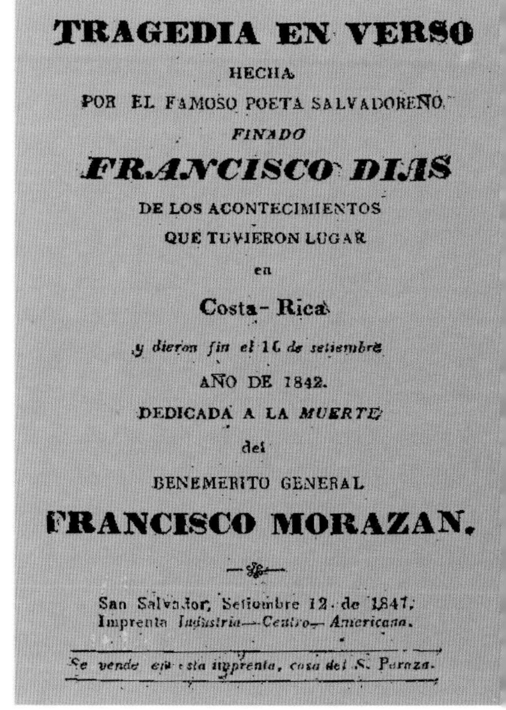

TRAGEDIA EN VERSO
HECHA
POR EL FAMOSO POETA SALVADOREÑO
FINADO
FRANCISCO DIAS
DE LOS ACONTECIMIENTOS
QUE TUVIERON LUGAR
en
Costa-Rica
y dieron fin el 1[illegible] de setiembre
AÑO DE 1842.
DEDICADA A LA MUERTE
del
BENEMERITO GENERAL
FRANCISCO MORAZAN.

San Salvador, Setiembre 12 de 1847.
Imprenta Industria—Centro—Americana.

Se vende en esta imprenta, casa del S. Peraza.

La efervescencia independentista propició una literatura romántica de exaltación patriótica. A la derecha, portada de la obra dedicada por Francisco Díaz a la figura de Morazán.

El político choluteca José Cecilio del Valle (en la imagen, en un retrato de Julián Falla) inspiró los versos del poeta Miguel Álvarez Castro.

Por ese entonces la actividad literaria de carácter estético no gozaba de un protagonismo comparable al del discurso elocuente o al publicismo periodístico. Se limitaba a usos de ocasión, como es el caso de décimas anónimas dedicadas a comentar satíricamente sucesos políticos del momento, o de otras composiciones poéticas que celebran el buen nombre y las hazañas de personalidades de relieve. Aquí encontramos a Miguel Álvarez Castro (1795-1856), autor de poesía laudatoria, entre la que resalta su oda *Al ciudadano José Cecilio del Valle* (1827). Parecido carácter y función tiene la célebre *Tragedia de Morazán*, de Francisco Díaz (1812-1845), pieza en prosa que registra la gesta del héroe liberal y centroamericanista, no publicada hasta 1894.

La patente debilidad del Estado, la exigua vida urbana y la consecuente inexistencia de una infraestructura cultural limitaban considerablemente las posibilidades de existencia de una vida literaria autónoma. Bajo estas condiciones existía una actividad artística dependiente del patrocinio de mecenas individuales y orientada a servir gustos y necesidades de prestigio social de círculos bastante reducidos ■

UN SERMÓN DEL PADRE AGUILAR

«Sofocada la infortunada insurrección de enero de 1814, Peinado ordenó una misa para el 27 de febrero, a la cual asistieron justos y pecadores, más el Intendente y demás autoridades. Por torpe jugada política, pidió al Padre Nicolás que oficiara; mas, el sermón corrió a cargo de su elocuente hermano Manuel. A las primeras voces del insigne orador, el Gobierno en pleno se retira con indignación. Leamos algunas frases del terrible discurso de una de las figuras más grandes de nuestra historia. Dijo el Padre Manuel, entre otras cosas y adelantándose a su tiempo: "No sólo no se guarda la Constitución (Española de 1812), no sólo se atropella a quienes tomaron parte en la revolución, embargando sus bienes, sino que se embargan haciendas de los no culpables, en los cuarteles en donde se les tiene detenidos, tampoco concluyen las infamias que contra ellos se cometen [...] las autoridades llamadas a respetar las leyes son las primeras en violarlas inicuamente [...] ¿Cómo se puede exigir moralidad al pueblo, si los llamados a cumplir la ley son los primeros en atropellarlas? [...] Sé muy bien, por dolorosa experiencia, que colocada la autoridad en el camino de las arbitrariedades, no encuentra nada que sea digno de respeto [...] no se me oculta que mis palabras lastimarán a los nuevos Herodes: pero si por decir la verdad se me persigue, estoy dispuesto a marchar nuevamente al sacrificio..."

En dolorosa queja al Capitán General, Peinado decía: "Éste es el escandaloso y subversivo discurso que con el pretexto de sermón ha pronunciado en el púlpito el Presbítero Manuel Aguilar, que ha llegado al extremo que no era fácil imaginar".» ■

De Gilberto Aguilar Avilés, *De tiempos y de hombres*.

El liberalismo y la modernización cultural

Con la llegada al poder de Rafael Zaldívar, en 1876, los liberales lograron imponerse a sus rivales conservadores. De esta manera asumieron la fundación de un Estado nacional prácticamente desde los cimientos, dada su precaria existencia, fruto de las décadas de desgobierno que habían seguido a la Independencia.

El proyecto liberal

El proyecto nacional liberal confiaba en que el desarrollo de una economía orientada hacia la exportación agrícola —con el café como principal producto— permitiría el salto desde la «barbarie» —para los liberales sinónimo de caudillismo, religión católica y masas incultas— hacia la «civilización», sinónimo de los logros políticos y sociales de las naciones más adelantadas de Europa.

Preparar el país para dicho salto demandaba díficiles tareas. De manera inmediata era necesario cambiar el sistema político legal para adecuar la forma del Estado a los estándares de la civilización, sin comprometer demasiado los intereses de los grupos de poder locales. Así, se

Hubo que esperar al triunfo del liberalismo para que El Salvador pudiera sentar las bases imprescindibles para el despegue cultural e intelectual. En la imagen, perspectiva de la Universidad Nacional, fundada bajo el impulso de las ideas liberales, vista desde el parque Bolívar de San Salvador.

concedió prioridad a la reforma de las estructuras de propiedad de la tierra para estimular la propiedad individual y privada, que desde el punto de vista de los liberales resultaba esencial para modernizar el agro. Ello debía realizarse a marchas forzadas aun si, de paso, abolía formas de propiedad que desde la Colonia habían garantizado alguna seguridad y estabilidad a los sectores sociales más vulnerables.

El salto a la civilización requería de reformas y políticas a un nivel distinto. Aquí entra en juego lo que E. Bradford Burns denomina la «infraestructura intelectual»: la formación de una élite ilustrada capaz de impulsar el nuevo estado de cosas. A lo largo del siglo se habían dado algunos pasos para crear esa infraestructura, pero la inestabilidad, fruto del conflicto entre liberales y conservadores, no había permitido asegurar esos avances. En 1841 se fundó la Universidad de El Salvador que, en la práctica, no entrará en servicio hasta varias décadas después. En 1870 se creó la Biblioteca Nacional, dotada de una colección de comentarios a textos clásicos grecolatinos comprada por decreto oficial al cardenal italiano Lambruschini. Posteriormente el acervo de esta institución se fue enriqueciendo con obras científicas y literarias de corte más moderno. A finales del siglo XIX la Biblioteca Nacional se había fortalecido notablemente y patrocinaba la edición de obras de autores nacionales, además de contar con una revista propia. Se formó asimismo otra institución de carácter semioficial, la Academia Salvadoreña de la Lengua, que se constituyó nominalmente en 1876, aunque no entrará en funciones hasta 1914.

De forma paralela tuvo lugar una actividad cultural independiente entre miembros de las élites. Esta actividad se congregó en una serie de sociedades científico-literarias, la mayor parte de breve existencia. Excepción a esta regla es la sociedad La Juventud, nacida en 1878. Pese a su composición minoritaria fue un foro muy activo de recepción de las últimas tendencias de las ciencias y las artes. Así fue tomando cuerpo una élite intelectual compuesta en particular por individuos provenientes de los rangos de la élites económicas. Esta *intelligentsia*, además de impregnarse del espíritu de civilización, se hizo cargo de constituir las bases de una «conciencia» nacional.

En el terreno científico, ésta es la época de los primeros intentos de inventariar y explicar la realidad física y el pasado histórico del país. En las ciencias naturales sobresale el impresionante trabajo de David J. Guzmán. En la geografía y las ciencias históricas, Santiago I. Barberena deja una obra considerable. Valiéndose de recursos escasos, el entusiasmo patriótico de estos individuos logró formar una base documental que hoy resulta imprescindible para entender El Salvador.

Aunque el énfasis del trabajo de este grupo recae en el terreno científico, sus miembros conceden un papel muy importante a la cultura estética, en especial a la literatura. Formados en el espíritu anticlerical del liberalismo, elevan la poesía al estatuto de culto religioso. Para las

En el terreno científico, destaca la obra pionera de Santiago I. Barberena, que sistematizó el conocimiento en los campos de la geografía y la historia de El Salvador.

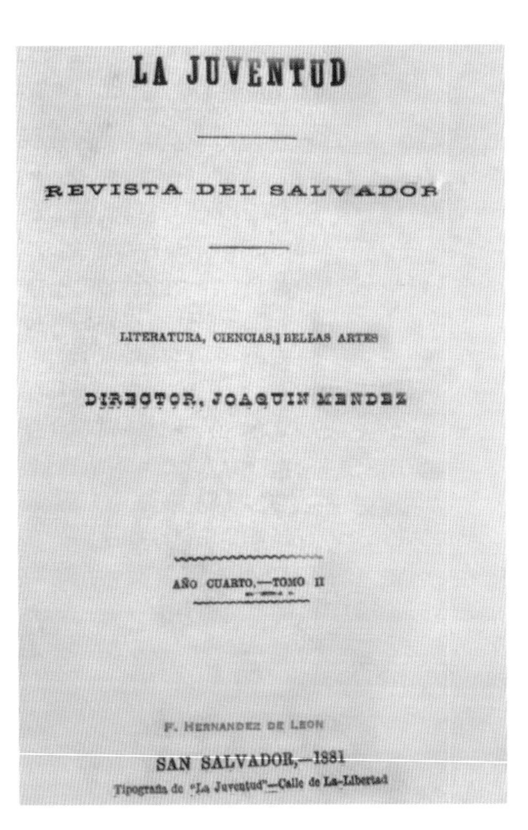

LA JUVENTUD

REVISTA DEL SALVADOR

LITERATURA, CIENCIAS Y BELLAS ARTES

DIRECTOR, JOAQUIN MENDEZ

AÑO CUARTO.—TOMO II

F. HERNANDEZ DE LEON

SAN SALVADOR,—1881

Tipografía de "La Juventud"—Calle de La Libertad

La Juventud, una de las sociedades científico-literarias de mayor presencia en las postrimerías del siglo XIX, aglutinó a una élite determinante en la creación de la conciencia nacional salvadoreña. Portada de la *Revista del Salvador* editada por dicha sociedad. A la derecha, Juan José Cañas, el autor del himno nacional.

élites liberales, el dominio de la palabra y la familiaridad con las últimas manifestaciones de la literatura europea —en particular la francesa— constituían las marcas inequívocas e inexcusables de superioridad espiritual. Curiosamente, esta peculiar relación con el ámbito estético contribuye a valorar el estatus del poeta y hacer de la literatura un elemento importante en la legitimación del poder y del Estado. Sólo así es posible explicar el especial favor de que gozan entre «déspotas ilustrados» centroamericanos autores como Rubén Darío, José Santos Chocano y Porfirio Barba Jacob.

Modernismo y modernización literaria

La historia del modernismo se remonta en El Salvador a las polémicas sobre el influjo del romanticismo que tuvieron lugar en el seno de La Juventud. Allí se denunciaba el magisterio del español Fernando Velarde, quien había permanecido en el país en la década de 1870, impactando a las jóvenes generaciones cultas con una poesía sonora y grandilocuente. Fruto de ese magisterio había sido la producción de una obra poética profundamente influida por un romanticismo de cuño ibérico, es decir, retórico y folklorista. A este romanticismo se suele asociar los nombres de Juan J. Cañas (1826-1918), autor de la letra del himno nacional, Rafael Cabrera, Dolores Arias, Antonio Guevara Valdés, Isaac Ruiz Araujo y otros.

Todavía adolescentes, Rubén Darío (1867-1916) —el célebre poeta nicaragüense que residía por esos años en San Salvador— y Francisco Gavidia (1864-1955) arremeten contra la poesía de Velarde y llaman la atención sobre el modelo de la poesía francesa simbolista y parnasiana. Ambos la estudian con rigor y entusiasmo, tratando de desentrañar sus intrincados mecanismos constructivos y de verterlos a la lengua castellana. Célebre es la fórmula ideada por Gavidia para traducir al español el versátil alejandrino francés.

DE GUTZAL,
de Francisco Gavidia

Jickab tiene una niña
bella y enamorada
de Chal-Duka el guerrero
terror de esas comarcas.
Es Gutzal, la morena
niña de dulce cara;
de ojos ardientes,
mitigan sus pestañas
la mirada encendida
como el sol de su patria.
En el palacio vive
por el padre guardada,
pagando en el encierro
con amorosas lágrimas
su cariño al valiente
que le ha robado el alma.

Jickab es enemigo
de Chal-Duka y le odia:
Chal-Duka con sus armas
le acomete, le acosa,
y en el palacio, al cabo
le cerca, y le aprisiona,
mientras que le devasta
el reino; y le abandonan
los más valientes jefes,
pues Chal-Duka los compra,
o bien les intimidan
esas armas poderosas;
y así cuando sus armas
temibles no le abonan
con astucia sus planes
y con riquezas, logra ■

Tomado de Román Mayorga Rivas, *La Guirnalda Salvadoreña*.

■ El poeta y dramaturgo Francisco Gavidia, traductor de los simbolistas franceses, puso los cimientos de la literatura salvadoreña propiamente dicha.

Si Darío, en tanto que poeta exitoso en todo el ámbito iberoamericano, es el héroe y el modelo a seguir entre las nuevas generaciones literarias, Francisco Gavidia asume conscientemente la empresa de fundar una literatura nacional, es decir, pensar e idear el genio de la nacionalidad salvadoreña. Esta preocupación está más o menos presente a lo largo de una voluminosa obra que evidencia una erudición portentosa, aunque no siempre afortunada en la concreción artística. Francisco Gavidia representa la expresión más decantada del espíritu liberal en el terreno del arte. Su visión de la literatura salvadoreña aboga por la vocación universal y el dominio de la tradición de Occidente, aunque no olvida la necesidad de rescatar y conocer lo autóctono.

Otros autores importantes del período son Vicente Acosta, Juan José Bernal, Calixto Velado y Víctor Jeréz. Algunos de ellos animan la publicación literaria *La Quincena*, que jugaría un importante papel en la difusión de la estética finisecular ■

■ Calixto Velado, figura destacada del grupo que a partir de 1903 canalizó sus opiniones a través de *La Quincena*.

El nuevo siglo

En plena eclosión del movimiento modernista, el modelo cultural introducido por los liberales dio un paso adelante gracias al presidente Manuel Enrique Araujo, quien fundó el Ateneo de El Salvador.

Durante las primeras décadas del siglo XX el influjo del modelo literario modernista siguió predominando, aunque se vislumbraban nuevos rumbos. El modelo de modernización cultural liberal pareció consolidarse bajo el efímero gobierno de Manuel Enrique Araujo, presidente que gozaba de apoyo entre la intelectualidad y que parecía comprometido con una política de fomento científico y artístico. Araujo intentó dar una base institucional más sólida al modelo de sociedades científico-literarias con la fundación del Ateneo de El Salvador, pero este impulso se truncó con el atentado que le costó la vida en 1913.

Con sus sucesores, la dinastía de los Meléndez-Quiñónez, el camino hacia el progreso aparece ensombrecido por el retorno de males de tiempos pasados: nepotismo, intolerancia, clientelismo, etcétera.

El costumbrismo y la mirada introspectora

Una literatura preocupada hasta entonces por la pertenencia a un espíritu estético cosmopolita estaba poco dotada para encarar estas duras realidades. Sin responder necesariamente a un programa estético explícito, literatos de variada filiación ideológica comenzaron a atenderlas. Como resultado proliferó el cultivo de distintas modalidades del retrato de costumbres donde, bien de manera satírica, bien con espíritu analítico, se dirige la atención a dimensiones hasta entonces excluidas del arte. En el costumbrismo sobresale el general José María Peralta Lagos (1873-1944), ministro de Guerra de Manuel Enrique Araujo y escritor de gran popularidad por los artículos polémicos y de sátira social que publicaba bajo la rúbrica de T. P. Mechín. Su obra narrativa y su drama *Candidato* se caracterizan por la captación jocosa de aspectos típicos de los ambientes provincianos. Otros costumbristas de importancia son Francisco Herrera Velado y Alberto Rivas Bonilla.

La popularidad que vive el relato de costumbres se apoya en la creciente importancia del periodismo. Este medio de difusión provee algunas bases para una actividad literaria más independiente y, en consecuencia, más crítica con respecto al estado de cosas en el país. Aquí también es oportuno mencionar el publicismo político. De esta vertiente, la figura más relevante será la de Alberto Masferrer (1868-1932), quien escribió además una considerable obra ensayística. Aunque de intención más política y moral que artística, la producción de Masferrer contribuye de manera considerable a crear el clima que orienta un cambio de rumbos en el quehacer literario.

Característica de todos los autores de este período es la relativa subordinación del aspecto estético a lo ideológico. Ello no sucede con Arturo Ambrogi (1875-1936), quien llegará a ser el escritor viviente más leído y prestigioso de El Salvador. En su juventud había publicado unos relatos de corte dariano, amanerados y artificiales, pero a lo largo de una vida de dedicación al arte literario llegó a dominar con maestría la crónica y el retrato. Hacia 1917 Ambrogi publicó un volumen de crónicas y relatos titulado *El libro del Trópico*. Se puede discutir si ésta es su obra más lograda, pero no se pueden obviar sus implicaciones para el posterior desarrollo de la literatura salvadoreña. Lo verdaderamente original de Ambrogi es que el vuelco temático hacia la exploración de lo autóctono va acompañado de una búsqueda formal. Ello lo conduce a un hallazgo importante, señalado por Tirso Canales: la síntesis entre el lenguaje literario y el dialecto vernáculo.

En la Casa Ambrogi (a la izquierda), considerada el primer rascacielos de Centroamérica, vivió el escritor más leído de El Salvador, Arturo Ambrogi

Alberto Rivas Bonilla (junto a estas líneas) se escondía en ocasiones bajo el seudónimo de Sebastián Salitrillo.

Si la representación del habla popular está ampliamente presente en el relato costumbrista y es uno de los elementos que decididamente otorga «color local» y que caracteriza a los personajes «ignorantes», Ambrogi, en cambio, propone algo bastante novedoso: incorporar al discurso autorial voces populares y jugar con sus posibilidades literarias. De esta manera ela-

A Arturo Ambrogi, que en los años treinta fue el escritor vivo más leído en El Salvador, se debe la incorporación del habla popular al relato literario.

bora una propuesta estética de considerables consecuencias: si el lenguaje del pueblo es capaz de producir poesía, no toda la cultura vernácula es barbarie e ignorancia.

Parecida significación puede atribuirse a la obra lírica de Alfredo Espino (1900-1928), en la que temas y lenguajes populares acaban transformados en materia poética. Ello constituye un suceso de gran importancia en la historia literaria salvadoreña, por mucho que esta poesía parezca anacrónica y pueril a las generaciones posteriores.

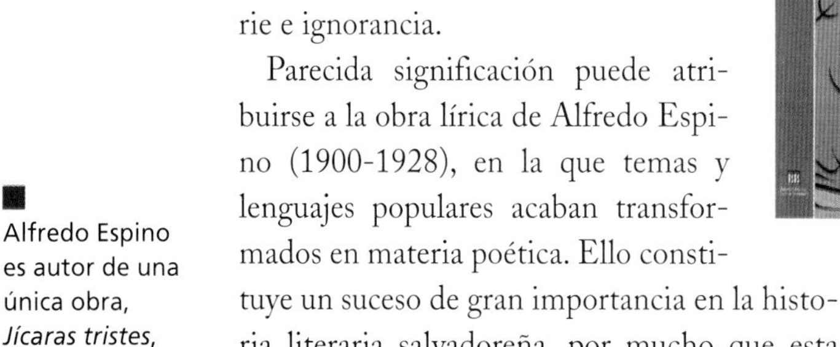

Alfredo Espino es autor de una única obra, *Jícaras tristes*, poemas aparecidos póstumamente en 1930.

El período que comprende las primeras décadas del siglo XX es importante porque marca el paso a una cultura nacional que se ve obligada a recurrir a lo «autóctono» para definirse. Este dato revela que la vida nacional está dejando de ser una preocupación exclusiva de las élites «europeizadas» y está arrastrando a sectores sociales más heterogéneos.

LA PROSA DE AMBROGI

«En la Plaza de Armas estaba, en aquel entonces, el mercado. No se había edificado aún, en la plazuela de Santa Lucía, el Mercado Central, y en la manzana en donde hoy está el Parque Dueñas, las vendedoras tenían instalados, aglomerados alrededor de la gran pila de mezcla, sus ramadas y velachos. Esa mañana no había habido "plaza", y las vendedoras, endomingadas, habían, desde muy temprano, embanderado y adornado de manera vistosa sus "puestos". Colmada estaba ya. Y como ella lo estaban los tres portales, y el del Cabildo, y todo el espacio descubierto del atrio de la entonces Catedral (hoy Iglesia del Rosario). De los portales y sus graderías, la gente desbordaba hasta el medio de la calle, invadiéndola. Sobre aquella multitud, bullente como gusanera, flotaba un vaho denso, pesado, de mal olor a sobaco, de pedo frijolero, de tufarada de trapo sucio, de regüeldo apestoso, de emanación a pata shuca, de estocada a sexo sin asear. Aquello asqueaba. Provocaba el vómito. Afluía, todavía, más gente a las bocacalles. Rumor de marea subía de aquella enorme aglomeración. Parecía asistirse a una de aquellas "bajadas" del Salvador del Mundo, en la época de esplendor de la Feria de Agosto.» ■

De Arturo Ambrogi, «La entrada triunfal (1935), *Cultura 74*.

Antimodernismo

A finales de la década de 1920 y principios de la siguiente la sociedad salvadoreña sufrió varias sacudidas que desbarataron la ya endeble fe en la utopía ilustrada. En el terreno económico, la crisis de Wall Street se tradujo en un drástico desplome de los precios del café. El

momento no podía ser peor. Pío Romero Bosque había iniciado un proceso de retorno a la legalidad institucional que permitió convocar las primeras elecciones libres de la historia salvadoreña. En ellas resultó electo el ingeniero Arturo Araujo llevando un programa reformista inspirado en las ideas de Alberto Masferrer, quien de hecho había apoyado de manera activa la campaña electoral de Araujo. La crisis económica y el conflicto político resultante hicieron fracasar en cuestión de meses la gestión del mandatario y dieron paso a seis décadas de autoritarismo militar.

En el terreno de la actividad artística se registró una activa búsqueda de alternativas frente al Occidente moderno como ideal de civilización. El modernismo dariano abundaba en condenas retóricas al prosaísmo de los nuevos tiempos, pero a la vez estaba deslumbrado por la opulencia y el refinamiento de la Europa finisecular. El modernista condena la vulgaridad de los nuevos ricos, pero no muestra disposición a renunciar a los objetos artísticos que la riqueza produce. Entre las nuevas generaciones literarias esta actitud cambia: ya no se trata de quejarse de las enfermedades del siglo, sino de rechazar la modernidad en su fundamento mismo. Para muchos intelectuales el anhelado progreso ha dado signos inequívocos de su esencia maligna.

Desde su cargo de cónsul en Amberes, Alberto Masferrer había presenciado la demencia de la Gran Guerra. Alberto Guerra Trigueros (1898-1950) ha vivido también la crisis cultural europea en carne propia y se ha embebido del espíritu del nuevo arte, es decir de las vanguardias. Otros literatos sabrán de esas crisis por sus lecturas. Para todos ellos había llegado el momento de interrogarse seriamente acerca de si las ideas de progreso y democracia eran aún portadoras de algún sentido para un nuevo mundo interesado ahora en afirmar su alteridad.

Esta búsqueda de alternativas llevó a muchos a hacer un largo y accidentado periplo por senderos tan distintos que incluyen el misticismo oriental, las culturas amerindias y un primitivismo que veía en las formas de vida tradicionales la plena y valedera antítesis de la modernidad desencantada.

En El Salvador, gozaron de particular popularidad la teosofía y otras adaptaciones *sui generis* de las religiones orientales. Estas ideas tuvieron un notable poder de cohesión en una nutrida promoción literaria que contó con talentos como los de Alberto Guerra Trigueros, Salarrué (seudónimo de Salvador Salazar Arrué, 1899-1975), Claudia Lars (seudónimo de Carmen Brannon, 1899-1975), Serafín Quiteño, Raúl Contreras, Miguel Ángel Espino, Quino Caso, Juan Felipe Toruño y otros. Estos escritores

■ Como reacción frente al modernismo de la generación precedente, una serie de escritores dirigieron la mirada hacia Oriente: Salvador Salazar Arrué, *Salarrué* (a la izquierda), fue uno de ellos.

■ *La casa de vidrio*, de Claudia Lars, se publicó en Chile en 1942. La primera edición de *Mitología de Cuscatlán*, de Miguel Ángel Espino, es de 1919.

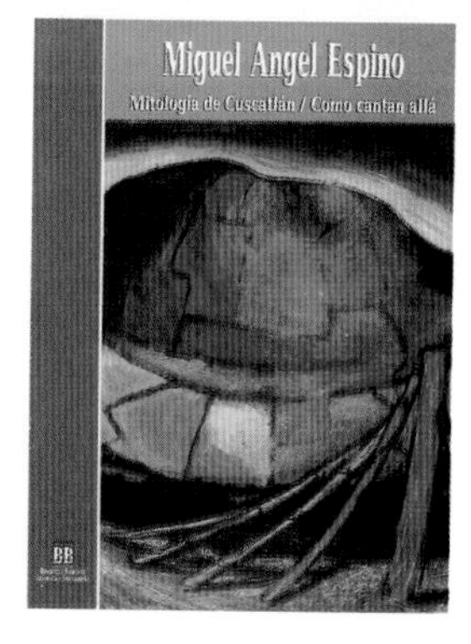

encontrarán su credo estético y su profesión de vida en un arte definido como antagonista radical de la modernidad social.

Guerra Trigueros es el artista con formación teórica más sólida de este grupo y el más familiarizado con las corrientes intelectuales y estéticas de Europa. Además de ser autor de una obra destacada, jugó un papel importante como difusor de las nuevas ideas estéticas. En sus ensayos abogó por una redefinición radical del lenguaje y los temas poéticos hasta entonces muy dominados por la estética modernista. Promovió el verso libre y una poesía de tono coloquial, proclamando así una poesía «vulgar», en el sentido de redimir la cotidianidad. Estas ideas se harán más visible en las generaciones posteriores —en la de Pedro Geoffroy Rivas, Osvaldo Escobar Velado o Roque Dalton—, ya que sus contemporáneos —Claudia Lars, Serafín Quiteño y Raúl Contreras— elaboraron una expresión lírica siguiendo moldes más bien clásicos, aunque ya distantes del modernismo.

■ Caricatura de Serafín Quiteño, por Bollani.

Populismo y autoritarismo

En la narrativa ocupa un lugar central la obra de Salarrué. Diversa, voluminosa y desigual, es la continuación y culminación de la síntesis entre el lenguaje literario culto y el habla popular iniciada por Ambrogi. Sus *Cuentos de barro* (1933), acaso el libro salvadoreño más publicado y leído, tienen interés por ser una de las decantaciones literarias más logradas de esa síntesis y por elevar el primitivismo de la sociedad campesina al estatuto de utopía nacional. También frecuentó los temas fantásticos y los relacionados con su religiosidad orientalista. Salarrué se destacó también como artista plástico.

LA «VULGARIDAD» EN LA POÉTICA DE GUERRA TRIGUEROS

«Yo quisiera hacer una poesía, primeramente en *cuanto al fondo*, lo bastante veraz y sincera, lo suficientemente humana, cruda y personal (personal, digo, no necesariamente original), como para libertarse y libertarnos, por un momento siquiera, de la tiranía del momento [...] Quisiera una poesía, por decirlo así, arquitectónica y al mismo tiempo en cierto modo, biológica: profundamente humana, arraigada en el hombre mismo, en el hombre de carne y hueso y espíritu. Y esto habría de lograrse, ante todo, por la índole misma de los temas escogidos: temas universales en el espacio, e imperecederos en el tiempo, inseparables de la más íntima naturaleza humana: temas, por ello mismo, siempre comprensibles y sensibles para todos los hombres; para todas las épocas, razas y regiones de los hombres.

Quisiera también una poesía, *en lo que respecta a la forma*, de apariencia voluntariamente prosaica, y hasta *vulgar*. Una poesía cuya materia poética se encuentra allí donde casi nadie, en nuestra época, sabe ni quiere buscarla ya [...]

En este sentido yo entiendo la poesía como una reacción consciente contra «lo poético», contra lo que vulgarmente se entiende por «poesía»: esto es, contra el excesivo afinamiento meramente sensitivo y aun sensual. Una poesía tal como ésta de que hablo, aspira sencillamente a trasladar, en lo posible, *la prosa* al terreno poético; para que así, desnudos por fin de todo adorno y oropel, queden únicamente a salvo los poetas de veras.» ■

De «Poesía vrs. arte»,
Conferencia dictada en la Asociación Cultural de Occidente.

Aunque los miembros de esta promoción de literatos no siempre tuvieron vínculos directos con la dictadura militar entronizada en 1931, su concepción de la cultura nacional como negación del ideal ilustrado no dejó de proporcionar cierta utilidad a la legitimación del nuevo orden. La idealización del campesino tradicional, de su vínculo solidario con la naturaleza, permitía asociar el autoritarismo y el populismo, ingredientes indispensables del discurso de la naciente dictadura militar.

Caricatura del poeta, científico y novelista Hugo Lindo, por Francisco Reyes.

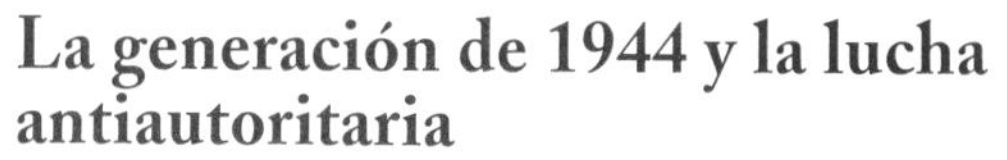

La generación de 1944 y la lucha antiautoritaria

En la década de 1940 alcanzó su madurez un grupo de escritores entre quienes se cuentan Pedro Geoffroy Rivas (1908-1979), Hugo Lindo (1917-1985), José María Méndez (1916), Matilde Elena López (1922), Julio Fausto Fernández, Oswaldo Escobar Velado, Luis Gallegos Valdés, Antonio Gamero y Ricardo Trigueros de León. Ellos continuaron la labor iniciada por la generación anterior. Pedro Geoffroy Rivas produjo una obra lírica marcada por las vanguardias y, además, desarrolló una importante labor de rescate de las tradiciones indígenas y de la lengua popular. La poesía de Oswaldo Escobar Velado tiene una delatada preocupación existencial y un componente esencial de denuncia de las injusticias sociales. José María Méndez y Hugo Lindo exploraron nuevas fronteras de la narrativa.

La escritora Matilde Elena López, caricaturizada por Bollani.

Numerosos escritores de esta generación jugaron un papel muy activo en el movimiento democrático que puso fin de la dictadura del general Hernández Martínez. Sin embargo, algunos de ellos colaborarán activamente con el régimen del coronel Óscar Osorio.

Dentro de un proyecto de modernización del Estado, Osorio promovió una de las políticas culturales más ambiciosas que conoce la historia de El Salvador. Para citar un ejemplo, a través del Departamento Editorial del Ministerio de Cultura (posteriormente Dirección de Publicaciones del Ministerio de Educación), bajo la enérgica dirección del escritor Ricardo Trigueros de León se desarrolló una labor editorial de gran alcance, la cual constituye, a la vez, un paso decisivo en sentar las bases del canon de la literatura salvadoreña.

Los nietos del jaguar, de Pedro Geoffroy Rivas, se publicó en 1977.

De forma paralela, tuvo lugar un proceso que había de afectar al desarrollo de la literatura: el auge y la universalización de la industria de la cultura. Hacia 1950 resultaba bastante claro que los medios de difusión masiva estaban desplazando a las bellas artes y a la cultura popular tradicional como generadores de referentes imaginarios de la población. Ante esa situación la literatura fue quedando relegada a una incómoda marginalidad. Esta debilidad hace del trabajo artístico un fácil rehén del régimen militar, cada vez más deslegitimado por la corrupción y la ausencia de libertades políticas.

Compromiso y rebeldía

La generación literaria que alcanzó su mayoría de edad en la década de 1950 aportó algunas novedades. Es, en alguna medida, resultado de una ampliación relativa de la cobertura social del sistema educativo oficial. Por primera vez ingresó al terreno de la cultura una generación de escritores en la que se cuentan individualidades provenientes de los escalones bajos de las clases medias e, incluso, de los sectores populares. Es una generación que ha sufrido en carne propia el carácter injusto y excluyente de la sociedad salvadoreña y que llega a la madurez en la época del «compromiso» sartreano y de las luchas de Argelia, Vietnam y Cuba. Ello motivó a muchos escritores a adoptar posturas de oposición activa frente al régimen militar. Algunos lo harán desde las filas del Partido Comunista. El foro privilegiado de esta acción política fue la Universidad Nacional de El Salvador, pues su estatuto de autonomía le brindaba alguna protección contra la persecución y la censura. Ítalo López Vallecillos (1932-1986) nombró retrospectivamente a esta promoción la «generación comprometida».

El núcleo de Vallecillos

En realidad, este grupo muestra cierta heterogeneidad. En primer lugar, destaca un primer núcleo formado por el propio López Vallecillos, Álvaro Menén Desleal (seudónimo de Álvaro Menéndez Leal), Irma Lanzas, Waldo Chávez Velasco, Ricardo Bogrand y otros escritores que, siendo aún muy jóvenes, participan en las luchas democráticas de finales de la década de 1940 y principios de la de 1950. Estos escritores revelan una individualidad bastante marcada y una preocupación por apropiarse de las últimas corrientes artísticas universales.

Ítalo López Vallecillos tuvo una activa carrera política de oposición a la dictadura militar y desempeñó una no menos importante labor de promotor cultural, que es un ejemplo de independencia y espíritu crítico; sin embargo, en su obra lírica, de tonos más bien clásicos, está mucho más presente el clasicismo de cierta vertiente de la generación del 27 española que el aliento mesiánico de la vanguardia latinoamericana. Álvaro Menén Desleal, quien se desempeñó profesionalmente en la publicidad y los medios de comunicación, produjo una obra narrativa y dramática bastante original, en la que aparece claramente la influencia de Jorge Luis Borges y Samuel Beckett.

La generación comprometida, reunida bajo un retrato de su mentor, Oswaldo Escobar Velado. De pie, de izquierda a derecha: Camilo Minero, Jorge A. Cornejo, Antonio Gómez Véjar, Napoleón Rodríguez Ruiz (hijo), Ítalo López Vallecillos, Álvaro Menén Desleal, y Mario Flores Macall. Sentados: José Roberto Cea, Roberto Armijo, Manlio Argueta y Ricardo Bogrand.

A la derecha, retrato de Italo López Vallecillos.

Álvaro Menén Desleal (izquierda), miembro destacado del núcleo de Vallecillos, que se caracterizó por su individualismo creativo. A la derecha, Roberto Armijo, miembro del izquierdista y mucho más coral Círculo Universitario.

El Círculo Universitario

Mucho más abiertamente de izquierdas fue la postura del otro grupo de literatos, el Círculo Universitario, que congrega nombres como los de Roque Dalton, Manlio Argueta, Roberto Armijo, José Roberto Cea, Napoleón Rodríguez Ruiz hijo y otros. Su literatura de denuncia tiene un precedente declarado en la obra de Oswaldo Escobar Velado, a menudo considerado el mentor de esta generación. Muchos de estos autores transitaron por el Partido Comunista y se inspiraron en el ejemplo de la revolución cubana, tornándose cada vez más frecuente el reclamo de una labor literaria congruente con estas miras políticas.

Por el valor intrínseco de la obra, la audacia de sus reflexiones estéticas y su muerte trágica, corresponde a Roque Dalton (1935-1975) ser la figura más destacada de esta generación. La poesía lírica comprende la porción más importante de una obra diversa y, a veces, inclasificable, que incluye también la narrativa y el ensayo. Dalton se impone el reto de conjugar la militancia revolucionaria con una obra formalmente innovadora. Dentro de su programa estético se suscribe a menudo la abolición de las fronteras entre el arte y la vida, lo que lleva al autor a ingeniosos experimentos de *collage* que mezclan el verso, la narración y el documento histórico. Ejemplos de esta concepción son *Taberna y otros lugares*, *Historias prohibidas del Pulgarcito* y *El libro rojo para Lenin*.

Se trata de una generación importante por sus creaciones literarias, pero también por su lucha por liberar a la literatura de la servidumbre del poder. Su obra da cabida a la experimentación formal, a la vez que proclama la necesidad de asumir una posición ética frente a los problemas sociales. En la medida en que el conflicto en el entorno político se polariza y acarrea represión, censura y continuas intervenciones militares al recinto de la Universidad Nacional, la práctica de este quehacer literario en territorio nacional es cada vez más riesgosa. A partir de entonces, una parte considerable de la literatura salvadoreña se escribirá en la clandestinidad o el exilio.

Luz negra, tragicomedia de Álvaro Menén Desleal, publicada en 1967.

Literatura y conflicto social

La década de 1970 trazaría un panorama bastante complejo para la literatura. Por un lado, resulta cada vez más patente la pérdida de prestigio social de la actividad artística. A diferencia de las antiguas élites liberales, las nuevas élites sociales prescinden del refinamiento estético como elemento de distinción y tienden a reemplazarlo por la cultura del consumo ostentoso. De esta manera el espacio conquistado para la cultura en la institucionalidad estatal sufre un doble desgaste: padece por un lado el desprecio de las élites de poder, quienes ven en el arte una actividad incomprensible e improductiva y, por otro, es vista con recelo en los círculos intelectuales de la oposición. El efecto de esta situación es nefasto. El desgaste de legitimidad unido a la crisis económica que se desata con la eclosión del conflicto social asfixia casi por completo instancias que, pese a todos sus defectos, habían logrado promover y preservar el patrimonio cultural de la nación.

Como contrapartida, a lo largo de la década de 1970 tuvo lugar una efervescente actividad artística en círculos de la oposición de izquierdas. Pese a las adversidades, la productividad fue notable, especialmente en el terreno de las artes escénicas y la música popular. En el ambiente de la Universidad de El Salvador, cada vez más politizado, siguieron apareciendo nuevas generaciones literarias que se hacían eco de los gustos y las costumbres del movimiento contracultural de finales de los años sesenta.

La publicación de la novela testimonial de Manlio Argueta *Un día en la vida* señala en 1980 un cierto auge de la narrativa testimonial

Sin duda el autor salvadoreño más conocido fuera del país es Roque Dalton, cuya estética innovadora se propone la experimentación formal como vehículo de una poesía militante.

ROQUE DALTON Y EL *COLLAGE*

«La solución formal que encontré para cumplir esos propósitos es el uso del *collage*. Es un procedimiento al que he llegado naturalmente en el desarrollo de mi trabajo poético y en uso del cual he terminado antes otro libro: *Las historias prohibidas del Pulgarcito*. Hay un riesgo en el *collage*: la variedad de niveles de elaboración que supone. En el producto final podemos mostrar zonas cuya integración no es adecuada a la unidad mínima establecida por la mayoría del conjunto logrado, etcétera. Pero ese riesgo puede ser, al mismo tiempo, una sugerencia de salida, de solución, para un poema sobre el leninismo en América Latina [...]

Independientemente de su estructura, la idea de este poema nació en mí como surgen todos los poemas para los poetas: como una necesidad expresiva acuciante [...]

En ese camino ... yo, como poeta, decidí hacer un poema. Un poema que pueda inscribirse en la nueva poesía latinoamericana que se abre paso en nuestros días: poesía no para declamar, sino para leer, meditar, discutir; poesía de ideas más que de sentimientos, aunque no ignore y recoja los niveles sentimentales; poesía de hechos, de personajes y de pueblos que luchan; poesía que se niega a ser materia exclusiva para la preciosista momificación sonetaria y bibelotística; poesía invadida por la vida invasora de la vida, inundada por las otras formas de la creación humana y a la vez inundadora de ellas; poesía útil para la lucha, para ayudar a transformar el mundo.» ■

Roque Dalton, *Un libro rojo para Lenin*.

que recoge —a veces de forma creativa, pero en la mayoría de casos de manera cruda y literariamente poco elaborada— la experiencia de la violencia política y la guerra. Aunque en su momento no faltaron algunos estudiosos que cifraran grandes esperanzas en el potencial innovador de este tipo de literatura, con la distancia de los años transcurridos se ve que los pronósticos eran desproporcionados.

Sería erróneo sugerir que toda la producción literaria de las décadas de 1970 y 1980 tiene un carácter partisano respecto de los bandos en pugna. Muchos escritores sintieron la urgencia de afirmar la independencia de su trabajo creativo respecto de sus opciones o simpatías políticas. Entre ellos se cuentan David Escobar Galindo, Alfonso Quijada Urías, Rafael Rodríguez Díaz, Francisco Andrés Escobar, Ricardo Lindo y Claudia Herodier, entre otros.

La narrativa de Manlio Argueta es un exponente de la literatura testimonial que, desde una sensibilidad de izquierdas, destila la experiencia traumática de la violencia social y de la guerra.

Alfonso Quijada Urías pertenece al numeroso grupo de escritores que trata de crear una obra independiente cuyas claves se encuentran más allá del difícil contexto político en el que fueron escritas.

La posguerra

Después de la firma de los Acuerdos de Paz la literatura salvadoreña enfrenta grandes desafíos. El mayor de ellos es, sin duda, contrarrestar la marginalidad en la que se encuentra confinada en un mundo regido por la cultura mediática posmoderna. En una sociedad donde la audiencia de programas televisivos alcanza millones, no deja de ser preocupante que las impresiones de obras literarias raras veces superen el millar de ejemplares.

Esta situación no debe llevar a la prematura conclusión de que la literatura salvadoreña ha enmudecido. Cada año son más los que asumen el reto de plasmar artísticamente un mundo que cambia con celeridad. El derrumbe de las utopías, la experiencia de la guerra, el trasplante masivo de contingentes de población salvadoreña a otros países —especialmente Estados Unidos—, la caótica vida urbana y la ubicuidad de la cultura mediática son nuevos datos que interpelan a quienes escriben.

Se ha ido consolidando la carrera artística de autores que se iniciaron en el período de confrontación. Ahora muestran en su obra un mayor repertorio de recursos expresivos y una perspectiva más distanciada. En poesía debe nombrarse a Miguel Huezo Mixco, Róger Lindo, Alfredo Ernesto Espino y Carlos Santos. En narrativa destacan Horacio Castellanos Moya, Jacinta Escudos, Rafael Menjívar, Melitón Barba y Carlos Castro. En la literatura dramática sobresalen Carlos Velis y Geovanni Galeas.

El interés de las nuevas generaciones por la literatura no ha decaído. Algunos de los jóve-

Melitón Barba (junto a estas líneas) pertenece a la generación de escritores de posguerra, en la que se cuenta aquellos que se forjaron en el exilio, como Jorge Kattán Zablah (imagen de la derecha).

nes preocupados por expresarse son Otoniel Guevara, Luis Alvarenga, Rafael Francisco Góchez y Silvia Elena Regalado.

También fuera del territorio nacional se da una actividad literaria considerable cultivada por salvadoreños que tratan de recuperar literariamente la experiencia de los compatriotas en la diáspora. No debe pasarse por alto a autores que, desde Estados Unidos, Canadá y otros países contribuyen a la literatura salvadoreña: Jorge Kattán Zablah, Martivón Galindo, Armando Molina, Mayamérica Cortez, Mario Bencastro, René Edgardo Rodas.

En los últimos años ha sido meritorio el esfuerzo desplegado por el Consejo Nacional para la Cultura y las Artes (Concultura) por reanimar la institucionalidad estatal de promoción cultural. Especialmente estratégico para el impulso de la actividad literaria ha sido el relanzamiento de la editorial estatal, Dirección de Publicaciones e Impresos. También debe hacerse mención al papel que cumplen fundaciones culturales independientes y empresas editoriales privadas. El número de obras literarias publicadas desde la firma de los Acuerdos de Paz representa un incremento cuantitativo considerable respecto a las dos décadas anteriores. Todo ello permite sustentar la convicción de que aún existe un futuro para la literatura en El Salvador.

■ ■ ■ ■

LAS BELLAS ARTES

Las artes plásticas

Si bien el país posee un acervo pictórico y escultórico de los períodos precolombino y colonial, el desarrollo de las artes plásticas con una finalidad propiamente estética se consolida sólo en el primer tercio del siglo XX. En las últimas décadas, la formación de un mercado de galerías de arte que abrió a los creadores la posibilidad de profesionalizarse, ha sido un elemento impulsor de la producción pictórica.

Arte precolombino

Las primeras muestras de pintura y escultura pertenecientes al arte de origen precolombino se remontan hacia al siglo X d.C. Entre ellas se encuentran las pinturas rupestres de la Cueva del Espíritu Santo, departamento de Morazán, que representan escenas de caza muy parecidas a las del Paleolítico europeo, y los petrograbados de origen olmeca del departamento de Ahuachapán, con una signografía referente al símbolo del agua, la cual acusa formas casi abstractas, a diferencia de la figuración monocromática del arte de los lencas de Corinto.

La decoración de la cerámica encontrada en el país es sumamente variada, desde lo rectilíneo y hierático del arte de origen azteca, hasta la figuración barroca de los mayas, cuyos colores preferidos son los ocres, naranjas y amarillos. La arcilla empleada para las diferentes vasas demuestran un finísimo pulimento sobre el cual se repiten temas de carácter sacro. A esta cerámica se la clasifica, según su procedencia, como Marihua, Bicroma zonada, Salúa, Copador, Arambala y Plomiza.

La escultura también es variada. No obstante, lo mas curioso son las llamadas «bolinas», figuras femeninas, unas con adiposidades pronunciadas en sus caderas y extremidades inferiores y otras en estado de gravidez, traduciendo así para la posteridad la veneración a la fertilidad y la procreación. Hay asimismo figuras zoomorfas, fitoformas, antropomorfas y mixtas.

Arte colonial

En la época colonial el arte barroco español triunfa sobre los vestigios precolombinos, con lo que desde el siglo XVI disminuye la producción indígena. No se registra, como en otros países, un sincretismo iconográfico. Proliferan las imágenes de bulto votivas con un dramático acento español. Entre las pinturas y las esculturas adosadas a los paramentos arquitectónicos se pueden mencionar aquellas que aparecen en las iglesias conservadas de los siglos XVI, XVII y XVIII, especialmente las de la iglesia de Panchimalco (siglo XVII), cuya fachada recibe con imágenes

A la izquierda, frasco tetrápode del Clásico Tardío, ornamentado con entrepaños esculpidos en los lados y una efigie de jaguar en la parte superior.

La imaginería religiosa del período colonial muestra la exuberancia propia del barroco español. En la página anterior, una imagen de San Miguel Arcángel perteneciente al siglo XVIII.

Wenceslao Cisneros abre en el siglo XIX la historia del arte pictórico salvadoreño, aunque su obra es una expresión de la pintura romántica de la Europa en que se formó y vivió. *Las hijas de Lot*, óleo sobre tela, sin fecha.

rígidas que representan a los santos apóstoles; en el interior pueden observarse las imágenes pintadas en retablos consagradas a la crucifixión y resurrección de Jesús. Otras obras religiosas pictóricas se encuentran en las pechinas de la cúpula central de la iglesia de Metapán, en donde se distingue, gracias a sus atributos a San Gregorio Magno, San Agustín, San Ambrosio y San Jerónimo.

Arte decimonónico

La lucha independentista de 1821 acarreó un cambio rotundo en la conducción artística: se desdeña todo aquello que tenga que ver con el pasado colonial español. Así, durante la presidencia de Francisco Dueñas, en 1863 se intenta instaurar una academia de arte de corte francés. Lo más relevante en el desarrollo artístico decimonónico es la obra de Francisco Wenceslao Cisneros (1823-1878), quien será el único artista que trascienda las fronteras nacionales. El pintor, nacido en San Salvador, estudió en París desde 1842, donde recibió las influencias

del neoclasicismo y el romanticismo. Asistió al taller de Delacroix y, en 1856, se trasladó a La Habana, donde dirigió hasta 1869 la Escuela de San Alejandro. Cisneros —cuyas obras se encuentran en La Habana— es reconocido en las esferas más cosmopolitas.

WENCESLAO CISNEROS

«Juan Francisco [Wenceslao] Cisneros. Notable pintor, litógrafo y dibujante, nacido en 1823 en la ciudad de San Salvador, capital de la República de El Salvador, en Centro América. A los dieciséis años de edad abandonó su patria, a la que no volvió a ver jamás, en el séquito de un diplomático sudamericano que llevaba la misión de representar a la República de El Salvador como Ministro Plenipotenciario; en París, y habiendo observado las extraordinarias facultades de su protegido para la pintura, lo llevó como agregado a la Legación para procurarle los medios de cultivar su talento artístico en las Academias de aquella capital. El joven artista adelantó con rapidez en los estudios, hasta el punto que pudo continuarlos con sus propios recursos, renunciando a los auxilios de su protector; pasó luego a Italia para perfeccionarse en Roma y Florencia...» ■

Antonio Rodríguez M.,
Diccionario biográfico cubano.
Tomado de VV. AA. *Historia de El Salvador.*

El siglo XX

En El Salvador el modernismo se dejó sentir en las primeras dos décadas del siglo XX. La Junta de Fomento de Santa Ana, por ejemplo, contrató en 1907 a la Compañía Durini y Gugliemmi para la construcción y decoración del teatro de la ciudad. Este ecléctico monumento, que conjuga elementos neoclásicos con la línea ondeante modernista, posee un telón de fondo pintado al estilo *art nouveau,* realizado por el pintor italiano Antonio Rovescalli, lo cual encaja con el espíritu europeizante de principios de la centuria.

La Quincena, revista de ciencias, artes y letras (1903-1907), jugó un papel importante en el desarrollo de todas las artes. En el campo de la plástica promovió al pintor Carlos Alberto Imery (1879-1949), quien en 1904 fue enviado a estudiar al Real Instituto de Bellas Artes de Roma y, a partir de 1908, continuó en París para especializarse en pintura, fotograbado y litografía. Imery regresó a San Salvador en 1911 para dirigir la primera Escuela de Artes y Oficios, que luego se convertiría en la Escuela de

Artes Gráficas. Este primer centro de enseñanza artística fue un esfuerzo en el terreno académico, y además su primer director logró sentar las bases de un sólido desarrollo en el campo de las artes. Egresaron de ella numerosos artistas posteriormente consagrados.

El paisajismo y el costumbrismo

Se considera que el auténtico arte nacional comienza cuando los pintores y escultores tratan el paisaje nacional, la belleza de la raza indígena, la vida cotidiana de los pueblos y ciudades. En las décadas de 1920 y 1930, entre los primeros paisajistas destaca a Miguel Ortiz Villacorta (1887-1963), quien exalta la exuberancia de la naturaleza. Sus obras *Volcán de San Salvador* y *Valle de Jiboa* captan esos monumentos naturales con el esplendor lumínico y lineal característicos del artista. Pedro Ángel Espinoza (1899-1939) es más suelto en color y forma, más expresionista, y se dedica al paisaje y a temas costumbristas e históricos. Villacorta y Espinoza gozaron de becas de estudio en Italia y Francia, respectivamente.

Ana Julia Álvarez (1908-1980), en cambio, introdujo el *art-déco* combinado con la estilización del muralismo mexicano y su temática, que sublima la belleza indígena femenina. Alfredo Cáceres Madrid (1908-1978) poetiza rincones naturales, rurales y urbanos que sirven de fondo a simbolismos y alegorías personificados en voluptuosas figuras femeninas; la línea ondeante caracteriza su factura.

La impronta mexicana coadyuva definitivamente en la búsqueda de la identidad nacional. Tanto José Mejía Vides (1903-1980) como Camilo Minero (1917), después de egresar de la Escuela de Artes Gráficas, siguen sus estudios en México, país en el cual, debido a la pujante revolución sociopolítica y cultural, se desarrolla en esos momentos un arte comprometido con sus ideales. Para los artistas salvadoreños el muralismo es determinante en fondo y forma.

José Mejía Vides conjugó la influencia mexicana, en cuanto a los significados que expresan los rasgos de rostros y cuerpos cobrizos en pintura y escultura, con la composición sintética de su maestro japonés Kitagawa, seguidor del postimpresionismo de Gauguin. Mejía Vides recrea su villa de Panchimalco, cargada de tradiciones prehispánicas e hispánicas. Su línea circular envuelve las figuras fitomorfas y antropomorfas propias de la región; la luminosidad

A comienzos del siglo XX el paisajismo fue el primer arte salvadoreño propiamente dicho. *Paisaje* de Miguel Ortiz Villacorta, uno de sus más destacados representantes.

Pionera entre las mujeres pintoras, Ana Julia Álvarez desarrolló su carrera en Estados Unidos y plasmó en su obra la influencia del *art-déco* y del muralismo mexicano. *Sin título*, Oléo sobre tela, sin fecha.

José Mejía Vides reflejó en sus temas y en las técnicas de tratamiento la influencia del arte mexicano. *Vendedora de mangos*, óleo sobre tela, 1946.

de sus paisajes es tenue a pesar de que aplica colores vivos, delicadamente degradados con el objetivo de acentuar los volúmenes.

Salarrué (seudónimo de Salvador Salazar Arrué, 1899-1975), escritor y pintor, trata el costumbrismo tanto dentro de sus cuentos como de su pintura. De una manera muy peculiar introduce a su público dentro del misterio del colectivo imaginario salvadoreño. En la figuración pictórica su paleta es oscura y misteriosa, atomiza la luz y todo es tratado en tonalidades sepias, con las que evoca la mitología precolombina y los restos de lo que queda de ella en las costumbres nacionales. Influido fuertemente por las doctrinas teosóficas y orientalistas, cree en el proceso de creación intuitivo y así llega a la abstracción. Será pues el primer artista latinoamericano que, sin necesidad de contactos con el abstraccionismo europeo, descubra el estilo que rompe con la tradición figurativa tras la búsqueda de lo absoluto.

Otra de las vertientes que configurarían el arte nacional es el primitivismo de Zélie Lardé (1901-1974); sus escenas bucólicas y juegos infantiles, en las que los colores puros se aúnan con la línea gruesa e infantil, demuestran la fuerza expresiva de la primera creadora autodidacta en la historia del arte del siglo XX.

En la escultura del período modernista cabe citar a Pascasio González (1848-1917), quien estudió en Italia y regresó a El Salvador con influencias neoclásicas. Así, bajo este estilo, elabora esculturas alegóricas a los principios liberales y positivistas. *Minerva*, *La Libertad*, *La Paz* son algunas de las alegorías talladas como encargos estatales. Dentro de la corriente nacionalista se encuentra Valentín Estrada (1898-1979), artista que estudió en España pero se identificó con la cultura prehispánica, trabajando y recreando en piedra las esculturas signográficas del arte maya y azteca.

La Academia de Dibujo y Pintura de Valero Lecha

El rumbo del arte cambió definitivamente desde la llegada del aragonés Valero Lecha (1894-1976), quien en 1935 fundó la Academia de Pintura y Dibujo, donde enseñó las técnicas básicas del realismo español. Sus discípulos nacionales constituyeron una generación de artistas famosos. Aunque las similitudes entre ellos sean más bien cronológicas y no tanto estilísticas, forman parte de los más importantes artistas del siglo XX en El Salvador.

Los primeros discípulos de Valero Lecha

En 1943 Noé Canjura (1922-1970), Julia Díaz (1919-1999), Mario Araujo Rajo (1919-1970) y Raúl Elas Reyes (1918-1997) fueron los pri-

El español Valero Lecha hizo de El Salvador su segunda patria y dejó una huella profunda en el arte nacional gracias a la fundación de su academia, que difundió las técnicas del realismo. *Vendedoras de morros*, óleo sobre tela de Valero Lecha, 1941.

meros egresados de la academia del maestro Valero Lecha. Aunque en la Academia de Pintura y Dibujo lograron dominar las técnicas del color y el dibujo en retratos, bodegones, pasajes costumbristas y paisajes tropicales, el mismo maestro instó al gobierno para que continuara la formación de estos jóvenes.

Noé Canjura y Julia Díaz

Noé Canjura y Julia Díaz recibieron una beca para proseguir sus estudios en París y, desde entonces, se fueron desprendiendo de la linealidad de la academia: ambos serán precursores del expresionismo en El Salvador.

Julia Díaz visitó los centros culturales y los museos europeos más importantes. Se instaló en Toledo, donde quedó impresionada por la grandilocuencia de El Greco. Regresó a El Salvador en 1948. Para entonces su lenguaje visual se había sintetizado, sus composiciones son angulares y sistematiza un expresionismo social en el que se representa la pobreza, el desamparo y la humildad de la niñez y la mujer salvadoreña. Díaz no se limitó a ejercer su profesión como pintora, sino que, como tal, se convirtió en una activa promotora cultural, organizando el Museo Forma, centro donde se recoge gran parte de la pintura y la escultura de los artistas nacionales y se organizan conferencias y actividades que marcan la pauta para el desarrollo de las artes en la mitad del siglo XX.

A los 17 años Noé Canjura se inscribió en la Academia de Valero Lecha. Por ese entonces manifestaba predilección por los temas religiosos. En 1949 estudió grabado en México, donde se impregnó de la cultura popular, el arte precolombino y el muralismo imperante. En 1950 viajó a París para estudiar en la Academia de Bellas Artes, dedicándose particularmente al fresco. Restauró obras del Museo del Louvre y expuso en las ciudades de Madrid y Hannover, destacándose como pintor internacional. Imbuido del ambiente parisino, compró en Montmartre el taller donde trabajaba el postimpresionista Maurice Utrillo. Desde allí se proyectó como un pintor internacional que traduce desde sus propios planteamientos la vanguardia de la Escuela de París. El lenguaje de Canjura es fragmentarista, capaz de demostrar pieza por pieza la arquitectura de un paisaje, la composición de una escena, y concilia forma y color con la expresión de un conjunto de movimientos orquestados, coordinados. Posee un don de síntesis que le permite expresar lo esencial, sirviéndose de formas simples apoyadas sobre horizontes apenas perceptibles y cuyo papel es servir de trama. Su dibujo es sencillo y poderoso; sus rasgos, no obstante, desaparecen cuando es necesario ceder paso al color. Canjura murió en París en 1970.

Noé Canjura, miembro de la diáspora artística que acabó sus días en París, es uno de los precursores del expresionismo salvadoreño. *Amantes*, óleo sobre tela, 1951.

Julia Díaz, «la Gran Dama del arte pictórico nacional», como ha sido calificada, promovió su obra y la de muchos artistas nacionales a través de su galería Forma, que en 1958 fue la primera abierta en el país. *Niña con flores*, óleo sobre tela, 1976.

Raúl Elas Reyes

Después de estudiar cinco años en la academia de Lecha, Raúl Elas Reyes viajó a México, país donde permaneció por un año asistiendo a cursos libres en la Escuela del Libro: allí tuvo su primer contacto con las tendencias modernas. En 1950 ingresó a la Escuela Nacional Superior de Bellas Artes de París. Se inclinó definitivamente por Cézanne, de quien le atraen los volúmenes muy construidos y perfilados, prestándole gran atención a la geometrización. Sin embargo, desde Europa siente gran nostalgia por la luz tropical y, por eso, evoca y experimenta, en un proceso dinámico, asuntos paisajísticos de su entorno natal. En su obra, Reyes da prioridad a las fuerzas estructurales subyacentes de la composición. Si en las naturalezas aparecen ya los elementos visuales puros, siendo esto el signo de toda su pintura ulterior, se aleja del realismo convencional aprendido en su primera academia. Regresó a El Salvador en 1957. Desde la altura de su residencia de Vista Alegre, Elas Reyes contemplaba la ciudad de San Salvador: fue uno de los precursores del paisajismo urbano. Las cualidades cubistas de la ciudad se transforman en serios estudios estéticos para el talento del artista. Las casas y edificios invaden casi todo el encuadre, ya que la proyección anárquica se deja reflejar en ascensión desde las zonas más llanas del valle hacia las faldas del volcán. El bosque que envuelve su casa también se convierte en un inmenso laboratorio, donde las formas y los colores de la vegetación subtropical dan profusión extrema a la emotividad, el dramatismo y la expresión del artista. En los años setenta trabajó la abstracción basándose en el arte precolombino y el *collage*. Reyes murió en 1997.

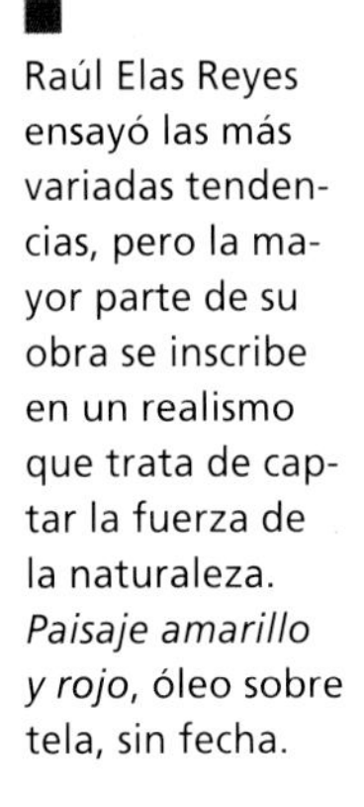

Raúl Elas Reyes ensayó las más variadas tendencias, pero la mayor parte de su obra se inscribe en un realismo que trata de captar la fuerza de la naturaleza. *Paisaje amarillo y rojo*, óleo sobre tela, sin fecha.

Mario Araujo

Mario Araujo nació en Usulután en 1919. De humildísimo origen, debió trabajar desde su infancia, a la vez que estudiaba. Se trasladó a San Salvador e ingresó a la academia del maestro Lecha. A diferencia de sus compañeros permaneció en el país y se dedicó a las técnicas serigráficas. Cuando su entrañable amiga Julia Díaz regresó a El Salvador, lo incentivó para que retomara su labor artística. El público reci bió con aplausos a Araujo. Inició entonces sus viajes por Sudamérica; vivió en Santiago de Chile, donde fue bien acogido por la crítica nacional. En 1966 regresó al país para incorporarse a la carrera docente, pero de inmediato sufrió un infarto que lo afectó no sólo física sino también psicológicamente. Hasta aquel momento Araujo había trabajado el costumbrismo, el paisajismo y lo pintoresco, tanto nacional como sudamericano, pero su enfermedad lo volcó hacia un contenido hondamente espiritual, tanto religioso como existencial, hasta llegar al tormento. En 1969 se trasladó a Venezuela, donde fue bien recibido y apreciado. En 1970 sufrió un nuevo infarto: éste le provocó la muerte. La factura de Araujo es reduccionista, las figuras no logran movimiento y volumen sino merced al dinamismo compositivo, donde los escorzos de las figuras traducen difíciles contorsiones. Es Araujo un pintor de profunda sensibilidad social que siente y expresa la tragedia, la alegría en los momentos sublimes y religiosos de su pueblo. Sin embargo, su retrato es simbolista.

Rosa Mena

Rosa Mena Valenzuela nació en 1924, en San Salvador, en el seno de una familia culta. Su padre era músico y su casa era punto frecuente de reunión de un grupo de artistas e intelectuales. Desde niña fue siempre galardonada con los primeros premios de pintura y dibujo. Siendo adolescente, en 1942 se inscribió en la academia de Lecha y fue la única alumna del maestro que no se rindió a las exigencias del realismo, tendiendo cada vez más al expresionismo. Su obsesión por realizar su propio rostro, estilizado o caricaturesco, la conduce a retorcer la figura con reminiscencias goyescas. Su autorretrato es el reflejo del ser que se contempla a sí mismo, condena la angustia y desea una realidad distinta. La diacronía de línea y color va desde su época temprana de formación hasta los años sesenta. Tras realizar viajes de estudio por Europa y Oriente encontró un simbolismo lineal inspirado en la caligrafía árabe, lo que por un lado refuerza su ímpetu expresivo. Por el otro, el contenido espiritual alimenta su trabajo con las referencias plasmadas en los iconos y frescos paleocristianos y románicos que visita. Mena Valenzuela trascendió las fronteras por ser una de las pocas expresionistas a escala mundial que toca las temáticas místicas y ontológicas tan magistralmente; no obstante no ha vacilado en interpretar contenidos clásicos, históricos y cotidianos. Es una artista incansable, abnegada maestra. Dentro de sus últimos logros cabe dar cuenta de la ilustración aparecida en el proyecto de Periolibro realizada por Valenzuela para el poemario del poeta chileno Nicanor Parra.

Máxima representación del arte expresionista salvadoreño, en la obra de Rosa Mena el elemento religioso aparece como una constante. *Escena mística*, técnica mixta sobre papel, sin fecha.

El grupo de los independientes

Dentro del arte salvadoreño, la negación ante la legitimación del arte es la primera acción contestataria del grupo de artistas formado, principalmente, por los egresados de la Academia de Artes Gráficas y por otros que han recibido la influencia mexicana. A mediados de la década de 1940 estos artistas se pronuncian contra del «academicismo» de la escuela de Valero Lecha. Carlos Cañas, Camilo Minero y Luis Ángel Salinas forman este grupo que aboga por una pintura de carácter social, para dedicarse por entero a los temas indigenistas, reclamando mayor autenticidad de contenido en cuanto a reivindicar las raíces artísticas y conceptuales.

Carlos Cañas

Carlos Cañas nació en San Salvador en 1924. Ingresó a la Escuela de Artes Gráficas, permaneciendo en ella por ocho años. Siendo discípulo y asistente del maestro Luis Alfredo Cáceres Madrid, eligió tempranamente las temáticas costumbristas. Durante los años de 1940 y 1948 se dedicó a recabar en las fuentes precolombinas, estudiando la signografía maya. Viajó a Europa en la década de 1950. Estudió en la Academia de San Fernando (España), donde conoció el informalismo y el postcubismo, estilos que influyen en su deseo de conocer la pintura a través de la tipificación de los valores estéticos hacia un camino de libertad de expresión. A su regreso implementó la abstracción y, seguidamente, evocó de nuevo el arte maya. En 1970 regresó a la figuración, partiendo de constantes expresionistas dedicadas a contenidos políticos de la realidad salvadoreña. Su pintura figurativa conoce tres momentos: el realismo mágico, el mestizaje cultural y la ideología como esencia fundamental. A su regreso al país también se dedicó a la docencia del dibujo, la pintura y la historia social del arte, fundamentos de la composición, teoría del color, teoría de la arquitectura y diseño de creatividad. Fue jefe del Departamento de Teoría e Historia de la Escuela de Arquitectura. En la

Carlos Cañas ha transitado casi todos los caminos: abstracción, expresionismo, figuración, surrealismo. Obra de su etapa surrealista o de realismo mágico, *El árbol de la vida*, gouache, 1980.

CARLOS CAÑAS

«Es Cañas un hombre de carácter contradictorio, a ratos afable y a ratos áspero. Ambos aspectos de su personalidad se reflejan en su obra.

Una violencia aliada a una inteligencia plástica segura le ha hecho crear una de las más audaces imágenes de nuestro arte. Y un lirismo de raigambre clásica le ha hecho producir esa otra faceta de su arte, la de mujeres que se refugian a la sombra de bosques que crecen sobre sus sombreros, la de personajes que parecen evolucionar con lentitud en medio de ropajes cortesanos. Un firme trazo, cierto peso de materia, cierta solidez de los personajes, emparentan este mundo con el otro. Y entre ambos, pues hay un hilo conductor dentro de su obra, hallamos aquella admirable extrañeza, la delicadeza aliada a la absoluta crueldad.» ■

Ricardo Lindo, «Imágenes de Carlos Cañas», en *Tendencias*, N°. 70.

ctualidad se desempeña como director del Centro Nacional de Artes. Cañas es uno de los más tenaces investigadores de la teoría y la forma, y se alimenta de la filosofía de dejar constancia a través del arte de los hechos más dramáticos y relevantes del desarrollo histórico.

El retorno y la traducción vanguardista

Desde la década de 1950 hasta la de 1970 muchos pintores y escultores se vieron forzados continuar sus estudios académicos de nivel superior en Estados Unidos y Europa, ya que en El Salvador se carecía de instituciones adecuadas a tal fin. Así fue como entraron al país vertientes de las vanguardias que se desarrollarán sin dejar secuelas, pues cada uno de los artistas trabajó de forma independiente y su obra se proyectó al azar de la promoción de las primeras galerías privadas que nacieron en la segunda mitad de la década de 1960.

Si los artistas de la primera mitad del siglo XX introdujeron nuevos conceptos artísticos y ayudaron a consolidar el verdadero arte nacional, la búsqueda más personal se notará en Mauricio Aguilar (1919-1978), precursor de la exploración individual. A partir de 1934 Aguilar residió en París y trabajó en el taller de Christian Bérard. Durante la Segunda Guerra Mundial fue recluido por los nazis en un campo de concentración. Luego, en 1941, continuó sus estudios en la Academia Julian. Reconocido desde ese entonces en París, pasó a exponer en Nueva York. Regresó a El Salvador en los años cincuenta, trabajando en un taller en el cual ocultaba todo rayo de luz penetrante, pues para Aguilar ésta es una fuerza que destruye los objetos, a pesar de proporcionarles su único apoyo en el espacio. Así, un vaso, una botella, no son más que formas puras que, disueltas en la luz, dan una referencia de espacio y de proyección monumental. Es también un gran investigador matérico: sus superficies tienen una textura áspera.

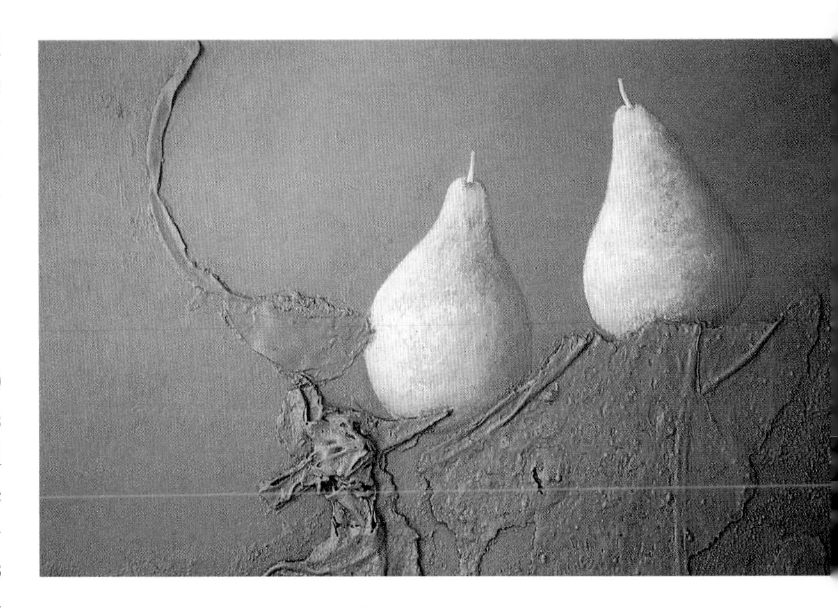

Víctor Barrière, de la abstracción juvenil en los años setenta, caracterizada por el predominio cromático, a la figuración en la década siguiente, de colores mucho más matizados. *Bodegón peras*, técnica mixta, 1982.

En la década de 1970 llegó al país la moda abstraccionista estadounidense. Víctor Barrière (1940) y Rodríguez Preza (1936) trabajaron la abstracción en boga en Estados Unidos. En cambio, Pedro Acosta (1930), Ricardo Carbonell (1929), Mario Escobar (1915-1982) y Miguel Ángel Orellana (1925) siguieron una vía más tradicional, más figurativa, pero sus temáticas son más universales.

Carbonell estudió arquitectura en Italia, por lo que, en su pintura, su preocupación constante fue el urbanismo ideal del siglo XX. Entre 1950 y 1954 Mario Escobar estudió en la mexicana Escuela de la Esmeralda. A su regreso, se dedicó a la belleza femenina salvadoreña: niñas, adolescentes y mujeres serán tratadas bajo una pintura luminosa con carácter simbólico. También Miguel Ángel Orellana absorbió la escuela mexicana, y determinó su estilo por una tendencia cubista onírica y orfista, donde el círculo y la parábola son las estructuras básicas de estudio de figuras humanas, vegetales y objetales. Pedro Acosta siguió la escuela española más tradicional: los retratos, bodegones, paisajes urbanos y naturales de la academia son elaborados con fino tachismo. Desde los años setenta explora el mundo surrealista donde deja notar tanto su proliferación técnica como conceptual.

El surrealismo

En Latinoamérica la corriente surrealista apenas cuenta con representantes, razón por la cual sorprende el caso de dos grandes artistas salvadoreños que cultivaron este arte tan retrospectivo, casi en contracorriente con el nacionalismo autoctonista imperante.

Ernesto Avilés

Ernesto Avilés (1932-1992) estudió en la academia de Valero Lecha, de donde egresó en 1954. Luego recibió una beca para estudiar en la Real Academia de Bellas Artes de Madrid y, finalizada ésta, se inscribió primero en la Academia Julian de París y luego en la Stamperia Dello Stratto de Roma. Sus obras permanece en las colecciones privadas y museos más prestigiosos de Europa. De una depuradísima linealidad, luminosidad y combinación de colores renacentistas, Avilés se concentra en l perfección y el preciosismo de los objetos y l belleza andrógina que evoca las más variada mitologías clásicas y religiosas, mezclando anacrónicamente espacios y tiempos.

Benjamín Cañas

Puede afirmarse que Benjamín Cañas (1933 1987) es uno de los pocos surrealistas latinoamericanos reconocidos por la crítica internacional. Al egresar de la Facultad de Arquitectur

En el universo surrealista de Benjamín Cañas, dotado de una gran perfección técnica que es muy bien acogida en Estados Unidos, los seres humanos se metamorfosean en demonios o hechiceros que transforman la realidad en un espectáculo teatral o circense. *Último desayuno*, óleo sobre tabla, 1977.

de la Universidad de El Salvador diseñó proyectos de envergadura, como colegios, iglesias, cines y casas particulares, de una originalísima arquitectura. Luego se dedicó a la acuarela y la pintura abstracta de inspiración maya. No descuidó jamás la perfección de la figura humana en dibujo; saltó después a un nuevo período que él mismo denominó «abstracción antropomórfica». En 1969 realizó estudios en la academia Corcoran y luego expuso en las galerías más prestigiosas de Estados Unidos, donde su obra es adquirida de inmediato y reconocida por la crítica de ese país. Tanto por el perfecto dominio del dibujo clásico como por su contenido en extremo misterioso, en el cual se retrata constantemente un mundo fabuloso de seres y situaciones fantásticas, Cañas ha sido el más grande artista nacional dentro de la corriente surrealista y uno de los mayores exponentes a escala latinoamericana. Murió en Washington en 1987.

El expresionismo social

En la década de 1970 se impulsó una reforma educativa que puso fin a las academias de arte existentes hasta el momento, creándose en sustitución el Centro Nacional de Artes (Cenar), en el que se han de reunir todas las expresiones artísticas. El Cenar absorbió la escuela de Artes Gráficas y la escuela de Valero Lecha. Se contrató un cuerpo de profesores españoles y japoneses para las artes plásticas.

Miguel Ángel Polanco

Miguel Ángel Polanco (1941), quien llegó a ser director del Cenar, continuó el expresionismo costumbrista de sus antecesores. Sin embargo, incursiona en temáticas de mayor profundidad social y existencialista que éstos. Otro maestro que destaca dentro del expresionismo es Antonio García Ponce (1943). Este pintor pasó por la academia de Valero Lecha y por la escuela mexicana, para regresar a El Salvador a finales de 1960, dedicándose a la enseñanza al compás de su quehacer artístico. Retrata personajes del «bajo mundo» y elabora una serie de retratos y autorretratos con un dibujismo irregular pero excepcional por su condición expresiva muy definida. Practica también la abstracción, combinando elementos de la estatuaria prehispánica (códices, números y signos).

Miguel Ángel Polanco toma su tierra natal, Tonacatepeque, como modelo para una reflexión estética que trasciende el costumbrismo y se adentra, con rigor expresionista, en la realidad existencial de sus gentes. *Niños de Tonacatepeque*, óleo sobre tela, 1980.

Bernardo Crespín

Entre los discípulos más sobresalientes del Cenar, y como exponente expresionista, se encuentra Bernardo Crespín, quien también estudió en la academia de Valero Lecha. A su egreso, en 1971, viajó a Europa, residiendo entre Madrid y París pero sin asistir sistemáticamente a ninguna escuela. El choque cultural que le causó este nuevo ambiente le hizo recluirse en un sanatorio durante más de un año, sitio del que aprovechó las paredes de su habitación, en las cuales, con aplicaciones pastosas al óleo con predominio del amarillo, rojo y azul, elaboró una serie de autorretratos de fortísimo dramatismo. En 1972 regresó a El Salvador para dedicarse por entero a la pintura. Su trazo sufre un adelgazamiento y un delicado puntillismo, su gama cromática es más delicada pero sus contenidos siguen siendo sociales: mercados, zonas marginales, indigentes, la mujer fatal, etcétera.

César Menéndez

César Menéndez (1954) es otro egresado de ese bachillerato. En la década de 1980 ganó una beca para cursar estudios en Nueva York. Las bases fundamentales las aprende de sus maestros Falcone y Carralero en El Salvador.

César Menéndez, artista forjado en el Centro Nacional de Artes. Bajo estas líneas, *El destino en verde*, óleo sobre tela, 1995.

Su característica creativa se centra en el dominio del claroscuro y en sus delicadísimos contrastes; asimismo posee una expresión de angustia monumental, donde ese juego activo de luces y sombras transmite la sensación de los lindes entre la vida y la muerte. Prefiere el gran formato, pues éste parece intensificar el mensaje y, al mismo tiempo, permite siempre contornear la expresión con mayor delicadeza, más románticamente.

Arte de guerra

Durante la guerra civil surgieron muchos pintores que, ya sea por alinearse o alienarse de los graves acontecimientos del país, dejan expresar sus más profundos sentimientos. Muchos de ellos son autodidactas. Algunos vuelven a un fino primitivismo, otros se vuelcan a un realis-

A la derecha, la mordacidad de lo grotesco, una constante en la obra de Antonio Bonilla. *No matarás*, acrílico sobre tela, 1991.

mo autoctonista, otros documentan la guerra en dibujo, *graffitti*. El mayor representante de esta etapa es Antonio Bonilla (1954), quien a su regreso de México en 1980 y desde un certero diafragma estético, analiza el caos que generan las fuerzas ideológicas enfrentadas en la guerra civil. Excelente dibujante y pintor, no descansa en sistematizar una originalísima iconografía, la más auténtica de este período, en la que se plasman los pasajes más negros de la historia nacional. Irónico, mordaz, grotesco y sincero, nos lega con humor negro la caricaturización del absurdo a través de personajes y escenas extraídas de la realidad salvadoreña ■

La arquitectura

Por desarrollar una función práctica en la vida humana, la arquitectura ha tenido un desarrollo histórico más sostenido en el país. Sin embargo, son de notar las grandes rupturas en concepciones del espacio y en estilos arquitectónicos que se han registrado en los distintos períodos, siendo espacialmente dramático el paso de la concepción amerindia a la española como resultado de la Conquista y la colonización. Por otra parte, la frecuencia e intensidad de los movimientos telúricos ha tenido un efecto devastador sobre el patrimonio arquitectónico nacional y ha contribuido a crear una mentalidad de improvisación y de poco aprecio por la preservación histórica.

Al abordar el desarrollo de la arquitectura en El Salvador —como en casi toda Latinoamérica— se establece una discontinuidad entre los dos períodos históricos definidos por el descubrimiento de América. Hay una ruptura entre el uso y la forma de organización del espacio y los principios estéticos de la arquitectura de las culturas precolombinas y aquellos que rigieron el desarrollo arquitectónico a partir de la conquista española. Apenas en la vivienda campesina conocida como «rancho» sobreviven —paradójicamente, casi sin alteración— los patrones constructivos y espaciales de las viviendas de los pobladores indígenas.

El país se configuró sobre un territorio continuamente asolado por violentos sismos. Desde 1538 hasta 1879 se produjeron 35 terremotos, de los cuales al menos 14 dejaron la ciudad de San Salvador en ruinas. Pero las catástrofes no se remontan sólo al pasado lejano: el terremoto de 1986 destruyó la Biblioteca Nacional y el Museo Nacional, dos edificios de contenido simbólico.

Esta sistemática destrucción ha alimentado, sin duda, una cultura de lo perentorio. El sentido de la conservación no ha sido característica salvadoreña. Antes bien, su predisposición hacia lo nuevo —derivada de la exigencia permanente de reconstruir— ha sido un factor adicional en la pérdida de una buena parte del patrimonio arquitectónico nacional.

Arquitectura precolombina

La arquitectura surge del asentamiento humano permanente y con la superación de las formas elementales de organización social. Esto parece haber sucedido hacia el año 1100 a.C., durante el período de las culturas precolombinas conocido como Preclásico, correspondiente a la entidad étnico-cultural llamada Mesoamérica, cuyo extremo sudoriental se ubicaba en lo que hoy es El Salvador.

Los monumentos arquitectónicos encontrados dan cuenta del alto desarrollo alcanzado por las culturas establecidas en la región. En poco más de 20,000 kilómetros cuadrados se erigieron cinco grandes centros ceremoniales cuya influencia llegaba, en algunos casos, más allá de las actuales fronteras nacionales.

Estos centros, o bien guardaron relaciones directas con los centros de poder de las culturas «madres» de México y Guatemala —especialmente con los olmecas, los mayas y los toltecas—, o bien se vieron afectados por lo que acontecía entre esos pueblos. Esta interacción histórico-cultural definió el carácter de su arquitectura.

Todos los centros encontrados en El Salvador tuvieron complejas estructuras arquitectónicas dominadas por una estructura principal de forma piramidal. Comprendían también templos menores, grandes plataformas a modo de plazas, campos de juego de pelota y palacios.

La organización del espacio exterior mediante grandes planos horizontales que se relacionan entre sí a través de planos inclinados es una de las características esenciales de la arquitectura mesoamericana. Imagen de una de las estructuras de El Tazumal.

Como en toda la arquitectura mesoamericana, la concepción urbanístico-arquitectónica daba preeminencia al espacio exterior, que se organizaba por medio de grandes planos horizontales relacionados entre sí mediante planos inclinados, en un conjunto que daba origen a una sucesión de formas piramidales.

Cada uno de estos centros tuvo su propio desarrollo. En Chalchuapa existió una civilización muy desarrollada en una edad muy temprana. En el lugar conocido como El Trapiche se erigió una pirámide que superaba los veinte metros de alto y que llegó a ser uno de los edificios más grandes de Mesoamérica en ese momento (comienzos del Preclásico), comparable a la pirámide de la Venta en Tabasco. En el período clásico se convirtió en la sede de uno de los poderosos estados regionales.

La actividad constructiva fue muy intensa entre los años 550 y 850 d.C. El Tazumal, segundo gran conjunto arquitectónico de la zona, llegó a tener 13 estructuras, entre ellas un campo de juego de pelota, una plataforma redonda —ya desaparecida—, una pirámide de 24 metros de altura, dos hectáreas de base y un palacio dividido en tres salas.

Otro de los estados regionales del Clásico y centro importante fue San Andrés, en el valle de Zapotitán, departamento de La Libertad. Ejercía su influencia sobre una población estimada entre los 40,000 y 100,000 habitantes, distribuidos en cerca de 280 asentamientos en todo el valle.

Cara Sucia, en la costa occidental del país, fue un centro, erigido en el Clásico Tardío, que los arqueólogos relacionan con la cultura Cotzumalguapa del litoral guatemalteco.

La arquitectura de Cihuatán, del Posclásico Temprano, centro situado al norte de San Salvador, muestra una clara influencia tolteca: acentuación de los ejes en el conjunto urbanístico, mampostería de piedra y uso del talud-tablero como elemento decorativo.

Por último, Quelepa, en el oriente del país, fue un centro constituido por el Grupo Oriental, levantado en el Clásico Medio por culturas lencas llegadas del sur; y el Grupo Occidental del Clásico Tardío formado por 15 estructuras alrededor de una plaza rectangular, atribuido a culturas de origen náhuat llegadas con las últimas migraciones.

Pero no ha sido en la arquitectura monumental donde los descubrimientos arqueológicos han presentado verdaderas novedades, sino en la arquitectura doméstica. El hallazgo, debajo de una capa de ceniza, de una aldea en el sitio conocido como la Joya de Cerén, puso al descubierto varias estructuras en excelente estado de conservación que han permitido conocer los sistemas constructivos y los principios arquitectónicos utilizados por los pueblos precolombinos.

económicas regionales e, incluso, pagar tributo a los españoles. Sin embargo, la gran producción arquitectónica había cesado.

Con el inicio de la Colonia el programa de necesidades de espacio cambió radicalmente. Si bien los españoles crearon las cofradías, hermandades y guachivales, siguiendo la tradición de la organización comunal indígena, sus actividades se realizaban en otro marco simbólico y físico-cultural. Las plazas fueron construidas siguiendo un patrón diferente al de sus homólogas precolombinas y los atrios de las iglesias eran espacios abiertos, pero más reducidos que las antiguas explanadas situadas frente a los templos. Además, el espacio interior tomó primacía sobre el exterior: el culto cristiano no se realiza al aire libre.

■ Tres muestras del barroco americano: Iglesia colonial de Izalco, en Sonsonate (izquierda); templo barroco de El Calvario en San Salvador (en el centro); iglesia colonial de Metapán (derecha).

La Colonia

En el siglo XV las culturas precolombinas habían vivido todo su esplendor. Para entonces los mayas habían desaparecido y Tula, la capital tolteca, había colapsado. Se atribuye a este colapso la última serie de migraciones hacia El Salvador. Los conquistadores españoles encontraron así tribus de origen nahuat que conocieron con el nombre de pipiles, voz que significa «noble»: de ahí la relación que se establece con la nobleza tolteca de Tula. Los pipiles habían consolidado su poder después de largas guerras con sus vecinos y producían un excedente productivo que les permitía establecer relaciones

En tiempos de la Colonia, El Salvador se componía de varias provincias ligadas al poder a través de la Capitanía General de Guatemala. La importancia de la región residía en la producción de cacao y, posteriormente, de añil. No era, por lo tanto, una entidad política, militar o cultural de importancia, razón por la cual nunca se construyeron edificios de gran envergadura.

Por otra parte, el clero regular y secular tuvo siempre mayor importancia que las órdenes religiosas, debido a la atención a una población criolla relativamente concentrada, sobre todo en el tiempo de la llegada de los jesuitas. A partir del siglo XVIII arribaron, en orden sucesivo, dominicos, franciscanos y mercedarios, órdenes que edificaron sus conventos en San Salvador, Sonsonate y San Miguel, las tres principales ciudades coloniales. Lamentablemente sólo se conservan vagas referencias de estas construcciones. Se sabe que los conventos más importantes fueron los de Santo Domingo, en Sonsonate, y los de La Merced, en San Francisco, y Santo Domingo, en San Salvador.

Ya se ha señalado cómo los sismos han sido inclementes en el país. En consecuencia, los vestigios de la época colonial que aún permanecen en pie constituyen apenas un pequeña parte de lo edificado durante ese período. En San Salvador no queda ningún rastro de arquitectura colonial. En el interior ha habido mayor fortuna: se conserva una treintena de iglesias parroquiales dispersas por todo el territorio, construcciones muy modestas pero de gran encanto.

Frontón del Palacio Nacional en San Salvador, un edificio neoclásico representativo de la nueva imagen arquitectónica de la reconstruida ciudad.

En su obra *Iglesias coloniales de El Salvador* Gonzalo Yanes Días señala que, aunque en riqueza ornamental éstas no pueden compararse con sus homólogas mexicanas o de otros países centroamericanos, «tienen como virtud el uso inteligente de los materiales de construcción y su hábil combinación».Todas poseen planta rectangular de tipo basilical. Por lo general, están cubiertas con techos de dos aguas sostenidos por artesonados de tipo mudéjar andaluz. Al fondo, el ábside-presbiterio es de forma cuadrangular. Sólo en las más importantes —las de San Vicente, Chalchuapa, Sonsonate y Metapán— puede percibirse el reflejo del espacio barroco por la presencia de elementos abovedados, la iluminación superior por medio de óculos, tragaluces y linternas, y por la altura misma del espacio. Por su magnificencia y complejidad constructiva destaca la iglesia de Metapán, construida a mediados del siglo XVIII.

La República y el nuevo siglo

A las guerras independentistas siguió un período de inestabilidad resultante del cambio político. La herencia urbanística y arquitectónica de la Colonia consistía en un red de ciudades importantes, el trazo en damero, la plaza central con los edificios más importantes alrededor de la misma, los ejes urbanos, etcétera. Todos ellos son elementos que todavía siguen presentes.

El desarrollo de la arquitectura a partir de ese momento se dará como la sucesión —siempre en forma tardía— de los estilos arquitectónicos provenientes de Europa occidental. Así, la nueva República erigió los elementos del nuevo poder siguiendo el modelo neoclásico, como se observa en los casos del Palacio Nacional y el colegio Tridentino. Pero la conexión con Europa no sólo consistió en la influencia de estilos. Muchos arquitectos europeos llegaron al país a construir edificios y, en algunos casos, se construyeron con piezas traídas de Bélgica.

Pero los acontecimientos catastróficos se sucedieron uno a uno. El terremoto de 1854 destruyó la iglesia parroquial de San Salvador, recién nombrada catedral, y dañó seriamente iglesias, conventos y ermitas. La actitud de perentoriedad antes señalada puede verse en la

petición que el cura rector del Sagrario hacía en aquel momento al obispo: utilizar los pilares y otras maderas de las iglesias de San Francisco, La Merced y Santo Domingo para improvisar una iglesia en la plaza mayor. Veinte años más tarde, el llamado «gran terremoto» de 1873 borró todo vestigio colonial de la ciudad.

El historiador Jorge Arias Gómez ha llamado a la capital «ciudad Fénix» por su capacidad de renacer de entre los escombros. Al finalizar el siglo XIX la ciudad había cerrado sus heridas, de tal manera que en la primera década del siglo XX su cara era totalmente distinta: la faz de una hermosa ciudad enteramente neoclásica.

■ Destruida por los terremotos de 1854 y 1873, la catedral metropolitana de San Salvador (a la izquierda) no guarda ningún vestigio del pasado colonial. A la derecha, la catedral de Santa Ana.

LA MODERNIZACIÓN URBANA A FINALES DEL SIGLO XIX

«La preocupación por cambiar la apariencia de las ciudades se pudo apreciar notablemente en la construcción de viviendas de habitación y de edificios de oficinas y comercios. Las casas al estilo colonial, cerradas a la calle y con sus patios internos, fueron reemplazadas (por aquellos que disponían de los recursos, por supuesto) por nuevas viviendas más abiertas, con ventanas y patios externos al estilo de las casas de Londres y París. Las mejores casas tenían dos y hasta tres pisos, con sus cocheras y sus cercos de hierro importados de Bélgica o Inglaterra. Por dentro, los muebles de la época colonial, pesados y sobrios, fueron cambiados por los estilos de moda en Europa, más livianos y elegantes.

La construcción de estas nuevas viviendas requirió de un cambio de las técnicas y los materiales de construcción. Las técnicas coloniales de cal y canto, adobe y bahareque eran adecuadas para construir viviendas cuando no había que levantar paredes altas ni dejar espacios grandes para ventanas. Aun así, en el Valle de las Hamacas, al menos, los terremotos causaban estragos tremendos hasta en las viviendas mejor construidas. Levantar edificios de más de un piso con técnicas tradicionales resultaba, pues, una idea temeraria. Pero algunos querían casas de dos pisos y con ventanas grandes y techos altos. ¿Qué hacer? Había que modificar las técnicas de construcción e incorporar nuevos materiales que, como es de suponerse, habrían de importarse.

La clave para construir según las nuevas exigencias estaba en el uso del hierro y del cemento, materiales ya muy utilizados en Europa y Norteamérica, pero prácticamente desconocidos por los maestros de obra salvadoreños.» ■

Tomado de VV. AA. *Historia de El Salvador*. Tomo II. Ministerio de Educación.

Se edificó un nuevo Palacio Nacional, el hospital Rosales —gran conjunto arquitectónico de varios pabellones unidos por jardines—, el edificio del London Bank of Central America, después Tesorería Nacional y Correos, el Teatro Nacional y un sinfín de edificios comerciales y residenciales. El romanticismo marcó su influencia en las identificaciones neogóticas de la basílica de San Salvador y de la catedral de Santa Ana.

■ Un conjunto suficiente para configurar una urbe moderna. Bajo estas líneas, edificio del hotel Princess, ejemplo del reciente crecimiento urbano de San Salvador. A la derecha, esquina del barrio de San Jacinto, gravemente dañado por el terremoto de 1986.

La oleada neoclásica se expandió hacia otras ciudades, especialmente al área de Sonsonate, que experimentaba un gran dinamismo debido a la proximidad del puerto de Acajutla. También se construyeron los teatros de Santa Ana y San Miguel. La preocupación por encontrar el sistema constructivo que burlara el poder de destrucción de los sismos generalizó los tipos de construcción liviana de madera, baharaque o las que utilizaban una malla conocida como ployé, que permitía dejar huecos los muros. Las paredes exteriores se recubrían entonces con una lámina repujada que imitaba la mampostería de piedra. Esta arquitectura de lámina se generalizó por todo el centro de San Salvador, llegando a constituir uno de los mayores patrimonios construidos del país por su originalidad y coherencia urbano-arquitectónica. Por desgracia se encuentra casi en extinción, como resultado del abandono, los incendios y el crecimiento urbano desbocado.

La modernidad y el futuro

En El Salvador existen innumerables ejemplos de obras arquitectónicas que son expresiones de los distintos momentos del desarrollo arquitectónico del siglo XX, desde el *art nouveau* hasta las corrientes más actuales. Todavía persiste el déficit de un inventario completo y de una valoración adecuada del conjunto de edificios existentes.

De momento quedan pendientes de solución problemas más globales, como el de una ciudad desmembrada como consecuencia de un desarrollo regido por criterios puramente instrumentales. Existen obras arquitectónicas que se ubican de manera dispersa en las partes más nuevas de la ciudad, pero que en su conjunto no son suficientes para configurar la imagen de una urbe moderna. Otro de los problemas pendientes es la recuperación del espacio público.

Mientras tanto, de las escuelas de arquitectura sale un nuevo tipo de arquitectos, al tiempo que surgen obras arquitectónicas en las que, pese a la ausencia de pretensiones formales, el tratamiento de los volúmenes denota sensibilidad y esmero.

La restauración de los edificios dañados por el terremoto de 1986 se hizo respetando su concepción original. El creciente interés por el patrimonio pone de manifiesto una nueva actitud de quienes tienen en sus manos modelar el espacio en el que deberán vivir los salvadoreños del futuro ■

La música

La música culta es la manifestación artística que más dificultades ha enfrentado para arraigarse en el país. Las condiciones nunca han sido propicias para el ejercicio profesional de la música. Aun así, a lo largo del siglo XX se sucedieron una serie de compositores cuya producción se entroncaba cada vez más con los lenguajes artísticos contemporáneos.

En El Salvador, el arte musical fue, profesionalmente hablando, una manifestación tardía. No hay, o no se ha encontrado, evidencia convincente de la existencia de compositores y ejecutantes profesionales durante el período colonial. En 1841, veinte años después de la independencia, se organizó en la ciudad de San Miguel la primera banda militar, tarea encomendada al italiano Juan Guido y a los peninsulares José Martínez y Manuel Navarro. Cabe mencionar que la tradición de bandas militares se mantiene hasta nuestros días.

Un romanticismo tardío

El músico guatemalteco Escolástico Andrino es el primer compositor de importancia en el país. Fue el primero en escribir sinfonías, lo cual lo coloca muy por encima de sus contemporáneos centroamericanos. Su *Sinfonía en re mayor* presenta todas las características del clasicismo. Aunque Andrino ejerció la docencia, ninguno de sus discípulos continuó su labor sinfónica, limitándose a escribir música de salón, de escasa trascendencia.

En 1876 el compositor napolitano Giovanni Aberle Sforza (1846-1930, posteriormente cambiaría su nombre a Juan Aberle), fue contratado por el presidente Rafael Zaldívar para impulsar la música del país: fue un músico bien dotado a quien se debe la música del himno nacional, y escribió óperas, misas y música de cámara que muestran su buena formación técnica y la clara influencia de los maestros europeos de la época. Escribió asimismo un tratado de armonía, contrapunto y fuga. Los compositores de esta época cultivaron, como era natural, el romanticismo. Entre ellos puede mencionarse a Rafael Olmedo (1837-1899), Nicolás Roldán (1851-1890), Ciriaco de Jesús Alas (1866-1952), Felipe Soto (1885-1913) y David Granadino (1876-1933).

Rafael Olmedo, compositor adscrito a la estética romántica del XIX.

Este romanticismo, en la mayor parte de los casos superficial, fue seguido por todos los que nacieron a finales del siglo XIX y principios del XX, convirtiendo a El Salvador en uno de los países más desfasados —musicalmente hablando— del continente. Mientras en otras naciones latinoamericanas como México, Brasil, Argentina y Cuba cultivaban un nacionalismo de vanguardia, en El Salvador se escribían piezas de salón, rapsodias y alguna sinfonía decadentemente decimonónica. A esta generación pertenecen Domingo Santos (1892-1951), José Napoleón Rodríguez (1901-1986) y Rafael Quintero (1890-1946).

Tras la senda del siglo XX

En 1950 llegó al país el director y compositor rumano Ion Cubicec (1917-1998), quien se ha visto envuelto en diferentes actividades culturales. Jugó un papel importante al introducir las nuevas tendencias europeas entre los músicos salvadoreños. Destacan sus obras *Cuarteto para cuerdas* y *Piezas para piano*. La primera, sin abandonar la tonalidad, y valiéndose de una técnica sólida, muestra rasgos expresionistas y nacionalistas que revelan su gran admiración por Béla Bartók.

El guitarrista y compositor Manuel Carcach, uno de los valores más sólidos de la música salvadoreña contemporánea.

Dentro de los autores nacionales que inician el diálogo con las escuelas musicales europeas del siglo XX puede citarse a Hugo Calderón (1917), Esteban Servellón (1921), Víctor Manuel López Guzmán (1922-1993) y Gilberto Orellana padre (1920).

Calderón fue discípulo de Humberto Pacas y continuó su formación en Estados Unidos. Entre sus composiciones merecen citarse *Suite centroamericana* (para piano), *Nocturno* (para flauta y piano), *Preludio, son y final* y *Sonata para piano número 1.*

Servellón realizó estudios en Italia y, entre sus composiciones más notables, sobresalen el ballet *Rina*, el poema sinfónico *Faeton*, *Música incidental para la fábula poética El Zipitin* de Waldo Chávez Velasco, *Sonatinas* para orquesta de cámara y el poema sinfónico *Sihuehuet*.

Víctor Manuel López Guzmán es autor de un *Cuarteto para cuerdas*, composición de cuatro movimientos y vena rapsódica en la que se conserva la tonalidad y emplea las escalas pentatónicas asociadas a las antiguas culturas prehispánicas. También es autor de obras orquestales como el tríptico sinfónico *Cuadros* (1974), que evoca paisajes costumbristas del país, y la suite sinfónica *Retablo para un prócer* (1968).

Gilberto Orellana padre busca nuevas sonoridades, inquietud que lo lleva a experimentar en el campo de la armonía y la orquestación. Este rasgo lo convierte en el compositor salvadoreño más experimental de su generación. En su obra destacan los poemas sinfónicos *Fantasía en el bosque*, *Enmanuel*, *Ruta al paraíso* y *Psicosis*.

Los contemporáneos

Entre los autores que se hallan en plena productividad musical se encuentran Gilberto Orellana (1939), Josep Karl Doestch (1944), Alex Panamá (1940), Ángel Duarte (1952), Germán Cáceres (1954) y Manuel Carcach (1955).

Gilberto Orellana hijo posee un *Concierto para violín y orquesta*, de orquestación bastante original pero que obedece a un programa: describir el concepto maniqueísta del bien (representado por el violín) y el mal (reservado para la orquesta). También ha incursionado en el campo de la electrónica con su obra *Variaciones sobre el tema de la Fantasía en el bosque*. Su *Sinfonía pipil* se estrenó en 1980.

Josep Karl Doestch estudió bajo la guía de Ion Cubicec. Reside ahora en Estados Unidos. Se conoce su obra *Soneto 87*, originalmente escrita para soprano o tenor solista, coro y orquesta, inspirada en un poema de Shakespeare. Es una composición en la veta neorromántica con algún tinte modernista. Ha escrito también pequeñas piezas para coro *a capella*.

Alex Panamá estudió con Alejandro Muñoz Ciudad Real y luego partió a Francia, donde fue discípulo de Nadia Boulanger y Pierre Boulez. A los 18 años escribió un *Septeto para instrumentos de viento* de tendencia neoclásica, bajo la influencia de Boulanger y Hindemith. Hacia 1960 se incorporó al movimiento serialista posweberiano. Otras obras suyas son *Dos piezas para piano* y *Ad honorem Patrice Lumumba nominis*.

Los compositores salvadoreños nacidos en la década de 1950 van hacia lo universal sin desestimar la corriente nacionalista ampliamente desarrollada en la primera mitad del siglo XX. Ángel Duarte estudió composición en México con Ramiro Luis Guerra, alumno de Godofredo Petrassi. Duarte ha representado en el país una posición radical en lo referente al lenguaje musical. Su obra refleja un doble interés por lo antiguo y lo novedoso. Sus principales composiciones son: *Música incidental para Edipo Rey*, *Medea*, *Las esquinas de la noche*, *Recercada*, *Tres piezas para orquesta*. Germán Cáceres fue discípulo de Ion Cubicec. Estudió posteriormente en la Julliard School de Nueva York y en la Universidad de Cincinatti. Sus principales obras son *Concierto para piano y orquesta* —compuesto gracias a una beca Guggenheim—, *Sonatina para guitarra*, *Sonata para piano*. Estas dos últimas están inspiradas en la estructura de un cuento de Julio Cortázar que mezcla dos relatos. También ha compuesto *Cantos de difícil palabra*; *Concierto para violín y orquesta*; *Concierto de cámara*; *Trío para violín, cello y piano* y partituras para flauta, oboe, clarinete, clavicémbalo, violín y violoncelo.

El miembro más joven de esta generación es Manuel Carcach, quien se inició como guitarrista y más tarde entró a la composición, disciplina que estudió en Boston de 1987 a 1989. De su obra cabe mencionar *Elegía para guitarra*; *Tientos* (para instrumentos de percusión), *Divertimento* (para oboe y piano), *Clara fuente de luz* (para orquesta) y *Hora de la ceniza* (para mezzosoprano y cuarteto de cuerdas).

Entre las generaciones más recientes de compositores debe mencionarse a Carlos Mendizábal (1968), quien estudió en San Francisco con Richard Festinger y Herbert Bielawa. Mendizábal se ha interesado en el minimalismo, aunque en sus últimas obras ha desarrollado un contrapunto más elaborado. También pertenece a esta última generación Carlos A. Colón-Quintana, que estudió en el Conservatorio Nacional de Música de Guatemala y más tarde en Estados Unidos.

La vida musical

La tradición sinfónica en El Salvador fue iniciada por Escolástico Andrino, quien a mediados del siglo XIX organizó la primera formación musical de carácter sinfónico. Con esta orquesta, el 2 de enero de 1860 Andrino dirigió su *Misa de réquiem*, dedicada a doña Petrona Espinosa de Barrios, madre del general Gerardo Barrios.

La Orquesta Sinfónica de El Salvador, bajo la batuta de su director titular, Germán Cáceres, en un concierto de 1998 con el Coro Nacional.

En 1875 se fundó la Sociedad Filarmónica bajo la dirección del belga Alejandro Coussin y, hacia 1910, se formó la Sociedad Orquestal Salvadoreña, dirigida por el italiano Antonio Gianoli. Esta institución le cedió su puesto a la Orquesta Sinfónica de los Supremos Poderes, fundada por el director alemán Paul Müller en 1922. A Müller lo sustituyó su compatriota Richard Huttenrauch en 1926 y, en 1936, éste fue reemplazado por el italiano Cesare Perotti, quien ocupó la dirección hasta 1941.

Desde entonces la Orquesta Sinfónica ha sido dirigida por maestros salvadoreños, siendo el primero Alejandro Muñoz Ciudad Real (1902-1991), quien ocupó el cargo desde 1941 hasta 1962. Gracias a la mente clara y ágil de Muñoz, El Salvador entró al mundo musical del siglo XX. En 1921 Muñoz viajó a México, donde trabajó como contrabajista y estudió en la Escuela Libre de Música y Declamación con José F. Vásquez.

Germán Cáceres con la agrupación de cuerda de la Orquesta Sinfónica de El Salvador.

En 1950 Muñoz Ciudad Real convirtió la Orquesta Sinfónica de los Supremos Poderes en la Orquesta Sinfónica de El Salvador, hecho de trascendencia histórica porque ésta es hoy una institución sólidamente establecida. Hacia 1960 el maestro Muñoz dirigió por primera vez en El Salvador los ballets *El pájaro de fuego* y *Petrushka* de Stravinsky; los poemas sinfónicos *Till Eulenspiegel* y *Don Juan* de Richard Strauss, la *Sinfonía número 5* de Dmitri Shostakovich y la *Clásica* de Sergei Prokofiev, así como los ballets *El amor brujo* y *El sombrero de tres picos* de Manuel de Falla. Fueron las primeras audiciones públicas de música sinfónica del siglo XX realizadas en el país.

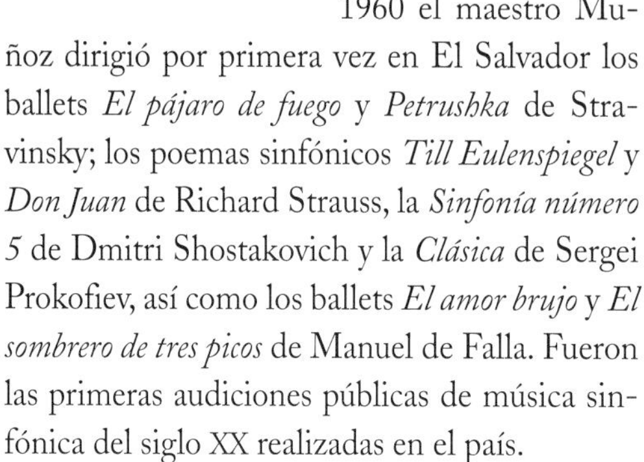

En 1962 el maestro Muñoz fue sustituido por Esteban Servellón, quien ocupó el puesto hasta 1974, año en el que fue sucedido por Gilberto Orellana hijo. Desde 1985 dirige la Orquesta Sinfónica de El Salvador el maestro Germán Cáceres.

La Orquesta Sinfónica de El Salvador realiza numerosos conciertos didácticos y una temporada de conciertos con solistas y directores invitados de diversas partes del mundo.

Durante la década de 1940 existió en El Salvador la Orquesta Sinfónica Salvadoreña, que estaba patrocinada por miembros de la empresa privada. Este grupo orquestal fue dirigido por el distinguido pedagogo, director y violinista Humberto Pacas.

Existen, además, algunas agrupaciones musicales tales como el Grupo Música Antigua, el Quinteto Nueva San Salvador, el Quinteto de Metales Gabrieli y el Coro Nacional. Este último realiza conciertos regularmente bajo la dirección de Irving Ramírez.

Hacia 1967 el Conservatorio Nacional de Música pasó a formar parte del Centro Nacional de Artes, institución que imparte educación a nivel medio. No existe todavía una carrera de música a nivel universitario, y todo aquel que quiera obtener un título debe acudir a otros países. Hoy más que nunca hay un número considerable de músicos salvadoreños que estudian o trabajan en el extranjero, lo cual podría ser alentador para el futuro de la música en el país, pero las perspectivas de un retorno exitoso al país no son muy halagüeñas.

■ ■ ■ ■

LOS MEDIOS DE COMUNICACIÓN SOCIAL

GACETA

DEL GOBIERNO SUPREMO DEL ESTADO

Del Salvador,

EN LA REPUBLICA DE CENTRO-AMERICA.

SAN SALVADOR, ABRIL 23 DE 1847.

EDITORIAL

HACIENDA

Ahí viene la plaga

La sociedad y los medios de comunicación

Los medios de comunicación social desarrollan un papel muy importante al ser la principal fuente de información y entretenimiento de la población. Distintos sondeos revelan que los medios de comunicación son, después de la Iglesia católica, la institución que en El Salvador goza de mayor credibilidad. También muestran que la radio es el medio con el cual los ciudadanos tienen más contacto a diario; en el orden de preferencias le sigue de cerca la televisión y, muy por debajo, la prensa escrita. Prácticamente no existe rincón del país al que no lleguen las ondas radiales o las señales televisivas. Los periódicos tienen un público más limitado debido, entre otras razones, al analfabetismo y a la escasa tradición de lectura entre los salvadoreños, pero siguen teniendo el mayor peso en la definición de la agenda de discusión pública nacional.

En general la propiedad de los medios de comunicación es privada. La Superintendencia General de Electricidad y Telecomunicaciones (Siget), encargada de regular este rubro en el país, tiene registrados 12 canales de televisión y un total de 163 frecuencias radiofónicas asignadas: 68 en AM y 95 en FM. Entre las publicaciones periódicas más importantes cabe destacar cinco diarios —tres matutinos y dos vespertinos— de difusión mayoritaria en el área metropolitana de San Salvador.

Aunque buena parte de los trabajadores de los medios tiene una formación empírica, la creciente profesionalización de las nuevas generaciones se revela en el hecho de que unas catorce universidades salvadoreñas poseen carreras afines a las comunicaciones, la publicidad y el periodismo. En el país funcionan, además, cuando menos, 32 agencias de publicidad y casi una veintena de productoras audiovisuales.

El Estado tiene algunas publicaciones escritas en varios ministerios, las cuales circulan con cierta periodicidad pero en sectores muy restringidos. Sirven para informar a otras instituciones estatales o para ser consultadas por los periodistas. El Estado es dueño de una estación radiofónica y de dos canales de televisión, el 8 y el 10, pero sólo este último ha funcionado desde 1989. Además, la Constitución otorga al gobierno el control de los medios de comunicación en casos especiales.

A la izquierda, sede de la Compañía Telefónica de El Salvador.

Aunque con notable retraso respecto a las fechas en que las modernas técnicas reprográficas fueron adoptadas por la prensa latinoamericana, El Salvador ha acabado por sumarse a los cambios tecnológicos que en el comienzo del siglo XXI están revolucionando los medios de comunicación social. En la página anterior, imagen de una rotativa de comienzos de los años noventa.

Los medios impresos

Las publicaciones escritas en El Salvador proliferaron después de que en 1824 llegó la primera imprenta, adquirida por José Matías Delgado y Miguel José Castro. Así, en junio de ese año, nació *El Semanario Político Mercantil*, primer periódico de El Salvador, que hizo una defensa abierta del federalismo. Una de las principales características de los periódicos del siglo XIX fue el doctrinarismo político, reflejo de las controversias ideológicas entre liberales y conservadores. Las publicaciones que le siguieron, a lo largo de 1827, *El Centinela* y *La Miscelánea*, fueron un ejemplo de ello. Ese mismo año se fundó *La Gaceta del Gobierno del Estado de El Salvador*, una publicación que con el tiempo se denominó *Diario Oficial*, y se dedicó exclusivamente a la difusión de las informaciones relacionadas con el quehacer gubernamental: leyes dictadas por el Poder Ejecutivo, el trabajo de los tribunales y algunas noticias del exterior, entre otros temas.

SEMANARIO POLITICO
MERCANTIL DE SAN-SALVADOR.
NOTICIAS AMERICANAS

El *Semanario Político Mercantil de San Salvador* fue el primer periódico salvadoreño que postuló la defensa de los principios federalistas. Primera plana del ejemplar correspondiente al 27 de agosto de 1825.

Las publicaciones escritas tuvieron su primera reglamentación en agosto de 1830, cuando se decretó la primera Ley de Imprenta. La política partidista acaparó las páginas de los periódicos hasta 1860, año en el que se inició el periodismo informativo. Desde entonces comenzaron a apa-

EL PRIMER PERIÓDICO SALVADOREÑO

«Después de los turbulentos días de la lucha contra el imperio mexicano, consolidada la Independencia, el padre José Matías Delgado compró en Guatemala una imprenta a principios de Junio de 1824, la que fue recibida en San Salvador con el natural regocijo de las autoridades y el pueblo.

El equipo adquirido por colecta que suscribió el prócer Delgado, electo Obispo de San Salvador, por aquellos días, se entregó al Pbro. Miguel José Castro para que lo instalara convenientemente.

La imprenta ocupó la casa donde hoy se encuentra la Confederación de Obreros de El Salvador. El local era propiedad de don Manuel Herrera, quien lo cedió gustoso para el nuevo taller.

El establecimiento de la imprenta fue uno de los propósitos más destacados del Jefe del Estado salvadoreño, don Juan Manuel Rodríguez (22 de abril al 1 de octubre de 1824), en primer lugar para impulsar la cultura, y en segundo, para fundar un órgano periodístico por medio del cual se difundieran las ideas políticas del momento.

Poco tiempo después, el 31 de julio de 1824, comenzó a editarse *El Semanario Político Mercantil*, primer periódico salvadoreño. En sus páginas se insertaban noticias oficiales, referencias a la actividad federal; en más de una ocasión se libraron polémicas encendidas sobre asuntos políticos y religiosos.

El suelto era sumamente sencillo. Cuatro a ocho páginas. La influencia más inmediata la recibía de la prensa mexicana, de donde reproducía noticias y artículos. Hasta el nombre se había tomado consciente o inconscientemente de una publicación mexicana de 1809.» ■

Italo López Vallecillos, *El periodismo en El Salvador*.

recer, además de la información política, las crónicas parlamentarias, las noticias culturales y las económicas.

Los periódicos más grandes y con mayor tradición nacieron entre 1890 y 1936. En la actualidad los de mayor tiraje son los matutinos *La Prensa Gráfica* y *El Diario de Hoy*, ambos de propiedad familiar. El primero es administrado por la Sociedad Dutriz Hermanos y el segundo por Editorial Altamirano Madriz. Los anuncios publicitarios llenan el 75 por ciento de sus páginas. Los vespertinos *El Mundo* y *Co-Latino* lanzan un menor número de ejemplares diarios, pero han podido conservar un limitado público lector, aunque poseen menos páginas y no reciben tanta publicidad como los matutinos. El grupo Editorial Altamirano también es propietario del periódico *Más!*, fundado en abril de 1998.

Los tabloides ya mencionados, considerados los más importantes del país, se difunden mayoritariamente en la zona metropolitana de la capital, pero existen algunas publicaciones en otros departamentos, entre ellas *El País* de Santa Ana, *El Faro* de Sonsonate, el *Periódico Tecleño* de Nueva San Salvador y *El Periódico de Oriente* de San Miguel. Existe además el semanario *Orientación*, órgano de difusión de la archidiócesis capitalina, fundado en 1951. En 1995 algunos sacerdotes y laicos crearon el periódico *Sentir Con La Iglesia*, publicación mensual que intentó ser voz de las comunidades religiosas del país y que desapareció en 1998.

En 1964 existían 11 publicaciones impresas entre diarios y semanarios. El número se ha mantenido prácticamente igual, ya que en 1993 se contabilizaron 16 periódicos, sin incluir las revistas.

La Prensa Gráfica

Dos periódicos, *La Prensa* (fundado en mayo de 1915) y *El Gráfico* (marzo de 1939), dieron origen al tabloide conocido actualmente como *La Prensa Gráfica*, fundado por la empresa Dutriz Hermanos el 10 de agosto de 1939. En su plana de redactores de los primeros años, incluyó a los escritores Alfredo Espino, Raúl Contreras y Vicente Rosales y Rosales.

Sede del periódico de ámbito nacional *La Prensa Gráfica*, perteneciente a Dutriz Hnos. Fueron las segundas instalaciones que tuvo la empresa y se inauguraron en junio de 1929, en su decimocuarto año de existencia. Se ubicaban frente al Mercado Mundial o Municipal, en pleno centro de San Salvador, en donde permanecieron hasta 1958. Fotografía de 1929.

La empresa introdujo en el país la primera máquina tubular para la impresión de periódicos (1950) y también fue la primera en instalar un teletipo para la recepción de cables extranjeros (1952). Tres años más tarde instaló el primer radiofoto. Desde esos años, José Dutriz hijo, graduado en Missouri, dirigió el periódico, modernizó los talleres, aplicó técnicas periodísticas estadounidenses y fortaleció la página editorial.

En 1979 el sistema Offset sustituyó a los antiguos linotipos. Cuatro años después se instalaron los primeros procesadores de palabras con varias terminales. Un nuevo diseño del periódico, en 1992, produjo la agrupación más ordenada de las informaciones por secciones: departamentales, internacionales, nacionales, sucesos, culturales y deportivas.

El Diario de Hoy

Fundado por Napoleón Viera Altamirano el 2 de mayo de 1936, *El Diario de Hoy* comenzó a funcionar con una pequeña Duplex Plana y levantaba los textos en linotipos. La mayoría de sus redactores eran jóvenes dedicados a la literatura, entre ellos el escritor Hugo Lindo. Su fundador fue un pensador liberal que apoyó decididamente la libre empresa y se opuso con tenacidad a todo «intervencionismo» estatal. Desde entonces el periódico ha tenido un clara, y a veces militante, línea editorial de derechas.

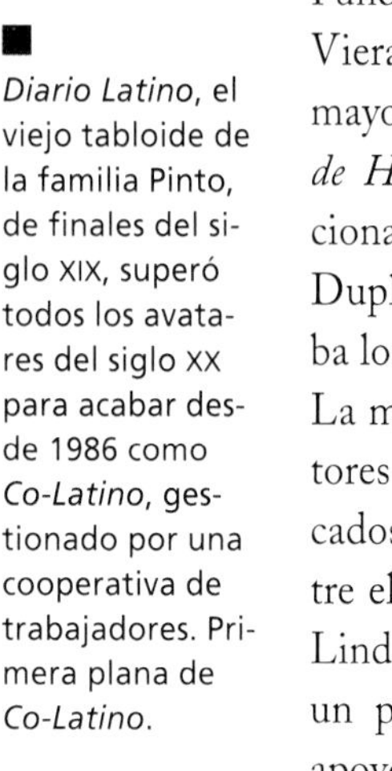

Diario Latino, el viejo tabloide de la familia Pinto, de finales del siglo XIX, superó todos los avatares del siglo XX para acabar desde 1986 como *Co-Latino*, gestionado por una cooperativa de trabajadores. Primera plana de *Co-Latino*.

Fue el primer periódico de tamaño tabloide en el país, y también el primero de publicación diaria, domingos incluido. El color llegó al periódico cuando en 1959 los propietarios adquirieron la impresora tubular Goss Rotativa Unitube, que fue sustituida en 1975 por el sistema Offset. Desde entonces se abandonó el uso de lingotes de plomo para la impresión y se contó con la capacidad de un mayor tiraje, ya que la máquina podía producir 45,000 ejemplares por hora.

Los primeros procesadores de palabras utilizados fueron Hendrix y ATEX, pero ya en 1991 se usaba el sistema IBM en la redacción y el Macintosh Plus en la diagramación, que arma páginas, hace insertos de gráficas, fotos y separa colores. Ese mismo año se rediseñó el periódico y en 1994 se introdujeron cambios como la inclusión de suplementos especiales y nuevas secciones.

El último diseño se lanzó en julio de 1997. El trabajo de procesamiento de textos, diagramado y manejo de imágenes está informatizado. La impresión sigue siendo Offset y la rotativa es una Goss Urbanite. El nuevo diseño busca presentar la información en módulos y no en un solo bloque, para lo que se requiere de un mayor uso de recuadros, ilustraciones e infografía.

Co-Latino

Los orígenes de este periódico se remontan al 5 de noviembre de 1890, en que llevaba la cabecera de *El Siglo XX*. En 1892 lo adquirió Miguel Pinto, escritor y poeta. Un incendio destruyó los talleres en 1896. Reapareció en 1903, primero como *El Latinoamericano* y luego como *Diario Latino*. Se dice que «defendió los postulados de la política hispanoamericana independiente, ajena a la intervención colonialista o imperialista y, en lo interno, atacó duramente la actitud irresponsable de muchos gobiernos que, al amparo del fraude eleccionario, mantenían en gran atraso al país». Es el diario que más incendios ha sufrido en su historia: el primero fue en 1896, otro en 1928 y el último en 1991, resultado de un atentado político.

Este tabloide fue propiedad de la familia Pinto hasta 1986, cuando la mayor parte de las acciones pasaron a otro empresario. Tres años después se declaró en quiebra y los trabajadores asumieron el control. A fin de legalizar la situación de propiedad los empleados se organizaron en cooperativa y lo rebautizaron con el nombre de *Co-Latino*. Desde entonces el periódico asumió una línea editorial afín a la izquierda.

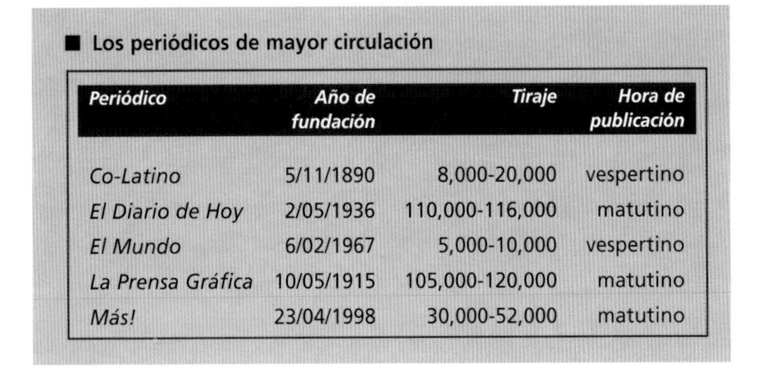

■ **Los periódicos de mayor circulación**

Periódico	Año de fundación	Tiraje	Hora de publicación
Co-Latino	5/11/1890	8,000-20,000	vespertino
El Diario de Hoy	2/05/1936	110,000-116,000	matutino
El Mundo	6/02/1967	5,000-10,000	vespertino
La Prensa Gráfica	10/05/1915	105,000-120,000	matutino
Más!	23/04/1998	30,000-52,000	matutino

El Mundo

Fue fundado en febrero de 1967, con Cristóbal Iglesias como director. Algunos periodistas opinan que fue el único medio que abrió sus espacios a los campos pagados de organizaciones no gubernamentales en la década de 1970 y a la información de los hechos —que no se atrevían a publicar otros medios— relacionados con la violencia política y militar de esos años.

En diciembre de 1995 introdujo cambios importantes en su diseño; multiplicó el uso del color y se ordenaron distintas secciones: nacionales, internacionales, editoriales, culturales y deportes. Adoptó además el sistema Macintosh en su diagramación y sus dueños adquirieron una rotativa Rotwill, de mayor capacidad de tiraje.

Periódicos desaparecidos

En distintos momentos han jugado un papel protagónico en el desarrollo del periodismo salvadoreño publicaciones que por distintas razones han dejado de publicarse. *El Diario del Salvador*, fundado por el nicaragüense Román Mayorga Rivas en 1895, que sería el principal periódico del primer tercio del siglo XX. En 1927 se fundó el periódico *Patria*, que estuvo dirigido por el pensador Alberto Masferrer hasta 1930 y por el escritor Alberto Guerra Trigueros hasta 1938.

PATRIA

¡A qué venimos!

LO QUE HACE EL GOBIERNO

■ *Patria* se caracterizó por ser un periódico de ideas que, bajo la dirección de Alberto Masferrer, abrió en el país un debate libre y de altura. Primera plana del ejemplar correspondiente al 27 de abril de 1928.

Durante las largas décadas de dictaduras militares cabe mencionar el periodismo independiente del semanario *El Independiente*, propiedad de Jorge Pinto hijo, dirigido en su primera etapa, a mediados de la década de 1950, por el escritor Ítalo López Vallecillos y obligado a cerrar a raíz de un atentado dinamitero en los inicios del conflicto bélico. Similar suerte corrió *La Crónica del Pueblo*, que debió cerrar a principios de la década de 1980.

En julio de 1995 cerró el semanario *Primera Plana*, fundado en septiembre de 1994. En 1996, casi diez años después de su aparición, dejó de publicarse el diario *La Noticia*, propiedad de un miembro de la familia Dutriz (fundadora de *La Prensa Gráfica*) ■

La radiodifusión

La primera emisora de radio salvadoreña, AQM, nació en 1926. El medio radiofónico dio lugar al fenómeno de comunicación más característico de la primera mitad del siglo XX. Imagen de un viejo receptor de radio.

La primera radioemisora que salió al aire en El Salvador fue AQM, el 1 de marzo de 1926, patrocinada por el Estado. AQM eran las iniciales del presidente Alfonso Quiñónez Molina. El nombre de esta radio estatal cambió siguiendo el rumbo de la situación política del país hasta que, en 1936, adoptó las siglas YSS y el nombre de Alma Cuscatleca cuando El Salvador se adhirió a los convenios internacionales de radiodifusión. Su programación incluía conciertos de artistas nacionales, conferencias científicas y noticias de sucesos internacionales. Cuando surgió la radiodifusión, la única legislación existente era el Reglamento para el Servicio Público de Telefonía, que sólo autorizaba la instalación de emisoras por motivos científicos o recreativos, tal como fue desde 1931 hasta 1944, durante la dictadura de Hernández Martínez.

En 1942 el gobierno intentó ampliar el espectro radiofónico con la aprobación del Reglamento para la Instalación y Operación de Estaciones Radiodifusoras; sin embargo en la práctica sólo se autorizaron frecuencias a personas «de confianza». Así surgieron YSP (la primera radio privada), YSO, YSR, YSY. En esos años el sector comercial comenzaba a interesarse en invertir en la radiodifusión por su importancia como medio publicitario.

El despegue de la radiodifusión privada

En la primera mitad de la década de 1940 no surgió prácticamente ninguna emisora. Hubo que esperar a 1946, dos años después de la caída del general Hernández Martínez, para que se fundara la YSU. El perfil comercial ya se había establecido como uno de los propósitos más claros en la radiodifusión, pero fue a partir de 1949 que se reveló una preocupación más decidida por la modernización del sector. Se importaron transmisores, mientras que se desecharon los de fabricación doméstica. El Salvador es el pionero centroamericano en la casi totalidad de los medios de comunicación telegráfica y radiofónica, excepto en la instalación de teléfonos automáticos, que se realizó con anterioridad en Guatemala y Honduras.

La década de 1950 fue la era de las radionovelas. La mayoría de las emisoras entraron en una gran competencia por la transmisión de este tipo de programas, importados de México, Cuba y Venezuela o producidos localmente. Entre las radionovelas destacó *El derecho de nacer*, de origen cubano. Ésa fue también la época de oro de la radio debido al desarrollo industrial que se estaba operando en el país: se otorgaron frecuencias a empresarios no vinculados con el gobierno y se invirtió en tecnología. Predominó en este período la «programación total», que incluía distintos géneros radiofónicos para una audiencia heterogénea.

La radio entraría en un proceso de industrialización a partir de 1960, al descubrirse su importancia en la promoción del comercio y el consumo. En septiembre de 1964 se fundó la Asociación Salvadoreña de Radiodifusores (ASDER), que contribuyó a la institucionalización del medio. En la década de 1970 se instalaron las primeras emisoras en frecuencia modulada (FM), lo cual supone un grado mayor de tecnificación, más cobertura y mejor calidad de sonido. Aunque en 1975 sólo había en el país 141 radiorreceptores por cada 1,000 habitantes, ya existían 40 emisoras en AM. Ese mismo año comenzó a transmitir la primera emisora en FM y, en 1982, de un total de 50 estaciones, sólo 3 operaban en esa frecuencia.

La retransmisión seriada de novelas obtuvo el favor de las amas de casa en todo el mundo. En El Salvador, las novelas retransmitidas procedían de los estudios de grabación mexicanos. Imagen de una grabación de radionovela en México.

La radio en la guerra y la paz

Al igual que otras instituciones la radio sufrió las consecuencias del conflicto bélico durante los años ochenta. Los grupos guerrilleros ocuparon algunas estaciones para difundir sus demandas. La YSAX, emisora de la iglesia católica, fue blanco de varios atentados dinamiteros entre 1979 y 1980, atribuidos a grupos paramilitares de derecha. Pero la convulsionada realidad salvadoreña de las décadas de 1970 y 1980 constituyó un escenario apropiado para el *boom* informativo de la radio. La prensa escrita y la televisión no tenían muchos espacios, razón por la cual los programas informativos radiales desempeñaron un papel fundamental como referente importante para la población. En cuanto a credibilidad e inmediatez de las noticias, la radio obtuvo las más altas audiencias en esos años e informaba a una parte importante de la población salvadoreña.

Durante la ofensiva guerrillera de 1981 comenzó sus transmisiones la radio clandestina Venceremos y un año después la Farabundo Martí, ambas voceras del Frente Farabundo Martí para la Liberación Nacional (FMLN). Radio Cuscatlán difundía los partes de guerra elaborados por el Comité de Prensa de la Fuerza Armada (Coprefa).

La radio en la actualidad

El número de estaciones creció de forma exorbitante después de la firma de los Acuerdos de Paz entre el gobierno y el FMLN. Del medio centenar de radiodifusoras registradas en 1982 se pasó a 91 en 1993, y 163 en 1997, según las cifras publicadas por Antel. El espectro radial salvadoreño parece ser el más amplio de los países centroamericanos no sólo en cantidad sino por la variedad de las estaciones.

En la última década del siglo XX aparecieron las emisoras especializadas, se abandonó el formato de programación total, proliferaron las emisoras religiosas y decayó el perfil informativo de la radio. Los cambios en el medio radiofónico surgieron especialmente porque la televisión había acaparado de forma notable la publicidad y entonces las estaciones se vieron obligadas a ofrecer programaciones para públicos delimitados.

Apareció, por ejemplo, una emisora infantil (radio UPA) y varias religiosas (evangélicas y católicas); otras emisoras transmiten únicamente música juvenil, algunas sólo texanomexicana, salsa, merengue, y otras se dedican exclusivamente a las noticias o los deportes (el 5 por ciento del total de estaciones). También aumentó el número de emisoras que programan sólo música en inglés de los años sesenta en adelante, las llamadas «adulto contemporáneo». En esta última categoría se ha distinguido Radio Corporación Salvadoreña (RCS), fundada en noviembre de 1996. Su programación combina música con espacios noticiosos y una de sus novedades es un debate matutino, conducido por cuatro moderadores.

La programación en las estaciones de radio salvadoreñas

Perfil de programación	*Porcentaje**
Musical	71.8
Informativo	5.1
Variado	23.1

*Calculado base en datos de ASDER y ARPAS.

Como resultado de este proceso de diversificación y especialización de las estaciones radiodifusoras, la oferta musical en el dial de El Salvador se ha ampliado de manera considerable. En la actualidad abarca desde la música clásica (Radio Clásica YSTA, fundada en 1975), hasta el género tropical (salsa, merengue, cumbia salvadoreña), pasando por el *pop-rock* en español e inglés, *el tex-mex* y las baladas, en español e inglés.

Existen, además, al menos 19 estaciones radiofónicas religiosas. La iglesia católica cuenta con una radioemisora, la YSAX, fundada en octubre de 1958, que recientemente se rebautizó como Radio Paz, tras la llegada de monseñor Fernando Sáenz Lacalle al Arzobispado de San Salvador.

La creación de este gran número de emisoras se produjo, en parte, cuando la separación entre una y otra frecuencia se redujo desde los 800 kilohertz, hasta los 400 kilohertz. La medida fue adoptada tras la firma de los Acuerdos de Paz para permitir las transmisiones de las antes clandestinas radio Venceremos y Farabundo Martí, hoy conocidas como RV y Doble F, respectivamente, cuyas programaciones se han transformado de manera total.

La adquisición de equipos digitales para las cabinas y la producción proporcionó una mayor fidelidad de sonido y satisfizo las demandas de calidad del público, a pesar de las dificultades geográficas de El Salvador. Las radios comerciales más potentes siguen siendo las de la Asociación Salvadoreña de Radiodifusores (ASDER), que cuenta con 68 miembros activos, entre ellos 8 canales de televisión. Otro fenómeno novedoso ha sido la aparición de programaciones importadas, franquicias mexicanas cedidas a empresarios salvadoreños (radios Vox, Pulsar y FM Globo).

La polémica de las radios alternativas

Una complicada polémica se desató en 1995 cuando la Policía Nacional Civil (PNC) decomisó equipos de transmisión de algunas radios que funcionaban en comunidades rurales del interior del país. Las estaciones emitían sus señales desde varios municipios de Chalatenango, Morazán y Cabañas, entre otros departamentos, y estaban respaldadas por la Asociación de Radios y Programas Participativos de El Salvador (ARPAS), que fue fundada en febrero de 1994.

Según la autoridad reguladora, el funcionamiento de las radiodifusoras era ilegal ya que no contaban con los permisos correspondientes para el uso de las frecuencias. ARPAS, por su lado, argumentaba que la legalización había sido solicitada con anticipación, pero los casos de las llamadas «radios participativas» nunca fueron resueltos. Con el agravante de que no hay ninguna figura legal que pueda ampararlas. Las leyes salvadoreñas sólo contemplan la creación de radios estatales o comerciales.

ARPAS cuenta con un total de 22 instituciones asociadas. Entre ellas 18 son radios, así distribuidas: 9 locales, situadas en los departamentos de Cuscatlán, Cabañas, Usulután, Morazán, La Libertad, La Unión y San Miguel; 4 regionales, con base en Chalatenango, Usulután, Morazán y Sonsonate, y 5 urbanas o nacionales, del área metropolitana de San Salvador (YSUCA, Cabal, Doble F, Universidad y Maya Visión).

La mayoría de estas estaciones transmiten en mediana y baja potencia. Su alcance engloba el territorio del municipio o, en ciertos casos, de algunos cantones. Algunas, sin embargo, transmiten con más de 100 watts de potencia y tienen alcance regional. En general las radios participativas sirven de teléfono público en zonas alejadas de los centros urbanos, de canal de convocatoria para actividades y eventos locales o como fuentes de información. Transmiten programas educativos, de servicios sociales, y mensajes en coordinación con distintas dependencias estatales, entre ellas los ministerios de Salud y Educación, así como la policía.

ARPAS busca aglutinar los esfuerzos alternativos en el área de la comunicación radial de El Salvador y sostiene que las emisoras afiliadas, todas en FM, no interfieren con las radios comerciales. Sin embargo, ASDER opina lo contrario y ha exigido que se aplique la ley a las radiodifusoras ilegales. También exige que se respete la separación de 400 khz que debe existir en el dial de FM para evitar interferencias; las radios participativas, por su parte, han solicitado que se baje ese nivel a 200 para permitir sus transmisiones ■

■ Asociaciones gremiales de las radiodifusoras salvadoreñas

Gremio	Organismo internacional afiliado
ASDER	Unión de Asociaciones de Radios Centroamericanas (UNARCA) Asociación Interamericana de Radios (AIR)
ARPAS	Asociación Mundial de Radios Comunitarias (AMARC) Asociación Latinoamericana de Educación Radiofónica (ALER)

EN VOZ ALTA
RADIO CLASICA 103.3 MHZ. FM ESTEREO
CONCULTURA

■ La diversificación de estaciones radiofónicas ha ampliado considerablemente la oferta de programas. Logotipo del programa de debate cultural «En voz alta», que se emite semanalmente a través de Radio Clásica.

La televisión

A diferencia de la radio, que nació con el patrocinio estatal, la televisión surgió en El Salvador por la iniciativa privada y su historia es bastante reciente.

La televisión privada

El despegue de la industria televisiva fue difícil y para fortalecerse hubo de esperar varios años. Antes de lograrse esa estabilidad hubo un intento pionero: YSEB, Canal 6, fundado por el mexicano Rubén González en septiembre de 1956, el cual cambió de dueño al menos en dos ocasiones hasta salir al aire el 6 de abril de 1973. Algo parecido sucedió con el Canal 4, que inició sus transmisiones en diciembre de 1958, pero no se estabilizó hasta octubre de 1966. El Canal 2 tiene una transmisión continua desde el 30 de noviembre de 1965. Los tres canales formaron el grupo que más tarde (1986) integró el consorcio televisivo más grande del país, Telecorporación Salvadoreña (TCS).

YSR TV2, Canal 2, transmitió en blanco y negro durante más de siete años y fue el primero en introducir las telenovelas de origen mexicano en su programación. El resto de los canales tenían, con preferencia, programas musicales. La primera telenovela que transmitió fue *Fray Martín de Porres*. Aún se distingue por la programación de este tipo de espacios, a los cuales dedica cinco horas diarias, de lunes a viernes, la mayoría producidas por Televisa, la más grande cadena hispana de televisión. Prácticamente no existe producción local, que apenas se observa en programas como *Domingo para todos* y *Jardín infantil*.

Canal 4 se caracterizó por sus espacios cómicos, infantiles, concursos y musicales y un alto porcentaje de producción nacional, con el auxilio de dos mexicanos en la dirección de fotografía y escenografía. La situación cambió radicalmente cuando, en 1966, su nuevo propietario introdujo la telenovela e incrementó los programas deportivos. A partir de las olimpiadas de México (1968) se identificó especialmente con éstos, aunque las telenovelas, los programas infantiles y las teleseries estadounidenses seguían ocupando un lugar importante. Tras el mundial de fútbol de 1982, el canal desplazó cualquier otro programa para transmitir los eventos internacionales de este género. El Canal 4 posee

Las estaciones televisivas

Canal	*Perfil de la programación*	*Entrada al aire*
2 (YSR)	series, música y novelas mexicanas	1965
4 (YSU)	deportes y novelas venezolanas y colombianas	1966
6 (YSLA)	películas	1973
10 (YS-TVE)	programas educativos, de opinión y musicales	1969
12 (YSWX)	diversidad (noticias)	1984
15 ((YSXI)	deportes	1999
17 (YSXL)	videos musicales y programas nacionales	1992
19 (YSXW)	novelas, música y series	1995
21 (YSXO)	series, novelas, películas y noticias	1993
23 (YSXY)	videos musicales	1994
25 (YSZX)	programas religiosos	1992
33 (YSTP)	noticias	1995

concesiones para la transmisión exclusiva de la mayoría de las competencias mundiales, entre ellas las de fútbol y los juegos olímpicos.

La primera estación que transmitió en color fue Canal 6 en 1973. Se caracteriza por el género de las películas, pero en otros años se identificaba más por su programación musical. Fueron famosos, por ejemplo, *Éxitos musicales, A ritmo latino, Onda musical* y *Cocktail musical*, y series como *Bonanza, El gran Chaparral* y *Patrulla juvenil.* Actualmente las películas son su plato fuerte, junto a los espacios informativos y las series familiares de origen estadounidense. Telecorporación Salvadoreña tiene concesiones de las cadenas extranjeras más importantes, entre ellas ABC (Estados Unidos), NBC (Estados Unidos), Televisa (México) y O Globo (Brasil).

En los últimos años la televisión salvadoreña ha conocido importantes cambios en todos los sentidos, especialmente en el tecnológico, aunque la producción nacional casi ha desaparecido. En la década de 1970 sólo existían cinco canales: 2, 4 y 6, de propiedad privada, y los estatales 8 y 10. En 1997 el número se elevó a doce.

La televisión privada (canales 2, 4 y 6) no tuvo competencia hasta que en enero de 1985 salió al aire Canal 12, que más tarde adquirió Jorge Emilio Zedán. Esta estación impuso nuevas formas en la cobertura informativa, con el noticiero y la entrevista *Al día*. Incluyó presentadores de noticias en pantalla y reporteros en el terreno. A partir de entonces surgieron programas informativos en el resto de canales.

En 1986 los canales 2, 4 y 6 decidieron unirse, bajo la presidencia de Boris Eserski, en la Telecorporación Salvadoreña (TCS). Los tres canales transmiten un bloque matutino común que incluye un noticiero, telenovelas, programas infantiles y un *talk show*.

Otra importante empresa que amplió la competencia privada televisiva es el Grupo Megavisión que, además de administrar algunas estaciones de radio, dirige los canales 21, 15 y 19, este último identificado con el *slogan* «El canal de la mujer». En 1995 *Teleprensa* dejó de ser un noticiero de Canal 2 para convertirse en Canal 33, con 16 horas de programación exclusiva de noticias, de lunes a viernes.

Estudios televisivos de la cadena privada Canal 2, durante la emisión de un telenoticiero.

Desde principios de los años noventa las estaciones televisivas se equiparon con antenas microondas que dotaron a los noticieros de cierto dinamismo y de mayor inmediatez. Otro gran salto tecnológico se observó con la concreción, en 1997, de la alianza entre Canal 12 y la Televisión Azteca de México, la segunda más importante en ese país después de Televisa. TV12 posee ahora un equipo digital en sus estudios y mantiene unas nueve horas diarias con programas de producción local. En lo tecnológico, el canal adquirió varias repetidoras que ampliaron la cobertura de su señal y una nueva antena con mayor potencia. En el aspecto organizativo, el 75 por ciento es propiedad de TV-Azteca y el resto pertenece a capital salvadoreño. TV12 constituye un plan piloto de la empresa mexicana para su expansión en América Central y Sudamérica.

El Salvador cuenta además con varias compañías que ofrecen televisión por cable. Entre las más importantes pueden mencionarse Cablevisa y Cablecolor, que comenzaron a funcionar en 1992 y 1994, respectivamente. Con anterioridad a 1998, la Superintendencia General de Electricidad y Telecomunicaciones (SIGET) había autorizado a 29 empresas para explotar el servicio de televisión por suscripción en los catorce departamentos del país.

La televisión estatal

Un decreto ejecutivo de 1963 permitió que se iniciaran las discusiones sobre la creación de un canal de televisión estatal. El gobierno hizo de este medio un pilar fundamental para la reforma educativa de 1968. El Salvador, según los expertos, contaba con las condiciones sociogeográficas requeridas para poner en marcha la Televisión Educativa (TVE): carencia de grandes cadenas montañosas, concentración de la población, unidad del idioma, pequeña extensión territorial, red de carreteras y electrificación casi completa. Se consideró, además, el gran poder de atracción de la imagen y su potencial en un proceso acelerado de enseñanza.

En los últimos años la televisión salvadoreña ha dado un gran salto tecnológico. En la imagen, un programa de entrevistas en Canal 33.

Desde 1960 había un notable crecimiento industrial y su fortalecimiento requería una mano de obra cualificada, hasta entonces casi inexistente: había casi un millón de analfabetos, maestros no titulados, deserción del ochenta por ciento en los primeros años de escuela y una cobertura educativa insuficiente.

Las transmisiones de las teleclases comenzaron en febrero de 1969 por el Canal 10, aunque un grupo de producción había emprendido una programación experimental en 1967, todavía con equipo inadecuado y sin materiales gráficos y fílmicos suficientes. Los canales 8 y 10 fueron inaugurados formalmente por el Ministerio de Educación en 1973. En la mitad de la década de 1970 la TVE producía ya programas por asignaturas de segundo y tercer ciclo de enseñanza básica (de 4° a 9° grado). Producía también programas culturales para el público adulto. Se contó con donaciones de instituciones y gobiernos extranjeros, principalmente de Estados Unidos y, al principio, de Japón.

Cuando el conflicto armado se agudizó, la educación dejó de ser prioridad gubernamental y el apoyo para la TVE disminuyó de manera significativa. Durante la administración demócrata cristiana (1984-1989) los canales 8 y 10 se convirtieron en voceros gubernamentales y pasaron del Ministerio de Educación al de Cultura y Comunicaciones. La programación se enfocó hacia el terreno educativo-cultural, el equipo estaba deteriorado y se registró el paso de personal a otros medios de comunicación. Las cosas empeoraron cuando, debido a la falta de programas, en 1987 el Canal 8 se convirtió en repetidora del Canal 10, hasta que suspendió las transmisiones en 1989.

El gobierno de la Alianza Republicana Nacionalista (Arena) devolvió al Ministerio de Educación la administración de la televisión estatal y, desde 1991, la programación del Canal 10 está a cargo del Consejo Nacional para la Cultura y el Arte (Concultura).

Canal 10, Televisión Cultural Educativa (TVCE), inauguró en 1996 un transmisor de 10 kilovatios de potencia. Ese mismo año inauguró el Museo de Historia de la Televisión Educativa. Este canal es miembro de la Asociación de Televisión Educativa Iberoamericana (ATEI) y posee la concesión de la señal de la Deutsche Welle (DW) de Alemania ■

La profesión periodística

La prensa salvadoreña —escrita, televisiva y radial— ha reflejado la evolución de los medios de comunicación, a la vez que ha sido punta de lanza en el desarrollo de los mismos. A lo largo de la historia los periodistas han sido blanco permanente de la censura y la represión de los gobiernos.

Antes de la guerra

La censura y la represión fueron habituales durante la dictadura del general Hernández Martínez a través del bloqueo económico, la persecución y la intervención directa en publicaciones como *La Prensa Gráfica, El Diario de Hoy* y *Diario Latino*. Las dictaduras instauradas a partir de 1944 también impusieron límites a la libertad de información y casi hicieron que desapareciera la libertad de expresión.

En 1952 el gobernante Partido Revolucionario de Unificación Democrática (PRUD) cerró sus puertas a los periodistas de *Diario Latino* y retiró la publicidad de este medio por la postura crítica que mantenía. El primer noticiero televisivo, *Reportajes Deleón*, que apareció en 1957, prácticamente no sufrió estos problemas porque se dedicó a la presentación de noticias sobre fiestas, eventos deportivos, sociales y culturales. Así permaneció este informativo hasta mediados de la década de 1980, aunque se observó cierto esfuerzo periodístico en la descripción de la violencia urbana que aumentó al final de los años setenta.

Durante la guerra

La guerra civil y la violencia desatadas a partir de 1980 cambiaron el panorama en que se desenvolvieron los medios informativos e impuso nuevas formas de cobertura y tratamiento de las noticias. *Teleprensa* y *Telediario Salvadoreño* hicieron ciertos intentos por abordar la problemática nacional, mientras los matutinos de mayor circulación, cuya filiación con la derecha política era más que evidente, evadieron la responsabilidad de difundir con objetividad los hechos relacionados con el conflicto bélico. La convulsión nacional marcó de manera radical el desempeño de los periodistas, especialmente perjudicados por el estado de sitio decretado desde marzo de 1980 y que fue prorrogado por la Asamblea Legislativa durante otros seis años.

EL INDEPENDIENTE

10 Centavos

JUNTA DE HONDURAS SE ENTREVISTO CON LEMUS

El reto de una prensa independiente frente a los poderes públicos. Primera plana de *El Independiente*, que bajo la dirección de Ítalo López Vallecillos simbolizó una profesión en conflicto permanente con la autoridad militar.

La censura impuesta a los medios de comunicación más evidente se observó durante la ofensiva guerrillera de 1989. En los departamentos de prensa de las televisoras, de las radios y de los periódicos había personas armadas, enviadas por la Fuerza Armada, que se encargaban de seleccionar la información que podía ser publicada. Si alguna noticia perjudicaba la imagen del gobierno o del ejército, los censores se encargaban de eliminarla.

La llegada del Partido Demócrata Cristiano al gobierno posibilitó en 1984 la apertura parcial de la agenda de medios y cambios, tanto en el aspecto tecnológico como en el periodístico. Surgieron nuevos noticieros y modernos formatos: uso de gráficos, presentadores y reporteros en los lugares de los hechos. Llegó nueva tecnología a los medios impresos; los noticieros radiales mejoraron en agilidad y cumplieron mejor con la inmediatez y el reporte en vivo. El diario *El Mundo* asumió un cambio muy importante al abrir espacios para campos pagados de organizaciones no gubernamentales y sindicales. La tradición conservadora del resto de los periódicos impidió dar una cobertura distinta de las acciones de guerra.

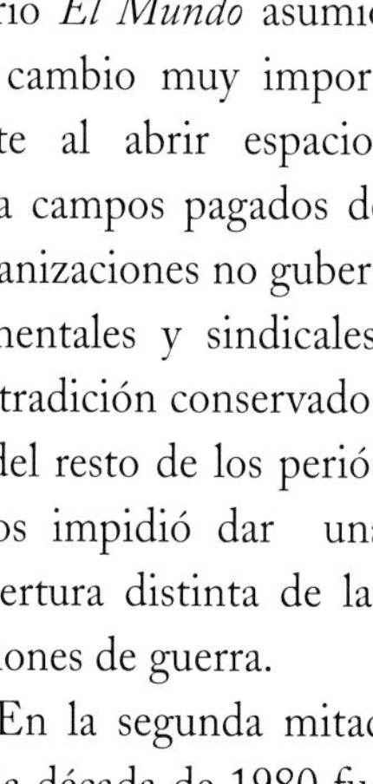

Funcionarios Renunciantes redactan documento

FPL tómanse emisoras hoy a mediodía

mañana Viernes sus facturas valen dinero en MOLINA CABALLERO

AÑO XIII #163 PRECIO 25 CENTAVOS San Salvador, Jueves 3 de Enero de 1980.

ALCALDES DEL PDC Y UDN NO RENUNCIARAN

INFORMACION PAG. 40

Retiranse miembros de la Comisión Investigadora de Reos Políticos

EL Mundo

Escasos fueron los periódicos que se plantearon brindar una información cabal de la guerra. En la imagen, página del diario *El Mundo*.

En la segunda mitad de la década de 1980 fue relevante ya el gran empuje que recibieron los programas de opinión y los debates televisivos. El Canal 10 abrió el primer espacio de debates con el programa *Punto de vista*, al que siguieron *Entrevista al día*, en el Canal 12, y *Frente a frente* en la cadena TCS. En estos programas hubo encendidas discusiones políticas: por ejemplo, un diputado del PDC debatiendo con otro de Arena, y, antes de 1990, ya se había visto más de una entrevista con algún dirigente del FMLN, realizada en México o en otro país.

En esos años, lo más importante era presentar las noticias de mayor actualidad sin reparar en el contexto. Los saltos dados por la prensa informativa antes de que en 1990 se estableciera una negociación más seria con la mediación de Naciones Unidas, fueron explicables, entre otros factores, por el vacío informativo de comienzos de la década de 1980 y por la rentabilidad económica de estos espacios.

Después de los Acuerdos de Paz

Tras los Acuerdos de Paz los medios pasaron a convertirse en difusores de los logros democráticos y siguieron marcando el pulso diario de los acontecimientos. Aumentó la exigencia respecto a los periodistas y cambió la agenda informativa: el cumplimiento y la ejecución de los compromisos asumidos por el gobierno y la guerrilla ocuparon buena parte de los informativos. También comenzaron a aparecer con más frecuencia los problemas de la delincuencia, la corrupción y el narcotráfico. Además, aumentó el número de informaciones relacionadas con los poderes del Estado.

Se fue reconociendo el peso de la izquierda como fuerza política y se normalizaron las informaciones sobre ex comandantes guerrilleros. Se introdujo así el aprendizaje de la discusión entre la población, que conoció las primeras búsquedas de consensos y aprendió a respetar las opiniones de los adversarios. La libertad de expresión ya se estaba concretando y nadie, periodistas incluidos, podía ser sancionado por criticar la acción gubernamental.

Otra vez se evidenció la modernización tecnológica de los medios informativos. Vía satélite se difundieron las noticias del mundo. En la televisión se introdujeron nuevos formatos y se definieron secciones para nacionales, internacionales, economía, deportes y reportajes especiales (sólo el Canal 12 abrió su sección editorial); prácticamente todos los noticieros se equiparon con antenas microondas para las transmisiones en directo.

En la radio, la telefonía celular mejoró las transmisiones en vivo y se abrieron programas destinados a pulsar la opinión de la población mediante los teléfonos abiertos.

Los cambios en los periódicos, en especial en los de mayor tiraje (*La Prensa Gráfica* y *El Diario de Hoy*), también fueron significativos, al menos en cuanto a diseño y tecnología. Se otorgó más importancia a la fotografía, se incluyeron infográficos y se fomentó la elaboración de reportajes con mayores niveles de investigación sobre temas como la prostitución, el narcotráfico, la corrupción, etcétera. Las páginas editoriales de los periódicos continúan teniendo una gran importancia e impacto en las decisiones gubernamentales y, en cierta forma, en la opinión pública.

A partir de la mitad de la década de 1990 en algunos informativos salvadoreños se ha notado una gran influencia del sensacionalismo y el amarillismo, característicos de programas como *Ocurrió así*, de Telemundo, la segunda cadena hispana más importante, y *Primer impacto*, producción del canal Univisión, de Televisa. Su peculiaridad es que en la búsqueda de audiencias masivas hacen espectáculo de las noticias, destacan sus elementos inverosímiles, crudos y morbosos para impactar a los espectadores. Los efectos son peculiarmente visibles en la revista televisiva *Noticias Cuatrovisión*.

Las agencias internacionales y el periodismo salvadoreño

Mediada la década de 1970, la violencia política imperante atrajo a El Salvador a un gran número de corresponsales de los distintos medios de la prensa internacional. Con anterioridad, existían ya corresponsales de Associated Press (AP), Reuters y UPI, e incluso se sabe que algunos periodistas extranjeros grabaron el discurso del general Hernández Martínez cuando asumió el poder en 1931. Los secuestros, los golpes de Estado y la convulsión política, social y militar que sacudían al país atrajeron la atención del mundo, y la prensa internacional se encargó de difundir estos hechos fuera de las fronteras salvadoreñas.

Tras los Acuerdos de Paz, la prensa juega un papel destacado en la formación de la conciencia democrática. En la imagen, vendedora de periódicos ambulante en San Salvador.

En la década de 1980 la violencia política no podía seguir ocultándose y algunos sectores de extrema derecha acusaron a los corresponsales de ser «desinformadores». Su trabajo fue muchas veces obstaculizado por los bandos en contienda. El ejército salvadoreño los obligó durante años a tramitar salvoconductos o a portar identificaciones emitidas por oficinas del gobierno para poder entrar a zonas conflictivas. En ocasiones los periodistas debían enviar declaraciones firmadas en las que aceptaban «viajar por su cuenta y riesgo». También eran obligados a reportarse con el Comando Militar de la zona que visitaran.

En el gremio de los periodistas existe consenso en señalar que los corresponsales constituyeron una escuela profesional para la prensa salvadoreña, ya que los enviados tenían más experiencia y mejor formación académica. Además estaban equipados con tecnología muy avanzada, lo cual quedó de manifiesto, por ejemplo, en las transmisiones vía satélite realizadas por las grandes cadenas de televisión (NBC, CBS y ABC) desde los primeros años de la guerra. Más de veinte periodistas extranjeros murieron o fueron desaparecidos durante el conflicto: estadounidenses, holandeses, un sudafricano y un mexicano, entre otros.

Conforme el conflicto militar avanzaba, se produjo un cambio generacional en las agencias internacionales y se notó una mayor participación de periodistas salvadoreños. Algunos pasaron de asistentes a corresponsales (AP, Reuters) y prácticamente todas las agencias contrataron fotoperiodistas. Tras la firma de los Acuerdos de Paz casi el 95 por ciento de los miembros de estas agencias son salvadoreños. En este cambio pesó no sólo el profesionalismo demostrado por los locales sino la reducción de los costos, ya que los extranjeros perciben salarios más cuantiosos.

Las prioridades informativas de estas agencias han cambiado. Superadas las batallas militares en la ciudad y en el campo, los crímenes de los escuadrones de la muerte y, en general, la violencia derivada del conflicto armado, comenzaron a interesar otros temas: la delincuencia, la corrupción, la pobreza, la cultura y la investigación histórica. Una vez que Centroamérica dejó de ser un punto focal en la política estadounidense, y tras el fin de la guerra fría, El Salvador perdió parte del interés para los medios internacionales.

■ Medios noticiosos extranjeros con corresponsales en El Salvador

*Medio noticioso**	*País de origen*
ACAN-EFE (noticias por cable)	España-Centroamérica
AFP (noticias por cable y fotos)	Francia
ANSA (noticias por cable)	Italia
AP (noticias por cable, televisión y fotos)	Estados Unidos
CBS Telenoticias (noticias por televisión)	Estados Unidos, España, Argentina
CNN (noticias por televisión)	Estados Unidos
DPA (noticias por cable)	Alemania
ECO (noticias por televisión)	México
NOTIMEX (noticias por cable)	México
REUTERS (noticias por cable, televisión y fotos)	Inglaterra
UNIVISIÓN (noticias por televisión)	México
UPI (noticias por cable)	Estados Unidos

*Medios como *Los Angeles Times, The New York Times, El País*, la *BBC* y otros tienen corresponsales regionales que dan cobertura a El Salvador.

■ ■ ■ ■

BIOGRAFÍAS

Este apéndice biográfico no pretende ser exhaustivo
sino abarcar algunos de los nombres más representativos
en los distintos ámbitos de la historia, la política,
la cultura, las artes, etcétera.

Aberle, Juan

1846-1930. Músico. Nacido en Italia, llegó a El Salvador contratado por el presidente Rafael Zaldívar para impulsar la música en el país. Es autor de óperas, misas y música de cámara que muestran la influencia de los maestros de la época. Escribió un tratado de armonía, contrapunto y fuga. Se le debe la música del Himno Nacional.

Acosta, Vicente

1867-1908. Político, escritor y periodista. Director de la importantísima revista *La Quincena* (1903-1908). Obras: *La lira joven* (poesía, 1890) —prologada por Rubén Darío y Francisco Gavidia—, *Poesías* (1899) y *Poesías selectas* (antología, 1924).

Aguilar, Manuel

1750-1819. Sacerdote y líder independentista, respetado por sus dotes oratorias. Considerado el verdadero protagonista de la segunda insurrección de San Salvador (24 de enero de 1814). A los pocos días de ésta, pronunció un acalorado sermón en el que criticaba a las autoridades. Forzado a abandonar el país ese mismo año, en Guatemala fue condenado a prisión y liberado en 1819 bajo la condición de no regresar a San Salvador. Murió en Guatemala ese mismo año.

Aguilar, Nicolás

1742-1818 Sacerdote y líder independentista. Se ordenó sacerdote en 1767. Participó en las rebeliones de 1811 y 1814 con sus hermanos Manuel y Vicente. Por respeto a su avanzada edad no fue castigado, pero sufrió el acoso constante de las autoridades hasta su muerte, acaecida poco después.

Aguirre y Salinas, Osmín

1889-1977. Militar y político. Cadete en 1906, se distinguió ese mismo año en la guerra contra Guatemala. Participó en el golpe militar que derrocó al gobierno constitucional de Arturo Araujo. Fue presidente entre 1944 y 1945. Aseguró la continuidad de los militares en el poder y aplastó el movimiento popular gestado en la lucha contra la dictadura de Hernández Martínez. Se le atribuye la responsabilidad de la masacre del Llano de Ahuachapán, donde decenas de simpatizantes demócratas fueron ejecutados sumariamente al intentar una invasión armada desde Guatemala. Fue asesinado por un comando guerrillero en 1977.

Alegría, Claribel

1924. Escritora. Fue discípula del poeta español Juan Ramón Jiménez. Obras: *Anillo de silencio* (poesía, México, 1948); *Huésped de mi tiempo* (poesía, Buenos Aires, 1961); *Cenizas de Izalco* (novela en coautoría con su esposo, Darwin J. Flakoll) y *Clave de mí* (poesía, San José, 1997).

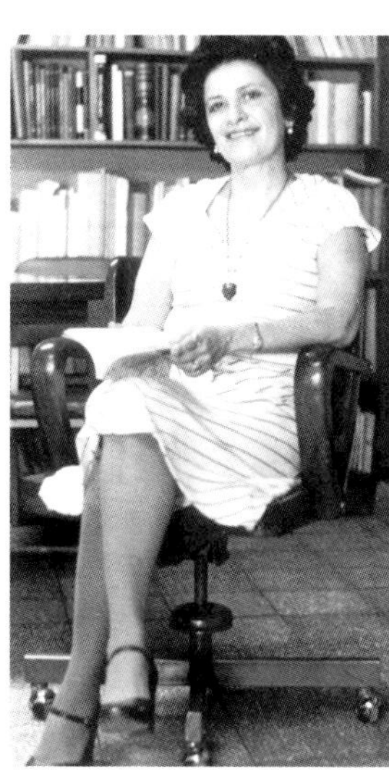

■ Claribel Alegría, poeta y novelista.

Alvarado, Pedro de

1485-1541. Conquistador español. Fue lugarteniente de Hernán Cortés en la conquista de México (1519) y responsable de la masacre del Templo Mayor, la cual dio origen a la Noche Triste. En 1524 dirigió la expedición que sometió a los pueblos amerindios de los actuales territorios de Guatemala y El Salvador. Resultó herido en la batalla de Acaxual (hoy Acajutla) contra los izalcos. El emperador Carlos V le concedió la gobernación de los territorios conquistados.

Álvarez Castro, Miguel

1795-1856 Militar, político y escritor. Está considerado el primer poeta salvadoreño con nombre conocido. Llegó a ser diputado y ministro de Relaciones Exteriores en tiempos de la Federación Centroamericana gobernada por Francisco Morazán. Aunque no publicó libros, se conocen su oda *Al ciudadano José Cecilio del Valle* y su elegía *A la muerte del coronel Pierzon* (1827).

Ama, Feliciano

?-1932. Líder indígena. Siendo cacique de Izalco participó en la insurrección campesina de 1932, por cuya causa fue ahorcado públicamente.

Ambrogi, Arturo

1875-1936. Escritor y periodista. Amigo de Rubén Darío y Leopoldo Lugones, laboró en diarios chilenos (*La Ley*, de Santiago, y *El Heraldo*, de Valparaíso); fue director de la Biblioteca Nacional, colaborador de la cartera de Relaciones Exteriores y censor de prensa (1929). Obras: *Bibelots* (1893); *Cuentos y fantasías* (1895); *Manchas, máscaras y sensaciones* (1901); *Al agua fuerte* (1901); *Sensaciones crepusculares* (1904); *Marginales de la vida* (1912); *El tiempo que pasa* (1913); *Sensaciones del Japón y de la China* (1915); *Crónicas marchitas* (1916); *El libro del trópico* (1918) y *El Jetón* (1936).

Anaya Montes, Mélida

1929-1983. Líder sindical y dirigente revolucionaria. Fue fundadora de la Asociación Nacional de Educadores Salvadoreños (ANDES), organización gremial del magisterio que obtuvo su personería jurídica en junio de 1967, y dirigente de esa organización durante la huelga magisterial de 1971. Más tarde se incorporó a la organización político-militar Fuerzas Populares de Liberación (FPL), en la que llegó a ocupar el segundo lugar de mando. Fue asesinada el 6 de abril de 1983 por una facción rival de la organización guerrillera.

Andino, Manuel

1892-1958. Escritor y periodista. Trabajó en el *Diario del Salvador* y residió en Guatemala, París, Madrid y México. Obras: *Detalles* (prosas breves, 1925), *Mirando vivir* (crónicas, 1926), *Vocación de marino* (1955) y los trabajos político-biográficos *La obra del gobierno del doctor Quiñónez*, *El padre de la democracia* (sobre Pío Romero Bosque) y *Tomás Regalado*.

Araujo, Manuel Enrique

1865-1913. Médico y político. Estudió en París, donde patentó varios aparatos quirúrgicos. Diputado por Usulután, presidió la República desde el 1 de marzo de 1911 hasta el 9 de febrero de 1913, cuando pereció en un atentado.

Araujo Fajardo, Arturo

1877-1967. Ingeniero y político. Estudió ingeniería en Suiza e Inglaterra, donde interiorizó los fundamentos del Partido Laborista, que pretendió poner en práctica en El Salvador. Durante su presidencia, de tan sólo nueve meses (1931), priorizó la política agraria. Fue derrocado por un golpe militar en diciembre de 1931.

Aquino, Anastasio

1792-1833. Líder indígena. En 1833 encabezó una rebelión armada cuyo objetivo era evitar que los nonualcos fueran reclutados por el ejército y obligados a trabajar en haciendas y fincas de criollos. Al mando de un ejército rústicamente armado, el 15 de febrero de 1833 capturó la ciudad de San Vicente y se autoproclamó Rey de los Nonualcos en la iglesia de El Pilar. Tras una serie de victorias indígenas, las autoridades lograron sofocar la rebelión. Aquino fue capturado a mediados de abril y fusilado en julio. Su cabeza se vio sometida a exhibición pública.

Arce, Manuel José

1787-1847. Militar y político. Partícipe en las gestas emancipadoras centroamericanas (1811-1821) y fundador del ejército salvadoreño (1823), se desempeñó como primer presidente de las Provincias Unidas de Centro América (1825-1828), cargo del que fue obligado a renunciar por las luchas entre facciones políticas y países. Dio a conocer sus *Memorias*, en 1830, durante su exilio mexicano.

Argueta, Manlio

1935. Escritor. Fue miembro de la Generación Comprometida y del Círculo Literario Universitario. Vivió más de veinte años en Costa Rica. Obras: *En el costado de la luz* (poesía), *Caperucita en la zona roja*, *El valle de las hamacas*, *Un día en la vida*, *Cuzcatlán*, *Donde bate la mar del sur*, *Milagro de la Paz* y *Siglo de o(g)ro*.

■ Manlio Argueta, escritor (con Tirso Canales, derecha).

Armijo, Roberto

1937-1997. Escritor. Vivió más de veinte años en Francia, donde ejerció como profesor de español en la Sorbona. Fue amigo de importantes escritores latinoamericanos: Asturias, Cortázar y Bryce Echenique. Obras: *Francisco Gavidia, la odisea de su genio* (ensayo, con José Napoleón Rodríguez Ruiz, hijo, dos tomos, 1965 y 1967), *Rubén Darío y su intuición de mundo* (ensayo, 1968), *Jugando a la gallina ciega* (teatro, 1970), *El asma de Leviatán* (novela, 1990), *Poèmes de Nulle Part (Poemas de ninguna parte*, París, 1997), *Cuando se enciendan las lámparas* (poesía, 1997) y *Poemas europeos* (San José, Costa Rica, 1997).

Baratta, María Mendoza de

1894-1978. Música, escritora y folclorista. Tuvo como maestros a Agustín Solórzano, Juan Aberle, María Zimmermann y Antonio Gianoli. Perfeccionó su técnica en California y Europa, donde entre 1926 y 1938 brindó 22 conciertos. Realizó investigaciones sobre folclore nacional y centroamericano, que plasmó en los dos tomos de *Cuzcatlán típico*. Miembro de la Academia Salvadoreña de la Historia, fue nombrada Mujer de las Américas en Nueva York (1961). Obras musicales: *Can-calagüi-tunal* (canto al sol), *Ofrenda de la elegida* (danza ritual indígena), *La campana llora*, *Los tecomatillos* (canto y baile) y el poema sinfónico *Nahualismo*.

Barberena, Santiago I.

1851-1916. Abogado, ingeniero y polígrafo. Fue un erudito en diversas ramas del saber humano del siglo XIX: abarcó por igual la lingüística y las matemáticas, la astronomía, la historia y la cartografía. Una de las medallas al mérito magisterial salvadoreño lleva su nombre. Obras: *Tratado elemental del calendario musulmán* (1890), *Descripción geográfica y estadística de El Salvador* (1892), *Monografías departamentales* (1909-1914), *Principales bases geofísicas de la sismología moderna* (1915) e *Historia de El Salvador, época antigua y de la conquista* (1917).

Barón Castro, Rodolfo

1909-1986. Historiador y diplomático. Laboró en Madrid y París para el consejo consultivo de la Unesco; trabajó en fuentes documentales coloniales de archivos europeos. Obras: *La población de El Salvador* (1942), *Pedro de Alvarado* (1943) y *Reseña histórica de la villa de San Salvador* (1950).

Barrios, Gerardo

1813-1865. Político y militar. Gobernó el país como senador designado (1858), presidente provisorio (1859-1860) y presidente propietario (1861-1863). Durante esas gestiones se reorganizaron los servicios públicos, se pagó la deuda externa y fomentaron las obras públicas, la industria, el comercio y el cultivo comercial del café. Fundó escuelas primarias, las tres primeras escuelas nacionales, y mejoró el sistema castrense al poner las tropas bajo la conducción de una misión militar francesa. Fue destituido, enjuiciado y fusilado por un movimiento revolucionario y militar encabezado desde Guatemala por el general Rafael Carrera y el licenciado Francisco Dueñas.

Béneke, Walter

1930-1978. Escritor. En su juventud destacó por la publicación de piezas teatrales como *El paraíso de los imprudentes* (1956) y *Funeral Home* (1958). Fue ministro de Educación en el gobierno del general Fidel Sánchez Hernández y fundó el Centro Nacional de Artes (Cenar). Fue asesinado por una comando guerrillero en 1978.

Bonilla, Miguel Antonio

1954. Pintor. Excelente dibujante y pintor, no descansa en sistematizar una originalísima iconografía, la más auténtica del período de la guerra civil.

■ Miguel Antonio Bonilla, pintor y dibujante.

Cáceres, Germán

1954. Músico. Licenciado y maestro de la Julliard School (Nueva York) y doctor en composición musical por la Universidad de Cincinnati (Ohio). Debutó en el Carnegie Hall (1978) como compositor y oboísta. Galardonado en 1982 con el Premio Nacional de Cultura, fue nombrado presidente honorario del Festival de Cuerdas (Dachtein, Austria, 1987). Fue director titular de la Orquesta Sinfónica de El Salvador desde 1985 hasta 1999. Obras: *Yulcuicat* (suite para orquesta, 1973), *Estancias* (cantata para soprano y orquesta basada en un poema de Francisco Gavidia, 1979), *Sinfonía para gran orquesta* (1983), *Concerto para violín y orquesta* (1989), *Tres estudios sobre el silencio* (para piano solo, 1989), *Fanfarria para San Salvador* (1996) y *El cristo negro* (ópera basada en la novela de Salarrué, 1998).

Calderón Sol, Armando

1948. Político y abogado. Se desempeñó como presidente de la derechista Alianza Republicana Nacionalista (Arena), partido que lo postuló para las elecciones presidenciales (1994-1999). Durante su gestión gubernamental se impulsó una nueva reforma educativa y la continuación de los Acuerdos de Paz. Su programa neoliberal ha incluido la privatización de numerosos servicios públicos estatales.

■ Armando Calderón, político y abogado.

Canjura, Noé

1922-1970. Pintor. Se inscribió con diecisiete años en la Academia de Valero Lecha. En 1949 estudió grabado en México, donde se impregnó de la cultura popular, el arte precolombino y el muralismo en boga. En 1950 viajó a París para estudiar en la Academia de Bellas Artes, dedicándose particularmente al fresco. Restauró obras del Museo del Louvre y expuso en Madrid y Hannover. Imbuido del ambiente parisino, compró en Montmartre el taller donde trabajaba el postimpresionista portugués Utrillo. Desde allí se proyectó como un pintor internacional que traducía desde sus propios planteamientos la vanguardia de la Escuela de París. Murió en la capital francesa en 1970.

Cañas, Benjamín

1933-1987. Pintor y arquitecto. Es uno de los pocos surrealistas latinoamericanos reconocidos por la crítica internacional. Egresó de la Facultad de Arquitectura de La Universidad de El Salvador y diseñó proyectos de gran magnitud: colegios, iglesias, cines, de una originalísima arquitectura. Luego se dedicó a la acuarela y la pintura abstracta de inspiración maya. En 1969 realizó estudios en la academia Corcoran y luego expuso en las galerías más prestigiosas de Estados Unidos. Murió en Washington.

Cañas, Carlos

1924. Pintor. Cursó ocho años en la Escuela de Artes Gráficas, donde fue discípulo y asistente del maestro Luis Alfredo Cáceres Madrid. Entre 1940 y 1948 profundizó en las fuentes precolombinas, estudiando la signografía maya. Viajó a Europa en la década de 1950. Estudió en la Academia de San Fernando, donde conoció el informalismo y el postcubismo. A su regreso, implementó la abstracción y, más tarde, evocó otra vez el arte maya. En 1970 regresó a la figuración. Fue jefe del Departamento de Teoría e Historia de la Escuela de Arquitectura. En la actualidad, dirige el Centro Nacional de Artes y es uno de los más tenaces investigadores en el orden teórico y formal.

Cañas, José Simeón

1767-1838. Sacerdote y líder independentista. Presbítero y doctor en Teología, fue catedrático de filosofía y rector de la Real y Pontificia Universidad de San Carlos de Borromeo (Guatemala), uno de los centros ilustrados más importantes del istmo. Humanista y partícipe en las gestas independentistas centroamericanas (1811-1821), en su calidad de diputado federal hizo gestiones para que, el último día de 1823, se lograra la libertad de los últimos esclavos heredados del régimen colonial español.

Cañas, Juan José

1826-1918. Militar, diplomático y escritor. En él se ensayaron, por primera vez en Centroamérica (1847), los efectos del éter sulfúrico como anestésico. Representante salvadoreño en Chile, convenció a Ruben Darío para que se marchara a trabajar a aquellas tierras australes. Tradujo del inglés el poema *Naufragio del Héspero* (Tegucigalpa, 1894). Miembro fundador de la Academia Salvadoreña de la Lengua (1876), poeta romántico y autor de la letra del Himno Nacional de El Salvador.

■ Juan José Cañas, militar, diplomático y escritor.

Carpio, Salvador Cayetano

1919-1983. Dirigente sindical y líder revolucionario. De cuna humilde, intentó ingresar al ministerio sacerdotal pero, al descubrir que carecía de vocación, aprendió el oficio de panificador. En 1943 organizó sindicalmente a sus compañeros de oficio. Ingresó en 1947 al proscrito Partido Comunista Salvadoreño, donde tuvo una larga militancia. Lo abandonó en 1970 para fundar la organización político-militar Fuerzas Populares de Liberación Farabundo Martí (FPL), de la que sería su máximo dirigente. Se suicidó el 12 de abril de 1983 en circunstancias todavía no aclaradas. Se lo acusa de haber participado en el asesinato de Mélida Anaya Montes, segunda comandante de la organización. En el momento de su muerte, era primer responsable de las FPL y miembro de la comandancia general del Frente Farabundo Martí para la Liberación Nacional (FMLN).

Castillo, Pedro Pablo

1780-1816. Líder independentista. Mestizo y de origen modesto, fue líder de los barrios populares durante los movimientos de 1811 y 1814. Murió exiliado en Jamaica.

Castellanos Moya, Horacio

1957. Escritor y periodista. Ha residido en Canadá, México y Costa Rica. Cofundador del efímero semanario *Primera Plana* (San Salvador, 1995), dirigió la revista *Cultura*. En su obra narrativa, marcada por la ironía, se cuentan: *¿Qué signo es usted, niña Berta?* (relatos cortos, 1988), *Perfil de prófugo* (relatos cortos, 1989), *La diáspora* (1989, Premio Nacional de Novela UCA Editores), *El gran masturbador* (cuentos, 1993), *Con la congoja de la pasada tormenta* (cuentos, 1995), *Baile con serpientes* (novela breve, 1996) y *El asco* (novela breve, 1997).

Cea, José Roberto

1939. Escritor. Formó parte de la Generación Comprometida y su trabajo literario es muy conocido en la región centroamericana. Obras: *Las escenas cumbres* (teatro, 1967), *Códice liberado* (poesía, Madrid, 1968), *Todo el códice* (poesía, Madrid, 1968), *Antología general de la poesía en El Salvador* (estudio, 1971), *El solitario de la habitación 5-3* (cuentos, 1971), *De la pintura en El Salvador* (estudio, 1986), *Pocas y buenas* (antología poética, San Salvador, 1986), *De la Guanaxia irredenta* (cuentos, 1989), *Ninel se fue a la guerra* (novela, San Salvador, 1991), *Teatro de y en una provincia centroamericana* (estudio, 1994) y *Sihuapil Taquetsali* (literatura infantil, 1997).

Cisneros, Francisco Wenceslao

1823-1878. Pintor. Primer pintor salvadoreño con nombre conocido, fue amigo de lo más granado de la sociedad sansalvadoreña del siglo XIX, realizó estudios especializados en París, Roma y otras ciudades de Europa, donde su trabajo, inspirado en los grandes maestros renacentistas, fue elogiado, entre otros, por Napoleón III. En su viaje de regreso al país (1858) hizo una escala técnica en la ciudad cubana de La Habana, donde fue tan bien acogido que aceptó el cargo de director de la Academia de Bellas Artes de San Alejandro, empleo en el que se desempeñó veinte años. Sus restos mortales y la mayor parte de su obra pictórica permanecen en Cuba.

Contreras, Raúl

1896-1973. Diplomático y escritor. Desarrolló una amplia labor de creación y promoción de la infraestructura turística del país. Obras: *La princesa está triste...* (glosa escénica en tres actos, Madrid, 1925), *Poesías escogidas* (Madrid, 1926), *Presencia de humo* (poesía, San Salvador, 1959), *Niebla* (escrito bajo el heterónimo de Lydia Nogales, 1978) y *Obra poética*, compilada por David Escobar Galindo con ocasión de su primer centenario natal (San Salvador, 1996).

■ Raúl Contreras, diplomático y escritor.

Cristiani Burkard, Alfredo Félix

1947. Empresario y político. Educado en la Georgetown University, gozó de una importante posición socioeconómica y gran arrastre popular. Integrante honorario del consejo directivo del partido derechista Alianza Republicana Nacionalista (Arena), fue presidente de la República entre 1989 y 1994. Durante su mandato se registró una relativa estabilidad económica, el asesinato de un grupo de jesuitas a manos de un comando de élite del ejército (1989) y la firma de los Acuerdos de Paz (México, 1992).

D'Aubuisson Arrieta, Roberto

1944-1992. Militar y político. Fue diputado, presidente de la Asamblea Nacional Constituyente (1982-1983) y candidato a la presidencia de la República (1984) por la Alianza Republicana Nacionalista (Arena), partido fundado por él mismo en 1981. Antes de dedicarse a la política, fue experto en servicios de inteligencia estatal en el aparato militar. Líder carismático y controvertido, algunos lo acusaron de participar activamente en la violencia paramilitar de extrema derecha.

Dalton, Roque

1935-1975. Escritor y militante revolucionario. Fue fundador del Círculo Literario Universitario (1956). Ganó el Premio Centroamericano de Poesía en tres ocasiones (1956, 1958 y 1959) y su poemario *El turno del ofendido* obtuvo mención honorífica en el certamen continental Casa de las Américas (La Habana, Cuba, 1962). En 1969 obtendrá el primer premio de dicho concurso por su obra *Taberna y otros lugares*. Fue encarcelado varias veces a causa de sus ideas políticas y en 1961 debió exiliarse. Vivió y trabajó en Guatemala, México, Praga y La Habana. Miembro del Partido Comunista Salvadoreño desde 1958 hasta 1967, a finales de 1973 regresó a El Salvador, amparado en el pseudónimo de Julio Delfos Marín, para integrarse a las filas del Ejército Revolucionario del Pueblo (ERP), organización que posteriormente lo enjuiciaría y ejecutaría. Nombrado Poeta Meritísimo de El Salvador por la Asamblea Legislativa (1998), entre sus obras se cuentan: *La ventana en el rostro* (poesía, 1961), *El mar* (poesía, 1962), *El Salvador* (monografía, 1963), *César Vallejo* (ensayo, 1963), *Los testimonios* (poesía, 1964), *Los pequeños infiernos* (poesía, 1970), *Miguel Mármol* (testimonio, 1972), *Las historias prohibidas del Pulgarcito* (prosas y poemas, 1974), *Pobrecito poeta que era yo* (novela, 1976), *Caminando y cantando* (pieza dramática, 1976), *Poemas clandestinos* (1980), *Los helicópteros* (pieza dramática, escrita en colaboración con Napoleón Rodríguez Ruiz, hijo, 1980), *Un libro rojo para Lenin* (poesía, 1986) y *Un libro levemente odioso* (poesía, 1988).

Delgado, José Matías

1767-1832. Sacerdote y líder independentista. Se desempeñó como cura vicario de la iglesia de La Merced y como último comisario del Tribunal del Santo Oficio en Centro América. Frustrado primer obispo de San Salvador y orador sacro, fue integrante de los movimientos libertarios centroamericanos (1811-1821), líder de la resistencia militar contra la anexión a México (1822), jefe político de El Salvador (1821-1823) y diputado del congreso federal de las Provincias Unidas del Centro de América.

Díaz, Francisco

1812-1845. Escritor y militar. Peleó en toda Centro América bajo las órdenes del general Francisco Morazán. Obras: *Epístola filosófica o social* o *Epístola a Delio* (poesía, 1842), *La tragedia de Francisco Morazán* (1847, considerada la primera obra teatral salvadoreña con autor conocido) y *Poesías* (1848).

Díaz, Julia

1919-1999. Pintora. Alumna del maestro Valero Lecha, se graduó en su escuela en 1943. Visitó los centros culturales y museos europeos más importantes. Residió en Toledo, donde le impresionó la obra de El Greco. Regresó a El Salvador en 1948. Para entonces su lenguaje visual se había sintetizado y sus composiciones serán ya angulares; sistematiza un expresionismo social donde representa la pobreza, el desamparo y la humildad de la niñez y de la mujer salvadoreña. Activa promotora cultural, organizó el Museo Forma, centro donde se recoge gran parte de la pintura y escultura de los artistas nacionales y se organizan conferencias y actividades que marcan la pauta para el desarrollo de las artes en la segunda mitad del siglo XX.

Duarte, José Napoleón

1925-1990. Político e ingeniero. Fundador del Partido Demócrata Cristiano (PDC) que lo llevó a la regencia de la Alcaldía de

■ José Napoleón Duarte, político e ingeniero.

San Salvador. Virtual ganador de las elecciones presidenciales, fue obligado a abandonar el país (1972), radicándose en Venezuela. Regresó tras el golpe militar de octubre de 1979 para integrar la Junta Revolucionaria de Gobierno. Presidente de El Salvador (1984-1989), centró su mandato en poco fructíferos esfuerzos por lograr la paz con las fuerzas guerrilleras del Frente Farabundo Martí para la Liberación Nacional (FMLN), aunque sobresalieron más la corrupción y el desorden imperantes en todos los niveles estatales. Obras: *Comunitarismo para un mundo más humano* y *My Story*.

Dueñas, Francisco

1811-1884. Abogado y político. Fue presidente de El Salvador luego de la huida del general Gerardo Barrios (1863-1865), contra quien desató una guerra desde Guatemala. Reelecto para gobernar el país entre 1865 y 1871, impulsó las obras de construcción de numerosos edificios públicos de la capital, como el Parque Central (hoy Barrios) y el primer Palacio Nacional. Fue derrocado por una revolución popular encabezada por el general Santiago González y apoyada por tropas hondureñas.

Elas Reyes, Raúl
Raúl Elías Reyes

1918-1997. Pintor. Después de estudiar cinco años en la academia de Lecha viajó a México, donde permaneció un año asistiendo a cursos libres en la Escuela del Libro. En 1950 ingresó a la Escuela Nacional Superior de Bellas Artes de París. Se inclinó definitivamente por Cézanne, de quien le atraían los volúmenes muy construidos y perfilados, prestándole gran atención a la geometrización. Sin embargo, siente gran nostalgia por la luz tropical. Regresó a El Salvador en 1957. Con posterioridad experimentó con el paisaje urbano y una abstracción de fuerte impronta cubista.

Ellacuría, Ignacio

1930-1989. Sacerdote, filósofo y teólogo. Nació en España pero se nacionalizó salvadoreño. Llegó a El Salvador en 1948 al terminar su noviciado y luego estudió humanidades clásicas y filosofía en la Universidad Católica de Quito y teología en Innsbruck, Austria. En 1963 inició estudios de doctorado en filosofía en la Universidad Complutense de Madrid, graduándose con una tesis sobre la inteligencia dirigida por Xavier Zubiri. En 1967 regresó a enseñar filosofía a la recién fundada Universidad Centroamericana José Simeón Cañas de San Salvador, de cuyo Departamento de Filosofía fue jefe y, posteriormente, rector. Activo promotor cultural, fue un agudo analista del proceso político nacional. A lo largo de la guerra civil jugó un papel activo en la búsqueda de un arreglo negociado. Fue asesinado junto a cinco compañeros jesuitas y dos colaboradoras la madrugada del 16 de noviembre de 1989. Dejó una importante obra filosófica,

■ Ignacio Ellacuría, sacerdote, filósofo y teólogo.

teológica y de análisis político-social. Sus principales títulos son: *Teología política* (1973), *Conversión de la Iglesia al Reino de Dios*, *Filosofía de la realidad histórica* (1990), *Veinte años de historia en El Salvador* (1993) y *Escritos filosóficos* (1996).

Escobar Galindo, David

1943. Escritor y abogado. Muy prolífico, es autor de más de medio centenar de obras de todos los géneros: cuento, novela, fábu-

■ David Escobar Galindo, escritor y abogado.

la, teatro, investigación literaria... que le han valido una veintena de premios literarios. Obras: *Extraño mundo del amanecer* (poesía, 1970; 1973, ampliado), *Duelo ceremonial por la violencia* (poesía, 1971), *Una grieta en el agua* (novela, 1972; 1982, corregida y aumentada), *Libro de Lillian* (poesía, 1976), *La rebelión de las imágenes* (cuentos, 1976, 1978), *Sonetos penitenciales* (1979), *La ronda de las frutas* (poesía infantil, 1979, 1990), *Fábulas* (1979, 1982), *Después de medianoche* (teatro, 1981), *Índice antológico de la poesía salvadoreña* (1982), *Antología del relato costumbrista en El Salvador* (1989), *El guerrero descalzo* (antología, 1990), *Poemas para pintar un pequeño país* (poesía infantil, 1991), *La noche del dragón* (relatos, 1991), *Doy fe de la esperanza* (poesía, 1993), *Ejercicios matinales* (1994), *Dios interior* (poesía, 1995), *El libro blanco* (prosas poéticas, 1997), *Esquirlas y villanos* (poesía, 1997) y *Bajo el subsuelo de los volcanes* (prosas políticas, 1997).

Escobar Velado, Oswaldo

1919-1961. Escritor y abogado. Representante de una corriente literaria volcada hacia la protesta social. Obras: *Poemas con los ojos cerrados* (Guayaquil, 1943), *10 sonetos para mil y más obreros* (1950), *Árbol de lucha y esperanza* (1951), *Volcán en el tiempo* (1955), *Cristoamérica* (1959), *Tierra azul donde el venado cruza* (1959), *Cubamérica* (1960), *Cuscatlán en T. V.* (1960), *Elegía infinita* (1961), *Poemas escogidos* (antología prologada por Matilde Elena López, 1967) y *Patria exacta y otros poemas* (selección, prólogo y notas de Italo López Vallecillos, 1978).

Espino, Alfredo

1900-1928. Escritor. Cultivó también la música, la pintura y la caricatura. Sus *Jícaras tristes* (1936) son una compilación de su obra poética bucólica, dispersa en periódicos y revistas, considerada uno de los clásicos de la literatura salvadoreña.

Espino, Miguel Ángel

1903-1967. Escritor y abogado. De gran fuerza de estilo, escribió los libros *Mitología de Cuscatlán* (1919), *Como cantan allá* (1926), *Trenes* (novela poemática, Santiago de Chile, 1940) y *Hombres contra la muerte* (novela de crítica social, México, 1947).

Flores, Francisco

1959. Político. Realizó estudios primarios en la Escuela Americana de El Salvador y coronó sus estudios superiores en las universidades de Harvard, Massachussetts y Oxford, Reino Unido, donde se licenció en leyes, filosofía y desarrollo económico. Profesor en las universidades José Matías Delgado y UCA. Miembro de la Alianza Republicana Nacional (Arena), ha desempeñado importantes cargos en los gobiernos de Alfredo Cristiani y Armando Calderón, entre otros el de secretario de Información de la Casa Presidencial, viceministro de la Presidencia, viceministro de Planificación y presidente de la Asamblea Legislativa. Como candidato de Arena, en 1999 obtuvo la mayoría absoluta en las elecciones presidenciales, que lo llevaron a convertirse en jefe del Ejecutivo.

Gavidia, Francisco

1863-1955. Escritor. Fue el orientador del poeta nicaragüense Rubén Darío en la renovación modernista de la poesía (1882). Fundador del Partido Parlamentarista (1895), del periódico *El Semanario Noticioso* (1888), de la revista *Los Andes* (1904), de las Academias Salvadoreñas de la Lengua y de la Historia y del Ateneo de El Salvador. Fue ministro de Instrucción Pública (1898), director de la Biblioteca Nacional (1906-1919), catedrático del Instituto Nacional y de la Universidad de El Salvador. Obras: *Versos* (1884), *Ursino* (drama, 1887), *Júpiter* (drama, 1895), *Estudio y resumen del Discurso sobre el Método de Descartes* (1901), *Conde de San Salvador o el Dios de Las Casas* (novela, 1901), *Historia moderna de El Salvador* (dos tomos, 1917 y 1918), *Cuentos y narraciones* (1931), *Héspero* (teatro, 1931), *Discursos, estudios y conferencias* (1941), *La princesa Citalá* (teatro, 1946), *Cuento de marinos* (narración en verso, 1947) y *Sóteer o Tierra de preseas* (poema épico, 1949).

Geoffroy Rivas, Pedro

1908-1979. Escritor y antropólogo. Prosista encendido y periodista polémico, en 1931 marchó hacia Guatemala y México, en

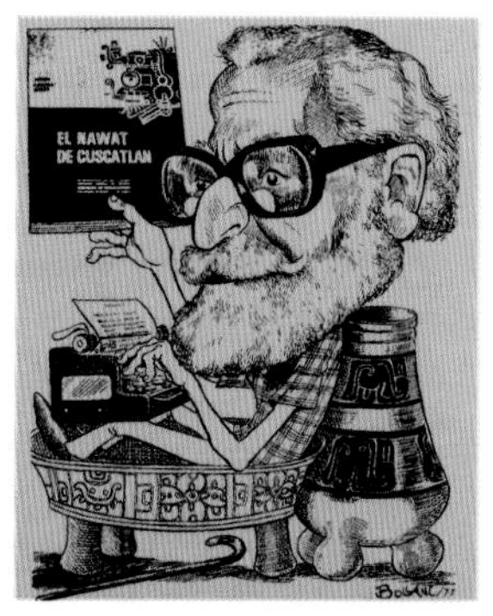

■ Pedro Geoffroy Rivas, escritor y antropólogo.

cuya Universidad Nacional Autónoma (UNAM) obtuvo sus grados académicos en derecho (1937), antropología y lingüística, con especialidad en lenguas indígenas mesoamericanas. Integrante de la Academia Salvadoreña de la Lengua, fue galardonado con el Premio Nacional de Cultura (1977). Obras: los poemarios *Rumbo* (1934), *Canciones en el viento* (1936), *Sólo amor* (1963), *Yulcuicat* (1965), *Los nietos del jaguar* (1977), *Vida, pasión y muerte del antihombre* (1977), *Versos* (1979) y los ensayos *Mi Alberto Masferrer* (1953), *Toponimia náhuat de Cuscatlán* (1961), *El náhuat de Cuscatlán* (1969), *El español que hablamos en El Salvador* (1969), *La lengua salvadoreña* (1978) y *La mágica raíz* (compilación, 1998).

Góchez Sosa, Rafael

1927-1986. Escritor y educador. Formó parte de la generación comprometida y fundó el taller literario Francisco Díaz. Obras poéticas: *Luna nueva* (1962), *Poemas circulares* (1964), *Desde la sombra* (primer lugar, Juegos Florales de Quezaltenango, 1967), *Cancionero de colina y viento* (sonetos, 1966), *Voces del silencio* (1967), *Poemas para leer sin música* (poesía, accésit en el Concurso Latinoamericano de Poesía de la revista venezolana *Imagen*, México, 1971), *Los regresos* (ganadora de los Juegos Florales de Quezaltenango, 1977), *Cien años de poesía salvadoreña 1800-1900* (crítica histórico-literaria, 1978) y su muestra antológica *Esta mueca circular y sola* (1997).

González, Darío

1835-1910. Médico. Inició los primigenios hospitales de sangre de San Salvador, fundó el Colegio de San Agustín para la enseñanza masculina (1864) y las primeras escuelas nocturnas para artesanos. Director del Instituto Nacional y rector de la Universidad Nacional, experimentó con los rayos X en la región centroamericana pocos meses después de su descubrimiento en Alemania (1893). Obras: *Geografía de Centro América* (1876), *Aritmética elemental*, *Estudio histórico y geográfico de la República de El Salvador* (1894), *Texto de pedagogía, moral y urbanidad*, *Libro de lectura ilustrada* y *Flora médica industrial centroamericana*.

Guerra Trigueros, Alberto

1898-1950. Escritor. Fue amigo de artistas (Salarrué, Claudia Lars, Serafín Quiteño y otros intelectuales), en quienes influyó

■ Alberto Guerra Trigueros, escritor.

con sus ideas filosóficas, estéticas y esotéricas. Cuando Alberto Masferrer falleció (1932), adquirió el diario *Patria* (1928) de manos de su copropietario, José Bernal. Obras: *Silencio* (poesía, Santa Ana, 1920), *El surtidor de estrellas* (poesía, San José, Costa Rica, 1929), *Poesía versus arte* (conferencia, 1942), *El libro, el hombre y la cultura* (conferencia, 1948), *Minuto de silencio* (prosa poética, 1951) y *Poema póstumo* (poesía, 1963).

Guerrero, José Gustavo

1876-1958. Abogado. Es una de las más altas figuras salvadoreñas del siglo XX. Cónsul en Burdeos y Génova, encargado de negocios en Roma, representante diplomático ante España, Italia y el Vaticano, fue integrante de la Liga de las Naciones (antecedente de la Organización de Naciones Unidas, ONU), presidente de la Corte Internacional de Justicia de La Haya (Holanda), presidente de la Academia Diplomática de París y de los tribunales de arbitraje entre Austria, Hungría y Yugoslavia.

Guzmán, David Joaquín

1845-1927. Escritor, médico y científico. Se graduó en París. Fue fundador y director de los museos nacionales de El Salvador (1883) y Nicaragua (1897), así como miembro de las academias internacionales de Botánica (Le Mans, 1884) y de Ciencias Naturales (Bruselas, 1885). Autor de la entonces aún no oficial *Oración a la bandera* (1925), también escribió las obras *Organización de la instrucción pública primaria de El Salvador* (1886), *Texto de higiene escolar* (Managua, 1898), *Texto de historia natural* (tres tomos, Managua, 1900), *Botánica industrial de Centro América* (Guatemala, 1908), *Texto de zoología elemental* (1910), *Comentarios sobre instrucción pública y práctica social* (1914), *Prontuario de elocución, estilo, declamación y elocuencia*. *Vademecum del orador salvadoreño* (1915) y *Especies útiles de la flora salvadoreña* (dos tomos, 1926).

Handal, Schafick

1931. Político y líder revolucionario. Militante de larga trayectoria en el proscrito Partido Comunista Salvadoreño, era su secretario general al estallar el conflicto bélico. Al ingresar su organización al Frente Farabundo Martí para la Liberación Nacional (FMLN) pasó a desempeñarse en la comandancia general. Luego de los Acuerdos de Paz se convirtió en uno de los líderes de izquierda más destacados. Fue candidato a la alcaldía de San Salvador en 1994. En 1997, tras ser electo diputado, comenzó a actuar como jefe de la fracción de su partido en la Asamblea Legislativa.

Hernández Martínez, Maximiliano

1882-1966. Militar y político. Graduado de rango bajo en la Escuela Politécnica Militar de Guatemala, accedió al grado de general de brigada (1919), fue vicepresidente de la República por pocos meses (1931) y ascendió a la jefatura del Estado gracias a un golpe militar que lo mantuvo en la presidencia hasta 1944, mediante flagrantes violaciones a la Constitución. Simpatizante del fascismo, durante sus sucesivas gestiones reprimió la insurrección campesina de enero de 1932, persiguió a los políticos de tendencias radicales, fundó los bancos Central de Reserva, Hipotecario y las cajas de crédito, a la vez que estableció una oficina para la administración de los bienes de los ciudadanos europeos deportados a los campos de concentración en Estados Unidos.

Imery, Carlos Alberto

1879-1949. Pintor. Estudió desde 1904 en el Real Instituto de Bellas Artes de Roma y, a partir de 1908, en París, donde se especializó en pintura, fotograbado y litografía. Regresó a San Salvador en 1911 para dirigir la primera Escuela de Artes y Oficios que luego se convertiría en la Escuela de Artes Gráficas.

Lara y Aguilar, Domingo Antonio de

1773-? Líder independentista. Realizó estudios de filosofía en la Universidad de San Carlos Borromeo de Guatemala. Debió abandonarlos, sin obtener la licencia, para hacerse cargo de los campos de añil de su familia. Participó activamente en los procesos rebeldes y de la vida política en los primeros años que siguieron a la independencia. Luego se retiró de la vida pública.

Lardé y Arthés, Jorge

1891-1928. Historiador y científico. Obras: *La población de El Salvador: su origen y distribución geográfica* (1921), *Arqueología cuzcatleca* (1924), *Orígenes de San Salvador Cuzcatlán, hoy capital de El Salvador* (1925) y *El Salvador antiguo* (1950).

Lardé y Larín, Jorge

1920. Historiador. Miembro de las academias salvadoreñas de la Historia y de la Lengua. Ha desempeñado los cargos de director del Museo Nacional David J. Guzmán, diputado legislativo, subsecretario de cultura, asesor histórico del Ministerio de Relaciones Exteriores y del Museo Militar del Ministerio de Defensa. Obras: *Génesis del volcán de Izalco* (1948), *Paleontología salvadoreña* (1950), *Geología salvadoreña* (1952), *Himnología nacional de El Salvador* (1953), *El Salvador: historia de sus pueblos, villas y ciudades* (1957), *Isidro Menéndez* (1958), *Orígenes de San Miguel de la Frontera* (1974), *Toponimia autóctona de El Salvador* (tres tomos, 1975-1977), *Orígenes de la Fuerza Armada de El Salvador* (1977), *El Salvador: inundaciones e incendios, erupciones y terremotos* (1978), *Historia de Centro América* (1981) y *El Salvador: descubrimiento, conquista y colonización* (1983).

■ Jorge Lardé y Larín, historiador y académico.

Lars, Claudia Carmen Brannon

1899-1974. Escritora. Poeta de exquisita vena lírica, frecuentó en San Salvador el círculo de intelectuales que se reunía en torno al gran poeta Alberto Guerra Trigueros: Salarrué, Serafín Quiteño, Masferrer y otros. Directora de la revista *Cultura*, publicó *Estrellas en el pozo* (San José, Costa Rica, 1934), *Canción redonda* (1936), *La casa de vidrio* (Santiago de Chile, 1942), *Romances de norte y sur* (1946), *Ciudad bajo mi voz*, poemario con el que ganó el Certamen Conmemorativo del IV Centenario del Título de Ciudad de San Salvador, 1947), *Donde llegan los pasos*, (1953, libro que marca el comienzo de su madurez expresiva), *Escuela de pájaros* (1955, conjunto de poemas para niños), *Fábula de una verdad* (1959), *Tierra de infancia* (memorias, 1959), *Sobre el ángel y el hombre* (1962), *Del fino amanecer* (1965, primer premio compartido del certamen hispanoamericano conmemorativo del cincuentenario de los Juegos Florales de Quezaltenango, Guatemala), *Nuestro pulsante mundo* (1969), *Poesía última* (1975) y *Sus mejores poemas* (1976).

Lecha, Valero

1894-1976. Pintor y educador. Español de nacimiento, fundó en 1935 la Academia de Pintura y Dibujo donde enseñó las técnicas básicas del realismo de su patria. Sus discípulos nacionales formarán una generación de artistas famosos.

Lindo, Hugo

1917-1985. Escritor, abogado y diplomático. Fungió como ministro de Educación (1961), director de la Oficina de Asuntos Culturales de la desaparecida Organización de Estados Centroamericanos (ODECA, 1961) y fue fundador y decano de la Facultad de Cultura General y Bellas Artes de la Universidad Dr. José Matías Delgado. Obras: *Guaro y champaña* (cuentos, 1947), *Aquí se cuentan cuentos* (Bogotá, 1959), *¡Justicia, Señor Gobernador!* (novela, 1960), *Navegante río* (poesía, 1963), *Cada día tiene su afán* (novela, 1965), *Maneras de llover* (poesía, Madrid, 1968), *Este pequeño siempre* (1971), *Espejos paralelos* (cuentos, San José, Costa Rica, 1974), *Resonancia de Vivaldi* (poesía, 1976), *Fácil palabra* (poesía, 1985) y *Yo soy la memoria* (novela, 1983).

Lindo, Ricardo

1947. Escritor. Vivió y estudió en Chile, Colombia y Francia, donde obtuvo grados en psicología y español. Dirige en la actualidad la segunda época de la revista *Ars*, órgano de difusión de la Dirección General de Artes. Obras: *XXX* (cuentos, 1970), *Rara avis* (1972), *Cuentos del mar* (literatura infantil, 1987), *Lo que dice el río Lempa* (relatos, 1990) y *Tierra* (novela histórica, 1996).

López, Matilde Elena

1919. Escritora. Integrante de la Academia Salvadoreña de la Lengua (1997), su obra y persona han recibido múltiples galardones nacionales e internacionales. Obras: *Masferrer, alto pensador de Centroamérica* (ensayo, Guatemala, 1954), *Interpretación social del arte* (ensayo, 1965 y 1974), *El método sociológico en la crítica estilística* (ensayo, Bucarest, 1967), *Cartas a Groza* (poesía, 1970), *Estudios sobre poesía* (crítica literaria, 1973), *El momento perdido* (poesía, 1976), *La balada de Anastasio Aquino* (teatro, 1978), *Los sollozos oscuros* (poesía, San Salvador, 1982) y *El verbo amar* (poesía, 1997).

López Vallecillos, Italo

1932-1986. Escritor y periodista. Realizó una importantísima labor intelectual a lo largo de su vida, destacándose como divulgador cultural e investigador acucioso y prolijo. Formó parte del grupo Octubre y, con posterioridad, de la Generación Comprometida. Fue director de la Editorial Universitaria Centroamericana (EDUCA, San José de Costa Rica, 1970-1975) y de las editoriales de la Universidad de El Salvador y de la Universidad Centroamericana José Simeón

Cañas, denominada UCA Editores, a la que dotó de casi todas sus colecciones y fondo bibliográfico. Obras: *Biografía del hombre triste* (poesía, Madrid, 1954), *El periodismo en El Salvador* (ensayo histórico-crítico, 1964), *Gerardo Barrios y su tiempo* (ensayo histórico-biográfico, 1965), *Burudi sur* (pieza teatral, 1969), *Inventario de soledad* (poesía, 1977), *Las manos vencidas* (pieza teatral, 1964), *Celda noventa y seis* (teatro, 1975) y sendas monografías históricas de los departamentos de Usulután y Ahuachapán, aún inéditas.

Malespín, Francisco

1806-1846. Militar y político. Desde su cargo de comandante de las armas del Estado (1840) realizó gestiones para que se decretara la fundación de la Universidad Nacional (1841) y de su anexo, el preuniversitario Colegio de La Asunción (1844). Promovió además la creación de la primera banda marcial de música (1841) y la introducción del alumbrado público capitalino, que se inauguró en 1842. Presidente de la República de 1844 a 1845, se vio envuelto en varias intrigas políticas y en campañas militares contra Guatemala y Nicaragua.

■ Francisco Malespín, militar y político.

Martí, Agustín Farabundo

1893-1932. Líder revolucionario. Luchó al lado de Augusto César Sandino contra la presencia estadounidense en Nicaragua. Representante del Socorro Rojo Internacional, sufrió la cárcel en diversas oportunidades bajo el cargo de agitador social. Fue fusilado por el régimen golpista del general Maximiliano Hernández Martínez, que lo acusó de haber instigado la sangrienta revuelta campesina de 1932. En 1980 su nombre fue adoptado para designar a la unión de las fuerzas guerrilleras salvadoreñas en un solo frente insurgente: Frente Farabundo Martí para la Liberación Nacional (FMLN).

Martín-Baro, Ignacio

1942-1989. Sacerdote y científico social. Entró a la Compañía de Jesús en su país natal, España. Estudió humanidades clásicas en la Universidad Católica de Quito. Luego realizó estudios de filosofía en la Universidad Javierana de Bogotá, donde obtuvo su licenciatura en 1965. En 1966 arribó a El Salvador para enseñar en el Externado San José, colegio regentado por los jesuitas. Hizo estudios de teología en Europa. En 1975 se graduó en psicología en la Universidad Centroamericana José Simeón Cañas (UCA) de San Salvador, a la que se incorporó para realizar diversas actividades académicas. En 1979 obtuvo su doctorado en psicología social por la Universidad de Chicago. Luego se reincorporó a la UCA: allí actuó como profesor de psicología social y desempeñó diversos cargos. Fue asesinado junto a cinco compañeros jesuitas y dos colaboradoras la madrugada del 16 de noviembre de 1989. Publicó varios estudios en los que analizó fenómenos como la violencia y la idiosincrasia de los salvadoreños.

Masferrer, Alberto

1868-1932. Escritor, periodista y diplomático. Fundador del diario *Patria* (San Salvador, 1928), publicó *Páginas* (1893), *Naderías* (1900), *Ensayo sobre el desenvolvimiento político de El Salvador* (1901), *Recortes* (1908), *Las nuevas ideas* (1910), *¿Qué debemos saber?* (1913), *Leer y escribir* (1915), *Pensamientos y formas* (1921), *Una vida en el cine* y *El buitre que se tornó calandria* (novelas, 1922), *Ensayo sobre el destino* y *Las siete cuerdas de la lira* (1926), *El dinero maldito* y *Ensayos y figuraciones sobre la vida de Jesús* (1927), *Helios* y *La religión universal* (1928), *El mínimun vital* (1929) y *El libro de la vida* (1932). Póstumamente apareció *El rosal deshojado* (1935).

Mayorga Rivas, Román

1862-1925. Escritor y periodista. Amigo de juventud de Rubén Darío y José Martí, fue uno de los mayores impulsores del periodismo salvadoreño. Corredactor de *La Revista Ilustrada* (Nueva York, 1890), fundó y dirigió en San Salvador el *Diario del Salvador* (1895-1932), al igual que sus respectivos Repertorio y Suplemento literario. Reunió los tres tomos de la antología *Guirnalda salvadoreña* (1884-1886), donde compiló datos biográficos y producciones de los poetas del siglo XIX. Obra: *Viejo y Nuevo* (1915), en la que recogió sus versos y traducciones de poemas ajenos.

■ Román Mayorga Rivas, escritor y periodista.

Mejía Vides, José

1903-1980. Pintor. Egresó de la Escuela de Artes Gráficas y marchó a estudiar a México, donde recibió el impacto del arte de los muralistas. Conjugó la influencia mexicana con la composición sintética de su maestro japonés Kitagawa, seguidor del posimpresionismo de Gauguin. Mejía Vides recreó su villa de Panchimalco, cargada de tradiciones prehispánicas e hispánicas. Su línea circular envuelve los vegetales y los tipos humanos oriundos de la región. Está considerado uno de los mayores pintores del país.

Meléndez, Carlos

1861-1919. Político y empresario. Asumió la presidencia de la República, en calidad de Primer Designado a la Presidencia, luego del asesinato del doctor Manuel Enrique Araujo (1913). Ejerció el cargo de forma provisional hasta que resultó electo para el período 1915-1919.

Mena Valenzuela, Rosa

1924. Pintora. En 1942 se inscribió en la academia de Lecha, siendo la única alumna del maestro que no se rinde ante las exigencias del realismo, tendiendo cada vez más al expresionismo. Por su obsesión de realizar su propio rostro, estilizado o caricaturesco, retuerce la figura con recuerdos goyescos. Realizó viajes de estudio a Europa y Oriente.

Méndez, José María

1916. Escritor y abogado. Ganó los Juegos Florales de Quezaltenango (Guatemala) con sus libros *Tiempo irredimible* (1977), *Espejo del tiempo* (1974) y *Tres consejos* (1994). Obtuvo el Premio Nacional de Cultura en 1979. Obras: *Disparatario* (1957), *Tres mujeres al cuadrado* (1963) *Flirteando* (1969), *Cuentos del alfabeto* (1992), *Diccionario personal* (1992), *Juegos peligrosos y otros cuentos* (1996), *80 a los 78. Cuentos de Chema Méndez* (1996), *La pena de muerte: un ensayo, tres cuentos y una adenda* (1997) y *Las mormonas y otros cuentos* (1997).

Menén Desleal, Álvaro
Álvaro Menéndez Leal

1931. Escritor. Ha creado obras de teatro, poesía, ensayo y cuento, así como artículos periodísticos. Su pieza teatral *Luz negra*, ganó en 1965 los Juegos Florales de Quezaltenango (Guatemala). Obras: *Revolución en el país que edificó un castillo de hadas* (cuentos, San José, Costa Rica, 1971), *La llave* (1962), *Cuentos breves y maravillosos* (1963), *El extraño habitante* (poesía, 1964), *El circo y otras piezas falsas* (teatro, 1966), *Una cuerda de nylon y oro* (1969), *La ilustre familia androide* (Buenos Aires, 1972; San Salvador, 1997), *Hacer el amor en el refugio atómico* (1974), *Los vicios de papá* (1978) y *La bicicleta al pie de la muralla* (teatro, 1991).

Menéndez, César

1954. Pintor. Egresado del Bachillerato en Artes, en la década de 1980 obtuvo una beca para realizar estudios en Nueva York. Las bases fundamentales las aprende de sus maestros Falcone y Carralero en El Salvador. La característica de su creación se centra en el gran formato y en el dominio del claroscuro en delicadísimos contrastes.

Menéndez, Francisco

1830-1890. Político y militar. En 1871 participó en la revolución contra el gobierno del licenciado Francisco Dueñas y en 1885 se levantó en armas contra el régimen del doctor Rafael Zaldívar. De pensamiento progresista, benefactor de las artes y las ciencias, fue presidente provisional de la República de junio de 1885 a febrero de 1886. Nombrado presidente constitucional (1886-1890), durante su gobierno se dictó la mejor constitución salvadoreña del siglo XIX (1886) y hubo una gran libertad de prensa. Fue derrocado por los hermanos Ezeta en la noche conmemorativa de su quinto aniversario como gobernante, hecho que le produjo un paro cardíaco mortal en su residencia de Casa Blanca (hoy Cine Libertad).

Menéndez, Isidro

1795-1858. Sacerdote y abogado. Graduado en la Real y Pontificia Universidad de San Carlos (Guatemala). De pensamiento liberal, fue un asiduo colaborador del régimen federal centroamericano y codificó las leyes costarricenses (1841) y salvadoreñas (1855).

■ Isidro Menéndez, sacerdote y abogado.

Molina, Arturo Armando

1927. Militar y político. Realizó su carrera en la Escuela Militar Capitán General Gerardo Barrios (1943-1952), en la Escuela Superior de Guerra (México, 1953) y en la Escuela de Aplicación y Tiro de Infantería (Madrid, 1957). Profesor de varias materias de Estado Mayor en las instituciones castrenses nacionales, fue secretario privado de la presidencia (1969) y presidente constitucional de la República (1972-1977), al haber sido postulado por el Partido de Conciliación Nacional (PCN) para las fraudulentas elecciones que, sin lugar a dudas, ganó el democristiano José Napoleón Duarte. Durante su gobierno, caracterizado por súbitas giras por el interior del país, se construyeron la presa hidroeléctrica de Cerrón Grande, la estación terrena de comunicaciones Izalco y el aeropuerto internacional de Comalapa, aunque fracasó su tímido proyecto de reforma agraria.

Montes, Segundo

1933-1989. Sacerdote y científico social. Llegó por primera vez al país en 1951 para concluir su noviciado. Realizó estudios universitarios en Quito, Ecuador y en Innsbruck, Austria. Se dedicó por muchos años a diversas tareas docentes en el Externado San José de San Salvador, del cual fue rector. Entre 1976 y 1978 cursó el doctorado en antropología social en la Universidad Complutense de Madrid, graduándose con una tesis que después reelaboraría en su libro *El compadrazgo, una estructura de poder en El Salvador*. A su regreso se dedicó al trabajo universitario. Investigó a fondo el problema de los desplazados de la guerra. Fue asesinado junto a cinco de sus compañeros y dos de sus colaboradoras, la madrugada del 16 de noviembre de 1989. Al momento de su muerte era director del Instituto de Derechos Humanos de la Universidad Centroamericana José Simeón Cañas.

Muñoz Ciudad Real, Alejandro

1902-1991. Músico. Primer director de orquesta de origen salvadoreño. En 1941 asumió la dirección de la Orquesta Sinfónica de los Supremos Poderes, que en 1950 se convertiría en Orquesta Sinfónica de El Salvador, al frente de la cual se mantuvo hasta 1962. Introdujo los clásicos del siglo XX en el repertorio de la sinfónica nacional.

Osorio, Óscar

1910-1969. Militar y político. Cursó su carrera militar en la Escuela Capitán General Gerardo Barrios y en la Escuela Superior de Guerra (Turín, Italia). Partícipe en las gestas revolucionarias de 1945, abandonó el país y se desempeñó como vicecónsul en México (1947). Postulado como candidato presidencial, ganó las elecciones y ocupó la magistratura ejecutiva de la nación de 1950 a 1956, gestión durante la cual el país gozó de estabilidad económica. Fomentó las industrias agropecuarias y manufactureras y dio un apoyo relativo a las clases desposeídas.

Peralta Lagos, José María

1873-1944. Militar, ingeniero, político y escritor. Fungió como ministro de Guerra y Marina (1911-1913), ministro plenipotenciario de El Salvador en España, director general de Estadística (1942), miembro correspondiente de la Real Academia Española y presidente del Ateneo de El Salvador. Obras: *Burla burlando* (1923), *Brochazos* (1925), *Doctor Gonorreitigorrea* (novelín de crítica social, 1926), *Candidato* (comedia política en tres actos, 1931), *La muerte de la Tórtola o Malandanzas de un corresponsal* (novela, 1932), *Homenaje al sabio Valle* (1934), *Algunas ideas sobre la futura organización de la enseñanza superior en Centro América* (1936), *Recuerdos de una amable y simpática fiesta* (1941), *Masferrer humorista* (1941) y *El entremés de las coyotas* (1950).

Quiñónez Molina, Alfonso

1874-1950. Médico, diplomático y político. En 1898 se graduó como doctor en medicina y cirugía en la Universidad de El Salvador. Luego de una distinguida carrera profesional se dedicó a la política. En 1912 actuó en calidad de secretario de la legación salvadoreña en Francia, España e Italia. Ejerció la presidencia, interinamente, en dos períodos: 1914-1915 y 1918. En 1923 resultó elegido presidente, cargo que ejerció hasta 1927. Miembro de la dinastía Meléndez-Quiñónez que monopolizó el Estado entre 1913 y 1927, Quiñónez fue el creador del grupo paramilitar

Liga Roja, que usaba la intimidación y la violencia contra los enemigos del régimen. Fue también un reconocido protector de literatos e intelectuales.

Regalado, Tomás

1860-1906. Militar y político. Fue presidente provisional (1898-1899) y propietario (1899-1903). Apoyado por las masas populares, sus discutidas y hasta corruptas

Tomás Regalado, militar y político.

gestiones administrativas se centraron en la expansión militar del país, por lo que sostuvo tirantes relaciones con Guatemala, en cuyo suelo, durante la batalla de El Jícaro, perdió la vida.

Rivas Bonilla, Alberto

1891-1985. Médico y escritor. Son de su autoría los volúmenes *Versos* (1926), *Andanzas y malandanzas* (1936, novela de costumbres en la que el protagonista es un flaco perro pueblerino), *Me monto en un potro...* (cuentos, 1943); las comedias *Una chica moderna* (1945), *Celia en vacaciones* (1947), *Alma de mujer,* (1949); *El advenimiento del arte* (1942) y *El libro de los sonetos* (1971).

Rivera y Damas, Arturo

1923-1994. Sacerdote y líder religioso. Realizó estudios eclesiásticos en la Congregación Salesiana de El Salvador. Posteriormente obtuvo su doctorado en derecho canónico en Turín, Italia. Fue obispo auxiliar de San Salvador entre 1960 y 1977, año en que accede a la jerarquía obispal en la diócesis de Santiago de María. En 1980, luego del asesinato de monseñor Romero, fungió como administrador apostólico de la arquidiócesis de San Salvador. En 1983 se lo nombró arzobispo de esa arquidiócesis, cargo que mantuvo hasta su muerte. Monseñor Rivera desempeñó un activo papel en la defensa de los derechos humanos y abogó por buscar una solución pacífica a la guerra civil.

Rodríguez, Juan Manuel

1771-1841. Líder independentista. Participó en el movimiento de 1811. Electo primer alcalde del Ayuntamiento de San Salvador en 1814, tuvo un papel activo en el movimiento rebelde de ese año, lo que le valió seis años de cárcel. En 1824 fue nombrado primer jefe de Estado de El Salvador; ese mismo año hizo promulgar la primera constitución. Destacó como notable publicista.

Juan Manuel Rodríguez, líder independentista.

Rodríguez Díaz, Rafael

1943. Escritor y educador. Ha desarrollado una larga trayectoria literaria y magisterial. Director por una década de la revista *Taller de Letras*. Obras: *Oráculos para mi raza* (poesía, 1985), *Amor medieval* (poesía, 1987), *5 estudios sobre literatura* (ensayo, 1989), *Temas salvadoreños* (ensayo, 1992) e *Indoamérica en flor* (prosas y versos, Tuxtla Gutiérrez, 1994).

Romero, Arturo

1911-1965. Médico y político. Se especializó en dermatología en Francia. Tuvo un papel activo en la oposición a la dictadura del general Hernández Martínez. Participó en la rebelión del 2 de abril de 1944, por lo que fue condenado a muerte en ausencia. A la caída del dictador regresó al país, convirtiéndose en el candidato favorito para ganar las elecciones presidenciales, fustradas por el golpe de Estado del general Aguirre. Se exilió en Costa Rica y murió en un accidente automovilístico.

Romero, Carlos Humberto

1924. Militar y político. Realizó estudios mayores de equitación y arma de caballería en El Salvador y México, país donde fue nombrado agregado militar (1953-1965). Jefe del Estado Mayor presidencial, ministro de Defensa y Seguridad Pública, fue postulado por el Partido de Conciliación Nacional (PCN) para el quinquenio presidencial 1977-1982. Debido a la corrupción, ineptitud política y a las crecientes violaciones a los derechos humanos cometidas por su gobierno, un grupo de militares jóvenes lo derrocó el 15 de octubre de 1979.

Romero, Óscar Arnulfo

1917-1980. Sacerdote y líder religioso. Se licenció en teología en la Universidad Gregoriana de Roma, ciudad donde también obtuvo su ordenación sacerdotal (1942). Fue rector de la catedral de San Miguel y del Seminario Menor, obispo auxiliar de San Salvador (1970), obispo de Santiago de María (1974) y cuarto arzobispo de San Salvador (1974-1980). En sus homilías desnudaba la violencia reinante en el país: fue asesinado por un francotirador mientras oficiaba misa. Recibió el título de doctor *honoris causa* de las universidades de Harvard, Lovaina, Nacional de El Salvador y Centroamericana José Simeón Cañas. Es objeto de un proceso de beatificación.

Romero Bosque, Pío

1860-1935. Jurista y político. Hijo de una distinguida familia liberal, en 1889 se graduó como doctor en jurisprudencia por la Universidad de El Salvador. Fue diputado y magistrado. Se desempeñó como ministro de Fomento e Instrucción Pública durante el gobierno de Pedro José Escalón. Fue ministro de Guerra, durante ocho años, bajo las administraciones de Jorge Meléndez y Pío Romero Bosque. Electo presidente para el período 1927-1931, trabajó por consolidar la legalidad democrática. Se le reconoce haber propiciado las primeras elecciones libres de la historia del país.

Salarrué
Salvador Salazar Arrué

1899-1975. Escritor y pintor. Realizó estudios de pintura en la Corcoran School of Art (Washington DC, Estados Unidos). Dada su profunda identificación con el mundo vital del campesino salvadoreño y sus exploraciones en los asuntos esotéricos orientales y de ciencia ficción, se lo considera uno de los fundadores de la corriente narrativa contemporánea latinoamericana y, por ende, uno de los más altos exponentes de la cultura salvadoreña. Obras: *El cristo negro* (novela, 1927), *El señor de la burbuja* (novela, 1927), *O-Yarkandal* (relato, 1929), *Remotando el Uluán* (relato, 1932), *Cuentos de barro* (1933), *Conjeturas en la penumbra* (1934), *Eso y*

Salvador Salazar Arrué, *Salarrué*, escritor y pintor.

más (cuentos, 1940), *Cuentos de cipotes* (1945; 1961, edición íntegra), *Trasmallo* (cuentos, 1954), *La espada y otras narraciones* (1960), *La sed de Sling Bader* (novela, 1971), *Catleya luna* (novela, 1974) y *Mundo nomasito* (poemas, 1975).

Servellón, Esteban

1921. Músico. Primer compositor salvadoreño que cultivó una estética acorde al siglo XX. Se reveló como compositor durante la década de 1950 con el ballet *Rina* y el poema sinfónico *Faetón*. En 1952 obtuvo una beca para estudiar en el conservatorio Santa Cecilia de Roma. Fue director de la Orquesta Sinfónica de El Salvador de 1962 a 1974. Otras obras: *Suites retrospectivas* (1955), *Música incidental para la fábula poética El Zipitín* (de Waldo Chávez Velasco), *Sonatinas para orquesta de cámara* (1962), el poema sinfónico *Sihuehuet*, *Concertino para contrabajo y orquesta* (1980) y el poema sinfónico *Ollintonatiu* (1990).

Sobrino, Jon

1938. Sacerdote y teólogo. De origen español, llegó por vez primera a El Salvador en 1957. Obtuvo la licenciatura en filosofía y una maestría en ingeniería mecánica en la St. Louis University de Estados Unidos y el doctorado en teología en Frankfurt, Alemania. Importante figura de la Teología de la Liberación latinoamericana, destaca por sus obras *Cristología desde América Latina* (1976), *La resurrección de la verdadera iglesia* (1981), *Jesús en América Latina* (1982), *Liberación con espíritu* (1985), *Monseñor Romero* (1990) y *El principio de misericordia* (1992). Actualmente es director del Centro de Reflexión Teológica Monseñor Romero y director de la *Revista Latinoamericana de Teología*.

Toruño, Juan Felipe

1898-1980. Escritor y educador. Inició su trabajo de divulgación cultural en el *Diario del Salvador* (1923). Jefe de redacción de *El Día* (1924-1925) y redactor de *Diario Latino* (1925-1965). Ganó ocho premios internacionales y publicó 37 libros. Obras: *Senderos espirituales* (1922), *El silencio* (novela, 1935), *Índice de poetas de El Salvador en un siglo: 1840-1940* (antología, 1941), *La mujer en las letras salvadoreñas* (ensayo, 1944), *De dos tierras* (cuentos, 1947), *El general Menéndez en la historia* (ensayo, 1949), *Órbita de sonetos* (poesía, 1954) y *Gavidia, entre raras fuerzas étnicas* (esbozo biográfico, 1969).

Ungo, Guillermo Manuel

1930-1991. Político y abogado. Líder hasta su muerte del Movimiento Nacional Revolucionario, partido de orientación socialdemócrata. Acompañó al democristiano José Napoleón Duarte en la fórmula presidencial presentada por la coalición UNO (Unión Nacional Opositora) en las elecciones de 1972. Fue miembro de la Junta Revolucionaria de Gobierno que sustituyó al general Romero luego del golpe de Estado de 1979. Al año siguiente renunció, exiliándose. Preside entonces el Frente Democrático Revolucionario (FDR), que agrupó a la izquierda no militar durante el conflicto armado. Regresó al país en 1986.

Viteri y Ungo, Jorge de

1802-1853. Sacerdote. Orador de grandes alcances e intrigas, como enviado centroamericano ante la Santa Sede (1841) logró la aprobación y erección de la diócesis de San Salvador (1842) al igual que el nombramiento de primer obispo de El Salvador (1843-1846). Fue asimismo delegado apostólico en Centro América, conde palatino y prelado doméstico del Sacro Solio Pontificio.

Viera Altamirano, Napoleón

1893-1977. Periodista y escritor. Fue director del Consejo de la Libertad de Prensa de la Sociedad Interamericana de Prensa (SIP), embajador de El Salvador en México y ministro de Economía (1946), administración desde la que impulsó la fundación de las oficinas del Catastro, del Instituto Regulador de Abastecimientos (IRA), del Instituto de Vivienda Urbana (IVU) y de la Comisión Ejecutiva Hidroeléctrica del Río Lempa (CEL). Fundador de *El Diario de Hoy* (1936), luchó contra la dictadura de Hernández Martínez, el alcoholismo generalizado, la corrupción estatal y la infiltración comunista en las esferas sociales. Junto con Amigos de la Tierra llevó a cabo campañas en pro de la reforestación.

Zaldívar, Rafael

1834-1903. Médico y político. Gobernó al país como déspota ilustrado (1880-1885). Fue generoso con los artistas nacionales y extranjeros que ponían pie en el suelo salvadoreño, como el músico Juan Aberle y el poeta Rubén Darío. Durante su administración se aprobaron los estatutos de la Universidad, se fundó la Facultad de Ciencias Sociales, se secularizaron los cementerios, se expropiaron los ejidos y tierras comunales indígenas para beneficiar los cultivos de café, se introdujeron el telégrafo, las estampillas de correo y el ferrocarril, y se establecieron el matrimonio civil y la enseñanza laica. Ante la inminencia del triunfo revolucionario de Francisco Menéndez, Zaldívar entregó el poder a su vicepresidente, Francisco Figueroa, y abandonó el país (1885). De regreso al territorio nacional fue acusado por actos de corrupción y se le atribuye el incendio del primer Palacio Nacional, donde se hallaban archivados los expedientes que lo incriminaban.

Zamora Rivas, Rubén Ignacio

1942. Político y científico social. Realizó estudios de filosofía en el seminario de San José de la Montaña. Luego se graduó en derecho por la Universidad de El Salvador. Obtuvo una maestría en gobierno de América Latina en la Universidad de Essex, Inglaterra. Comenzó su militancia en la democracia cristiana. Fue ministro de la presidencia en la Junta de Gobierno de 1979-1980. Se separó del Partido Demócrata Cristiano y fundó el Movimiento Popular Social Cristiano, el cual formó parte del Frente Democrático Revolucionario, movimiento de centroizquierda que se opuso a

Rubén Zamora, político y científico social.

la alianza entre militares y demócrata cristianos. Junto al Movimiento Nacional Revolucionario (MNR) y el Partido Socialdemócrata, su partido participó de la coalición Convergencia Democrática (CD), por la que fue electo diputado para el período 1991-1994. Por la coalición CD-FMLN fue candidato en 1994 y salió elegido diputado en 1997.

Cronología

De los orígenes a 1500

HECHOS POLÍTICOS

Hacia 1200 a.C. Establecimiento de la aldea más antigua que se ha localizado en El Salvador en el área de Chalchuapa. Se establece el primer asentamiento: Cara Sucia.

1000 a.C. Asentamiento El Trapiche.

Hacia 900 a.C. Asentamientos en el occidente y en la parte central del país.

500 a.C. Fuerte expansión demográfica en las tierras de Occidente. Sitio de Santa Leticia, cerca de Apaneca.

200 a.C. Primeros asentamientos en el sitio de Quelepa.

260 d.C. La erupción del volcán Ilopango obliga a despoblar el valle de Zapotitán.

600 La erupción de la Loma Caldera obliga a abandonar el asentamiento de Joya de Cerén: uno de los sitios arqueológicos más ricos en información sobre la vida cotidiana y la arquitectura rural precolombina.

650-1000 Auge del sitio de San Andrés.

900-1000 Primeras migraciones nahuas. Establecimiento y desarrollo de Cihuatán.

1000 Abandono del asentamiento de Quelepa por razones aún desconocidas.

1000-1200 Desarrollo del sitio de Tazumal.

Hacia 1200 Abandono del sitio de Cihuatán por razones aún desconocidas.

1200-1350 Segunda migración nahua. Formación de los señoríos pipiles de Izalco y Cuscatlán.

■ Vaso esculpido. Tazumal, Chalchuapa. Clásico tardío.

CONTEXTO MUNDIAL

1354 a.C. En Egipto, se corona a Tutankamón.

753 a.C. Fundación legendaria de Roma.

477 a.C. Las ciudades griegas se federan.

331 a.C. Se funda Alejandría.

44 a.C. Asesinato de Julio César.

476 Rendición del último emperador romano de Occidente, Rómulo Augústulo, ante los bárbaros.

570 Nace Mahoma.

711 Invasión árabe de la península Ibérica.

1337 Estalla la guerra de los Cien Años.

1453 Caída de Constantinopla en manos de los turcos. Fin del imperio bizantino.

1492 Descubrimiento de América.

■ Máscara del faraón egipcio Tutankamón.

1501 – 1700

HECHOS POLÍTICOS

1523 Andrés Niño da al golfo que separa los territorios actuales de El Salvador, Honduras y Nicaragua el nombre de Fonseca en honor al obispo que presidía el Consejo de Indias en Madrid.

1524 Pedro de Alvarado cruza el río Paz penetrando en el actual territorio salvadoreño; llega a Acaxual y derrota a los izalcos; entra a la capital del señorío de Cuscatlán.

■ Escena de la batalla de Escuintla. *Lienzo de Tlaxca.*

1525 Se funda la primera Villa de San Salvador.

1528 Se funda la segunda Villa de San Salvador, en la actual Ciudad Vieja. Pipiles alzados se refugian en Peñón de Zinacantán.

1530 Se funda la Villa de San Miguel de la Frontera (actual San Miguel) para contener el avance de las huestes de Pedrarias Dávila.

1533 Levantamiento en la costa del Bálsamo.

1542 Promulgación de las Leyes Nuevas de la Corona para proteger a los indios de los abusos.

1552 Se funda la villa de Sonsonate.

1581 El rey de España confirma la prohibición de contratar indios para producir añil.

1661-1667 Protestas en Ahuachapán contra el sistema de repartimiento.

CONTEXTO MUNDIAL

1517 Coronación del rey Carlos I de España.

1519 Hernán Cortés desembarca en Veracruz (México).

1522 Primer viaje de Juan Sebastián Elcano.

1538 Se funda la Universidad de Santo Domingo.

1563 Finaliza el concilio de Trento.

1588 Es derrotada la Armada Invencible.

1620 Los colonos ingleses del *Mayflower* se establecen en Virginia.

1640 Separación de España y Portugal.

1677 Los holandeses obtienen un «asiento» para abastecer de esclavos la América española.

1689 Nace la monarquía parlamentaria inglesa.

1700 Sube al trono español Felipe V.

1701 – 1800

1801 – 1820

HECHOS POLÍTICOS

1761 Por iniciativa del alcalde mayor Bernardo de Veira se organizan las Fiestas Reales para celebrar el ascenso al trono del rey Carlos III de Borbón, el máximo representante del despotismo ilustrado en España.

1768 y 1770 El obispo Pedro de Cortés y Larraz redacta su *Descripción geográfico-moral de la diócesis de Goathemala*, que contiene una valiosa información sobre la vida en el territorio correspondiente al actual El Salvador, recabada durante su recorrido por todas las parroquias.

1785 Nueva división política del Reino de Guatemala en virtud de la cual se crea la Intendencia de San Salvador.

1787-1803 Expedición del botánico José Mariano Mociño por el Reino de Guatemala.

■ Toma de la Bastilla por el pueblo francés.

1805 Antonio Gutiérrez y Ulloa toma posesión de su cargo como intendente de San Salvador.

1811 Primer levantamiento en San Salvador en protesta contra el arresto del padre Manuel Aguilar y las amenazas contra la vida del padre José Matías Delgado: se logra la conciliación de las partes y se restablece el orden.

1812 Se jura en San Salvador la Constitución de Cádiz.

1813 Manuel José Arce es electo diputado a Cortes por San Salvador. Para la Alcaldía resultan electos Juan Manuel Rodríguez y Pedro Pablo Castillo. El intendente Peinado apela estos últimos resultados ante el capitán general.

1814 Segundo levantamiento del pueblo de San Salvador contra las autoridades: es sofocado por el intendente José María Peinado y varios líderes son encarcelados. Fernando VII anula la Constitución de Cádiz. El capitán general Bustamante implementa una política represiva en el Reino de Guatemala.

1820 El pronunciamiento del general Riego en Cabezas de San Juan, que obliga al rey Fernando VII a restaurar la Constitución liberal de 1812: inicio del Trienio Liberal en España. Urrutia, partidario de la vigencia de la Constitución, reemplaza a Bustamante en el puesto de capitán general. Se reinstaura la libertad de prensa.

CONTEXTO MUNDIAL

1701 Guerra de Sucesión española (hasta 1714).

1713 Firma del tratado de Utrecht. España renuncia a Italia, Países Bajos, Gibraltar y Menorca.

1739 Creación del Virreinato de Nueva Granada.

1746 Fernando VI sucede a Felipe V en el trono.

1756 Estalla la guerra de los Siete Años entre Gran Bretaña y Francia.

1759 Sube al trono español Carlos III.

1763 Paz de París: Francia pierde dominios en América e India.

1775 Guerra de independencia estadounidense.

1789 Estalla la Revolución Francesa.

1804 Napoleón se proclama emperador.

1806 Abdicación de Francisco II de Austria. Fin del Sacro Imperio Romano Germánico.

1808 España es invadida por Francia. Carlos IV y Fernando abdican en favor de José Bonaparte.

1810 Miguel Hidalgo lanza el «grito de Dolores».

1811 Independencia de Paraguay y Colombia.

1813 Independencia de México.

1814 Restauración de Fernando VII en España.

1815 Napoleón es derrotado en Waterloo. Fusilamiento del patriota mexicano José María Morelos.

1816 Se proclama la Independencia de Argentina.

1819 Proclamación de la República de la Gran Colombia.

■ Proclamación de la Independencia argentina.

HECHOS POLÍTICOS

1821 – 1830

1821 Plan de Iguala que reconoce la independencia de México. Gabino Gaínza, firma en Guatemala el Acta de Independencia. Gaínza se convierte en Jefe Político y la Diputación Provincial en Junta Provisional Consultiva.

1822 La Junta Consultiva declara la anexión a México, que es rechazada por el Ayuntamiento de San Salvador. Guatemala envía expediciones para someter a los rebeldes. El emperador mexicano Iturbide encomienda la misión al general Filísola.

1823 Filísola derrota a los rebeldes. Iturbide abdica. Fracasa la anexión centroamericana. Se declara la nación soberana e independiente de las Provincias Unidas de Centro América.

1824 Juan Manuel Rodríguez es declarado primer jefe de Estado de El Salvador. Se proclama la Constitución de la República Federal de Centro América.

1825 Manuel José Arce es elegido primer presidente de la República Federal de Centro América. Estalla la guerra civil.

1829 El hondureño Francisco Morazán toma la ciudad de Guatemala al mando de las fuerzas liberales.

1830 Morazán presidente electo de la República Federal.

■ Escudo de las Provincias Unidas del Centro de América.

1831 – 1840

1833 Artículos polémicos de Juan José de Aycinena que lo convierten en el inspirador intelectual del fin de la Federación. En la zona de San Vicente, Anastasio Aquino encabeza la insurrección de los nonualcos. Aquino es fusilado en San Vicente. Su cabeza se exhibe en una jaula en la cuesta de Monteros.

1834 Traslado del Distrito Federal desde la Ciudad de Guatemala a San Salvador.

1837 Rebelión conservadora de Rafael Carrera contra las autoridades liberales de Guatemala.

1838 Decreto del Congreso Federal que autoriza a la autoorganización de los estados asociados, abriendo las puertas a la separación definitiva. Honduras, Nicaragua y Costa Rica entran en un proceso de rebelión abierta contra el poder central. El Salvador deviene el último reducto de la Federación.

1840 Morazán se ve obligado a abandonar San Salvador. Fin de la Federación.

■ Retrato de la reina Victoria y la familia real.

CONTEXTO MUNDIAL

1821 – 1830

1821 Derrota española en Carabobo: Panamá y Ecuador se integran a la República de la Gran Colombia.

1822 Pedro I, primer emperador de Brasil.

1823 Doctrina Monroe en Estados Unidos prohibiendo a los Estados europeos establecer colonias en el Nuevo Mundo. Restauración del absolutismo en España.

1829 Venezuela se separa de la Gran Colombia.

1830 Sanción de la Constitución uruguaya aprobada previamente por Argentina y Brasil. Independencia de Ecuador. Revolución liberal en Francia.

■ Aclamación popular de Pedro I, emperador de Brasil.

1831 – 1840

1833 Se promulga la Constitución chilena, que regirá hasta 1925. El Parlamento británico limita el horario laboral infantil.

1835 Manuel Oribe sucede a José F. Rivera en la presidencia de Uruguay.

1838 Sube al trono inglés la reina Victoria, quien manejará los asuntos de Estado hasta su muerte en 1901. Rivera recupera el poder en Uruguay.

1839 Disolución de la Confederación Centroamericana, lo que da lugar al nacimiento de los actuales estados de la región.

1841 – 1850

HECHOS POLÍTICOS

1841 Se proclama la segunda Constitución del Estado de El Salvador, la cual contempla el restablecimiento de la Federación.

1841-1845 Período de influencia del líder conservador general Francisco Malespín, aliado de Rafael Carrera en El Salvador.

1842 Francisco Morazán es ejecutado en Costa Rica. Sus restos reciben sepultura en San Salvador conforme a su voluntad testamentaria. Se erige la diócesis de San Salvador.

1843 Jorge de Viteri es preconizado primer obispo de El Salvador.

1844 Los generales liberales Trinidad Cabañas y Gerardo Barrios toman la guarnición de San Miguel.

1845 Malespín es excomulgado por su participación en el asesinato de un sacerdote en León. Llegada al poder de los liberales mediante el golpe de Estado del vicepresidente José Eufrasio Guzmán contra el presidente Malespín.

1846 Eugenio Aguilar asume la presidencia e intenta avanzar en la unidad centroamericana.

1848 Doroteo Vasconcelos, nuevo presidente, continúa la política de enfrentamiento con Carrera. Los restos de Morazán son trasladados de Costa Rica a El Salvador.

1850 San Salvador figura entre las ciudades más pobladas de América Latina (150 000 habitantes).

CONTEXTO MUNDIAL

1842 Reino Unido adquiere Hong Kong.

1843 Sube al trono español Isabel II.

1844 Carlos A. López sucede al dictador José Gaspar Rodríguez de Francia en Paraguay.

1848 Tras un enfrentamiento armado, México termina cediendo a Estados Unidos los territorios de Texas, California y Nuevo México.

1848-1849 Revoluciones liberales en Francia, Alemania, Italia, Austria y Hungría.

■ Campamento confederado en la guerra de Secesión.

1851 – 1860

HECHOS POLÍTICOS

1851 Batalla de La Arada: los liberales sufren una severa derrota a manos de las tropas guatemaltecas. Los conservadores recuperan el poder. Carreras impone a Francisco Dueñas en la jefatura del Estado.

1854 Un terremoto destruye la ciudad de San Salvador: se acuerda trasladar la capital del país a la finca Santa Tecla, que será el origen de la Nueva San Salvador, conocida popularmente como Santa Tecla. Llega al poder José María San Martín.

1856 El presidente Rafael Campo organiza un gobierno de coalición integrado por conservadores y liberales con el objeto de hacer frente a la agresión del aventurero estadounidense William Walker en Nicaragua.

1857 Barrios es nombrado jefe del ejército expedicionario salvadoreño, compuesto por un millar de hombres, que combatiría bajo las órdenes del general de las fuerzas centroamericanas José Joaquín Mora.

1859 Proclamación de El Salvador como República soberana e independiente. Gerardo Barrios asume el mando supremo de la República. Su mandato se prolongaría hasta 1863.

1860 Confrontación del gobierno liberal con la Iglesia.

CONTEXTO MUNDIAL

1852 Restauración monárquica en Francia: proclamación de Luis Napoleón Bonaparte como emperador, bajo el nombre de Napoleón III.

1853 La marina estadounidense desembarca en Japón para exigir el libre comercio.

1854 Francia y Reino Unido combaten a Rusia en la guerra de Crimea.

1858 Emancipación de los siervos de la gleba en Rusia.

1859 España reconoce la Independencia argentina.

1860 Carolina del Norte promulga la ordenanza de Secesión, primer paso de la guerra civil estadounidense.

1861 – 1870

HECHOS POLÍTICOS

1861 Barrios reorganiza las finanzas públicas, impulsa la educación laica y alienta la producción cafetalera.

1863 Guerra con Guatemala: Francisco Dueñas, que gozaba del apoyo del mandatario guatemalteco Rafael Carrera, asciende al poder tras la derrota de las fuerzas salvadoreñas. El nuevo mandatario, que se mantendrá hasta 1871, pondrá en práctica una política más bien moderada y conciliadora respecto de los liberales. Durante su gobierno aumentan las rentas públicas, se establece el Colegio Militar, se construye el Palacio Nacional y se inaugura el Parque Central. Se celebra el Tratado de Amistad con España.

1865 El general Gerardo Barrios es fusilado cumplimentando la pena de muerte dictada por un Consejo de Guerra.

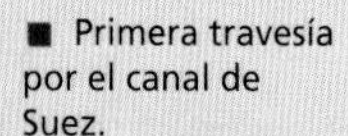

■ Primera travesía por el canal de Suez.

CONTEXTO MUNDIAL

1861 Creación del Reino de Italia.

1864 México suspende el pago de la deuda externa y Francia, España y Reino Unido invaden el país. Napoleón III ofrece la corona imperial mexicana a Maximiliano de Austria. Rusia completa la conquista del Cáucaso.

1865 Fin de la guerra de Secesión estadounidense.

1867 Fusilamiento del emperador Maximiliano en México. Estados Unidos compra Alaska a Rusia.

1868 Revolución liberal en España y expulsión de los Borbones.

1869 Inauguración del canal de Suez.

1871 – 1880

HECHOS POLÍTICOS

1871 El mariscal Santiago González se proclama presidente luego de derrocar al presidente Dueñas, después de varios combates. El período presidencial es reducido de seis a dos años. Posteriormente se prolonga a cuatro.

1872 La nueva Constitución proclama la libertad de cultos y seculariza los cementerios y la educación. Se suspende el Concordato con la Santa Sede y son expulsados los jesuitas.

1873 Un sismo devasta la ciudad de San Salvador.

1876 Andrés Valle obtiene la presidencia de la República con el empleo de la violencia y métodos fraudulentos. El país es invadido por tropas guatemaltecas y Valle se ve obligado a abandonar la presidencia, abriéndose el período de influencia de Rafael Zaldívar, quien gobernará el país hasta el año 1884. Comienza la expansión de la producción cafetalera.

■ Retrato del presidente mexicano Porfirio Díaz.

CONTEXTO MUNDIAL

1871 Comuna de París. II Reich: bajo la hegemonía prusiana, el imperio alemán deviene la primera potencia europea.

1873 En España: abdica Amadeo de Saboya y se proclama la Primera República.

1874 Tropas estadounidenses invaden México. Restauración borbónica en España: sube al trono el rey Alfonso XII.

1877 Rusia invade los Balcanes turcos tras completar la conquista del norte de Asia.

1878 La Paz de Zanjón (Cuba) pone fin a diez años de guerra entre España y los independentistas cubanos.

1881 - 1890

HECHOS POLÍTICOS

1881 y 1882 El Estado decreta leyes para privatizar las tierras ejidales y comunales. Promulgación de la ley del Jornalero y creación de Jueces Agrarios.

1883 Nueva Constitución que rompe con el sistema de alternancia en el poder imperante hasta el momento. Inauguración de la línea ferroviaria Acajutla-Sonsonate.

1885 Zaldívar deposita el mando en el ministro de Hacienda, Fernando Figueroa, y abandona el país. El general Francisco Menéndez derroca a Figueroa en un movimiento en el que participan los indígenas de Cojutepeque conjuntamente con el artesanado de la capital.

1886 Promulgación de una nueva Constitución de claro corte liberal, que en lo fundamental se mantendrá vigente hasta 1939.

1890 Durante la campaña electoral se plantea la reinstauración de la unidad centroamericana. Los comicios se ven frustrados por un golpe militar que derroca al general Menéndez e instala en el poder al general Carlos Ezeta. Los principios del nuevo gobierno, que trabaja en la modernización y profesionalización del ejército, se exponen en el Plan de Chalchuapa, que se propone anular la Constitución de 1883. Es fusilado el general Jacinto Castro. El general José María Rivas muere a manos de la multitud.

CONTEXTO MUNDIAL

1881 Francia establece su protectorado sobre Túnez. Es asesinado el zar ruso Alejandro II.

1882 La escuadra inglesa se apodera de Alejandría (Egipto) y ocupa el canal de Suez y la ciudad de El Cairo. Alemania, Austria e Italia forman la Triple Alianza.

1884 Las grandes potencias europeas se reúnen en Berlín para fijar normas internacionales para la fundación de colonias en África.

1889 Fundación de la II Internacional en París, que acoge la Exposición Internacional. Se inaugura la Torre Eiffel. En Brasil, se proclama la República.

1890 Quiebra del Banco Baring de Londres.

1891 - 1900

HECHOS POLÍTICOS

1893 Es fusilado el coronel Camilo Flores, tras fracasar en una intentona golpista llevada a cabo en Santa Ana.

1894 La Rebelión de los Cuarenta y Cuatro en Santa Ana instala en el poder al general Antonio Gutiérrez tras derrocar al gobierno de Carlos Ezeta, que se ve obligado a exiliarse, primero a Panamá y posteriormente a Europa. Gutiérrez es apoyado por Nicaragua, Guatemala y Honduras.

1898 Golpe de Estado que derroca al general Rafael Antonio Gutiérrez e instala en el poder al general Tomás Regalado. En contraste con los métodos reiteradamente violentos empleados hasta aquel momento, Regalado trata de sentar las bases para un régimen institucional basado en el traspaso de poderes pacífico.

1899 El Congreso Nacional confirma en el cargo de presidente a Tomás Regalado.

■ Nicolás II, último zar de Rusia, con su esposa.

CONTEXTO MUNDIAL

1891 Guerra civil en Chile. Rusia se aleja de la alianza de los emperadores y firma un pacto con Francia. Se inicia la construcción del ferrocarril transiberiano.

1894 Aprobación de la ley de sufragio universal en España. Tiene lugar la coronación del último zar ruso, Nicolás II.

1898 Estalla el caso Dreyfus en Francia. Guerra hispano-estadounidense por Cuba. Estados Unidos ocupa las islas Hawai, en el océano Pacífico.

1899 Comienza la guerra de los bóers entre Reino Unido y Holanda en el sur de África. Guerra civil en Guatemala (hasta 1903).

1901 – 1910

HECHOS POLÍTICOS

1903 Tomás Regalado cede al poder al finquero Pedro Jesús Escalón y se queda al frente del Ministerio de la Guerra. Se institucionaliza el poder político de las grandes familias cafetaleras, abriendo el período de gobiernos cuatrienales en los que cada presidente designará a su sucesor.

1906 Guerra con Guatemala, en la que actúa como detonante el problema de la emigración. Regalado muere en el campo de batalla. Se restablece la paz, concretada en los Acueros de Marblehead, gracias a la mediación de Estados Unidos.

1907 Guerra con Honduras y Nicaragua. Estados Unidos pasa a intervenir directamente en los asuntos internos salvadoreños: controla los mecanismos políticos centroamericanos, al tiempo que emprende importantes inversiones en la región y, específicamente, en El Salvador.

■ Cadetes portando el pabellón nacional en 1910.

■ Traslado de los restos del doctor Araujo a la catedral.

CONTEXTO MUNDIAL

1903 Panamá se separa de Colombia y vende una franja territorial a Estados Unidos para la construcción del canal.

1904 Guerra civil en Uruguay entre «blancos» y «colorados». Comienza la guerra ruso-japonesa.

1905 Estalla la primera revolución rusa; el zar Nicolás II renuncia al poder absoluto.

1906 Conferencia de Algeciras: España y Francia se dividen Marruecos. El Reino Unido y Francia establecen la Entente Cordial.

1909 Guerra civil en Honduras.

1911 – 1920

HECHOS POLÍTICOS

1911 Asume la presidencia el doctor Manuel Enrique Araujo con un programa de modernización estatal: pone en práctica políticas sociales y establece un nuevo sistema de recaudación fiscal que incluye impuestos directos sobre el capital y la propiedad. Se crea la Guardia Nacional siguiendo el modelo de la Guardia Civil española.

1913 Muere en atentado el doctor Araujo. Le sucede Carlos Meléndez, Primer Designado a la Presidencia. Se abre así el período de hegemonía de la familia Meléndez-Quiñónez, que se extiende hasta 1927.

1918 Asume la presidencia Jorge Meléndez, hermano de Carlos Meléndez.

■ El líder revolucionario mexicano Emiliano Zapata.

CONTEXTO MUNDIAL

1911 En México, convulsiones sociales bajo el liderazgo de Emiliano Zapata y Pancho Villa.

1914 Asesinato del archiduque austríaco Francisco Fernando. Estalla la Primera Guerra Mundial. Inauguración del canal de Panamá.

1917 Revolución rusa: fin del régimen zarista e instauración el primer estado socialista del mundo.

1918 Abdicación del káiser alemán Guillermo II y fin de la Gran Guerra. Se crea la III Internacional Comunista.

1919 Declaración de la República de Weimar en Alemania y firma del tratado de Versalles.

■ Lenin preside un soviet tras la Revolución.

1921 – 1930

1931 – 1940

HECHOS POLÍTICOS

1922 Jorge Meléndez suscribe con banqueros estadounidenses un préstamo por 21.5 millones de dólares para cancelar una deuda contraída por la Federación Centroamericana casi cien años antes. Los banqueros nombran al agente fiscal William Renwick para supervisar la operación de las aduanas salvadoreñas.

1923 Asume la presidencia el doctor Alfonso Quiñónez Molina, cuñado de Carlos y Jorge Meléndez. Durante su mandato, las organizaciones obreras experimentan un auge considerable.

1924 Represión violenta de una manifestación femenina en apoyo del líder opositor Tomás Molina. Se funda la Federación Regional de Trabajadores Salvadoreños (FRTS), afiliada a la Confederación Obrera Centroamericana (COCA).

1927 El doctor Pío Romero Bosque asume la presidencia con un programa de liberalización del sistema político. Rompiendo con la práctica de sus predecesores, al concluir su mandato no asegura la victoria del candidato oficial y convoca las primeras elecciones libres del país.

1930 Se funda el Partido Comunista Salvadoreño.

1931 Los comunistas organizan una marcha multitudinaria por las calles de San Salvador. Primeras elecciones libres: gana el laborista Arturo Araujo. Desplome de los precios del café en el mercado internacional. Golpe militar a cargo del general Maximiliano Hernández Martínez.

1932 Insurrección campesina en el occidente del país. Los rebeldes toman Nahuizalco, Juayúa, Tacuba e Izalco. La represión, a cargo de la Guardia Nacional y las paramilitares Guardias Cívicas, causa entre diez mil y treinta mil muertos, principalmente indígenas. Es fusilado Agustín Farabundo Martí. Se crea el Fondo de Mejoramiento Social.

1934 Creación del Banco Central de Reserva.

1935 Creación del Banco Hipotecario. Se establece en dos colones y medio la paridad con el dólar.

■ Cartel republicano en la guerra civil española.

CONTEXTO MUNDIAL

■ El «duce» de Italia, Benito Mussolini.

1922 Benito Mussolini, «duce» de Italia.

1924 Fin de la ocupación estadounidense en la República Dominicana. León Trotski funda la IV Internacional Comunista.

1925 Los estadounidenses abandonan suelo nicaragüense, ocupado desde 1912. El mismo año vuelven a desembarcar.

1926 Lucha armada de Sandino en Nicaragua.

1929 Creación del Estado Vaticano. Quiebra la Bolsa de Nueva York; las finanzas internacionales y el patrón oro muestran su debilidad.

1930 Golpes de Estado en Bolivia, Perú y Brasil.

1931 Triunfo republicano en España; se aprueba una nueva Constitución; el rey Alfonso XIII se exilia.

1932 Comienza la guerra del Chaco entre Paraguay y Bolivia, que finalizará en 1935.

1933 Hitler asume el poder en Alemania. Oliveira Salazar, dictador de Portugal.

1936 Estalla la guerra civil en España.

1939 Finaliza la guerra civil española y comienza el período dictatorial del general Francisco Franco. El ejército alemán invade Polonia. El Reino Unido y Francia declaran la guerra a Alemania.

1941 – 1950

1951 – 1960

HECHOS POLÍTICOS

1941 Bajo fuertes presiones estadounidenses, El Salvador declara la guerra a las potencias del Eje.
1944 Golpe militar fallido en San Salvador, con numerosos muertos y heridos. «Huelga de brazos caídos» para forzar el derrocamiento de Hernández Martínez, que finalmente cede. La Asamblea elige al general Andrés Ignacio Menéndez para sucederle. Un movimiento militar depone a Menéndez y sube el coronel Osmín Aguirre. Aplastada una rebelión en el barrio de San Miguelito de la capital. Invasión armada desde Guatemala que es contenida en el Llano, en Ahuachapán.
1945 Triunfo del general Salvador Castaneda Castro en las elecciones presidenciales.
1948 Deposición de Castaneda Castro y formación de un Consejo de Gobierno Revolucionario.
1950 Triunfo electoral del coronel Óscar Osorio y promulgación de una nueva Constitución progresista. Osorio implanta un programa de modernización del aparato económico y administrativo.

■ El presidente Mao es aclamado por el pueblo.

■ Los presidentes Ydígoras Fuentes y Lemus en la ODECA.

1951 Se crea en San Salvador la Organización de Estados Centroamericanos (ODECA), con la participación de los cinco países que formaron originalmente la Federación Centroamericana.
1952 Se emite la Ley de Defensa del Orden Democrático, fuertemente criticada por la oposición.
1956 Triunfa en los comicios el coronel José María Lemus, ministro del Interior de Osorio e ideólogo del Movimiento de la Juventud Militar.
1958 El Salvador ostenta la tasa más alta de densidad de población de América Central.
1960 Se agudiza el clima de descontento y oposición al régimen. El gobierno ordena el allanamiento de la Universidad Nacional y la detención de su rector, el doctor Napoleón Rodríguez Ruiz. Se decreta el estado de sitio. Un golpe militar depone al presidente Lemus. Se instala la Junta de Gobierno, compuesta de tres militares y tres civiles. Esta Junta pretendía restablecer la legalidad democrática y convocar a elecciones libres. Se funda el Partido Demócrata Cristiano.

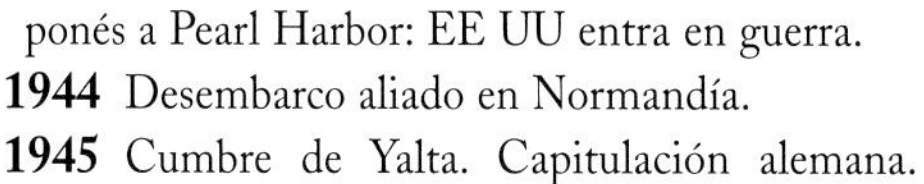

CONTEXTO MUNDIAL

1941 Tropas alemanas invaden Rusia. Ataque japonés a Pearl Harbor: EE UU entra en guerra.
1944 Desembarco aliado en Normandía.
1945 Cumbre de Yalta. Capitulación alemana. Ejecución de Mussolini. Estados Unidos lanza bombas atómicas sobre Hiroshima y Nagasaki. Fundación de la ONU.
1947 Plan Marshall para la reconstrucción de Europa. India declara la independencia.
1948 Creación del Estado de Israel. Nace la Organización de Estados Americanos (OEA).
1949 Victoria comunista en China; Mao Zedong es elegido presidente. Se crea la Organización del Tratado del Atlántico Norte (OTAN).

■ Fidel Castro, artífice de la revolución cubana.

1951 Alemania logra su casi total independencia tras la ocupación de las tropas aliadas.
1952 Puerto Rico adquiere el estatuto de Estado libre asociado a Estados Unidos de América.
1954 Alfredo Stroessner se convierte en el hombre fuerte de Paraguay.
1955 La Unión Soviética y los países del Este firman el Pacto de Varsovia.
1957 Creación de la Comunidad Económica Europea. La URSS pone en órbita la nave espacial Sputnik I.
1959 Derrocamiento del dictador Batista y entrada de Fidel Castro en La Habana.

1961 – 1970

HECHOS POLÍTICOS

1961 Golpe de Estado contra la Junta de Gobierno e instauración del Directorio Cívico Militar.

1962 Triunfo del candidato del Partido de Conciliación Nacional (PCN), coronel Julio Adalberto Rivera.

1963 Ley del Impuesto de la Renta. Reforma Universitaria. Nacionalización del Banco Central de Reserva. Rebaja en los alquileres de viviendas populares. Se promulgan leyes que protegen al campesinado.

1964 El democristiano José Napoleón Duarte conquista la alcaldía de San Salvador.

1967 Elecciones presidenciales: vence el candidato oficial, general Fidel Sánchez Hernández.

1969 Expulsión de salvadoreños en Honduras. Las hostilidades entre ambos países preparan el clima bélico que desembocará en la guerra de las Cien Horas o del Fútbol: el ejército salvadoreño invade territorio hondureño, ocupando Nueva Ocotepeque y algunas poblaciones fronterizas. Honduras bombardea Acajutla y La Unión. El conflicto se resuelve con la intervención de la Organización de los Estados Americanos (OEA).

1970 Primer Congreso Nacional de Reforma Agraria, convocado por la Asamblea Legislativa.

1971 – 1980

1972 Las elecciones presidenciales dan el triunfo al coronel Arturo Armando Molina. Rebelión fustrada del coronel Benjamín Mejía con el apoyo de Duarte.

1975 Roque Dalton es asesinado por sus compañeros del Ejército Revolucionario del Pueblo. Se crea el Instituto de Transformación Agraria (ISTA) y nace el Bloque Popular Revolucionario (BPR).

1977 Elecciones presidenciales: gana con métodos fraudulentos el general Carlos Humberto Romero.

1979 El coronel Arnoldo Majano derroca a Romero. Se forma una Junta de Gobierno.

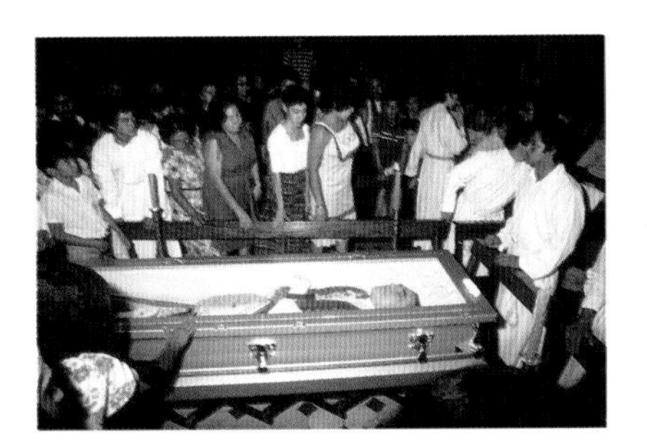

■ Asesinato de monseñor Óscar Arnulfo Romero.

1980 Renuncian los miembros civiles de la Junta de Gobierno. Una alianza entre la Fuerza Armada y el PDC da lugar a una segunda Junta de Gobierno. Las FPL, la RN y el PCS llaman a la insurrección armada. Asesinato de monseñor Romero. Roberto D'Aubuisson funda Arena. Los cinco grupos guerrilleros se integran en el FMLN.

■ John F. Kennedy, presidente de Estados Unidos.

CONTEXTO MUNDIAL

1961 Construcción del muro de Berlín. Conferencia de Punta del Este (Uruguay).

1963 Asesinato de John F. Kennedy.

1964 Golpe militar en Brasil. Comienza la guerra de Vietnam.

1967 Ernesto «Che» Guevara muere asesinado en Bolivia.

1968 Intervención soviética en Checoslovaquia. En París, obreros y estudiantes ocupan las calles en el denominado «Mayo francés».

1970 Salvador Allende, presidente de Chile.

1972 Estados Unidos se retira de Vietnam.

1973 Crisis internacional del petróleo. Golpe de Estado en Chile. En Uruguay el presidente Bordaberry disuelve el Parlamento.

1974 Estalla el escándalo Watergate, en EE UU. «Revolución de los claveles» y recuperación democrática en Portugal.

1975 Muere Francisco Franco. Juan Carlos I, rey constitucional de España. Vietnam del Sur se rinde.

1976 Nombrado en Uruguay un gobierno cívico-militar.

1979 El Frente Sandinista de Liberación Nacional toma el poder en Nicaragua y el dictador Anastasio Somoza se refugia en Paraguay.

■ Guerrilleros del Frente Sandinista, en Nicaragua.

1981 – 1990

HECHOS POLÍTICOS

1981 Ofensiva general del FMLN con la que comienza la guerra civil. Operativo militar que concluye con la matanza de campesinos conocida como la Masacre del Mozote.

1982 La Junta de Gobierno convoca a elecciones para Asamblea Constituyente. Elección de una Asamblea Constituyente sin participación de partidos de izquierda: Arena y PCN obtienen la mayoría, pero EE UU fuerza un pacto con el PDC. Álvaro Magaña, presidente provisional; Roberto D'Aubuisson preside la Asamblea Constituyente.

1983 Se promulga una nueva Constitución de la República.

1984 José Napoleón Duarte es elegido presidente.

1985 El PDC triunfa por amplio margen en las elecciones legislativas y municipales.

1988 Triunfo de Arena en las elecciones municipales y legislativas.

1989 Triunfo de Alfredo Félix Cristiani Burkard, candidato de Arena, en primera ronda. Ataque de gran envergadura del FMLN en las áreas metropolitana de San Salvador y San Miguel. Asesinato de seis jesuitas de la Universidad Centroamericana José Simeón Cañas (UCA), entre ellos Ignacio Ellacuría.

1990 Firma de un acuerdo que establece las normas rectoras de las negociaciones de paz entre el gobierno y el FMLN.

■ Rúbrica de los acuerdos de paz de El Salvador.

■ Álvaro Magaña, presidente provisional.

CONTEXTO MUNDIAL

1984 Elecciones en Uruguay: triunfa Julio María Sanguinetti. Asesinato de la primera ministra india Indira Gandhi.

1985 Recuperación democrática en Brasil. Llega a la Secretaría General del Partido Comunista de la URSS Mijail Gorbachov.

1989 Derrocamiento del régimen dictatorial de Alfredo Stroessner en Paraguay. Sangrienta represión de estudiantes en la plaza Tiananmen de Pekín. Caída del Muro de Berlín.

1990 Violeta Chamorro asume la primera magistratura en Nicaragua. Los países bálticos proclaman su independencia de la URSS. Tropas de Irak invaden Kuwait.

■ La destrucción del muro de Berlín, en 1989.

1991 – 2000

HECHOS POLÍTICOS

1991 Se logran acuerdos en materia de reformas constitucionales.

1992 Luego de largas negociaciones, auspiciadas por las Naciones Unidas, el gobierno del presidente Cristiani y la comandancia general del FMLN ponen fin al conflicto armado por medio de la firma de los Acuerdos de Paz en Chapultepec, México. El FMLN se compromete a disolverse como fuerza militar y transformarse en partido político.

1994 Los candidatos más votados en las elecciones presidenciales, Armando Calderón Sol (Arena) y Rubén Zamora (por una coalición de izquierdas que incluye al FMLN), deben presentarse a una segunda vuelta. En las elecciones legislativas el FMLN se convierte en la segunda fuerza política. Segunda vuelta de las elecciones presidenciales: se impone Armando Calderón Sol.

1997 Notables avances de la oposición en las elecciones legislativas y municipales. Héctor Silva, candidato de la coalición FMLN-CD, es electo alcalde de San Salvador. El FMLN gana las alcaldías de varias ciudades importantes.

1999 Elecciones presidenciales en las que el candidato de Arena, Francisco Flores, renueva el triunfo de la derecha.

2000 Se prevé un crecimiento de la economía salvadoreña cercano al 4 por ciento.

CONTEXTO MUNDIAL

1991 Guerra del golfo Pérsico. Contienda de los Balcanes tras desmembrarse la antigua Yugoslavia.

1992 Disolución del Pacto de Varsovia.

1993 El presidente venezolano Carlos Andrés Pérez es destituido por el Senado.

1994 Surge en Chiapas, México, el Ejército Zapatista de Liberación Nacional.

1996 Abolición legal del *apartheid* en Sudáfrica.

1997 Hong Kong es devuelta a China.

1998 Visita del papa Juan Pablo II a Cuba.

1999 La crisis de Kosovo desata la guerra entre Yugoslavia y la OTAN.

2000 Estallido social en Ecuador por la deteriorada situación económica.

Índice onomástico

A

B

C

D

E

F

G

H

I

J